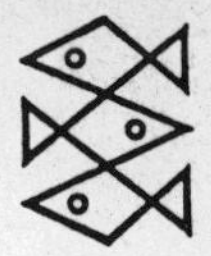

*Über dieses Buch* Die äußeren Schranken haben wir übersprungen: Frauen dürfen wählen, Geld verdienen, sogar in der Öffentlichkeit Macht ausüben. Warum aber, fragt Colette Dowling, nehmen so wenige Frauen diese Chance wahr? Warum nützen Frauen so viel seltener ihre Begabungen? Und warum kehren selbst die Erfolgreichsten abends in eine ungleiche Partnerschaft zurück?
Colette Dowlings Antwort lautet: Weil sie sich insgeheim noch immer nach Beschützung und Versorgung sehnen, weil sie die inneren Schranken noch nicht überwunden haben. »Im tiefsten Inneren will ich nicht selbst für mich sorgen. Ich möchte, daß es jemand anders tut.« Wie Aschenputtel im Märchen wartet auch die heutige Frau noch auf den rettenden Prinzen – sie leidet am »Cinderella-Komplex«.

*Die Autorin* Colette Dowling zog 1958 als junge Gastredakteurin der Zeitschrift »Mademoiselle« nach New York und blieb vier Jahre in der Redaktion. Seitdem arbeitet sie als freie Journalistin und Autorin. Sie hat drei heranwachsende Kinder und lebt und arbeitet in Rhinebeck, New York.

Colette Dowling

# Der Cinderella-Komplex

## Die heimliche Angst der Frauen vor der Unabhängigkeit

Aus dem Amerikanischen
von Manfred Ohl und Hans Sartorius

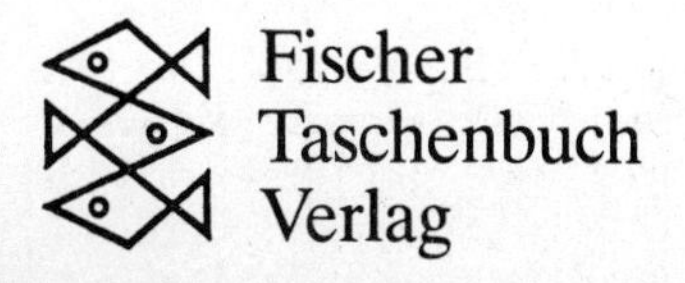
Fischer
Taschenbuch
Verlag

Für meine Mutter und meinen Vater

256.–275. Tausend: November 1990

Veröffentlicht im Fischer Taschenbuch Verlag GmbH,
Frankfurt am Main, Januar 1984

Die amerikanische Originalausgabe erschien 1981 unter dem Titel
»The Cinderella-Complex – Women's Hidden Fear of Independence«
bei Summit Books, A Simon & Schuster Division of Gulf an Western Corporation

Lizenzausgabe mit freundlicher Genehmigung
des S. Fischer Verlages GmbH, Frankfurt am Main
Deutsche Erstausgabe

Umschlagentwurf: Jan Buchholz/Reni Hinsch
Druck und Bindung: Clausen & Bosse, Leck
Printed in Germany
ISBN 3-596-23068-3

INHALT

# I. KAPITEL DER WUNSCH, GERETTET ZU WERDEN

*Ich liege mit einer schweren Erkältung allein im zweiten Stock unseres Hauses; ich möchte die anderen nicht anstecken. Das Zimmer wirkt groß und kalt und im Verlauf der Stunden seltsam unfreundlich. Ich denke wieder an das kleine Mädchen, das ich einmal war ... zart, hilflos und verletzlich. Als es Abend wird, geht es mir ausgesprochen schlecht. Ich leide weniger an der Erkältung als an Angst. »Was tue ich hier?« frage ich mich, »so einsam, vom Leben abgeschnitten ... so ohne festen Halt.« Wie seltsam, ich bin so verstört; ich bin von meinem geschäftigen, anstrengenden Leben getrennt ... ausgeschaltet ...*

Mein Gedankenfluß bricht ab, und ich erkenne: Ich bin *immer* allein. Ich stehe ohne Vorwarnung vor dieser Wahrheit, der ich bisher mit großer Energie ausgewichen bin. Ich hasse es, allein zu sein. Ich würde gerne in der Haut eines anderen stecken. Mehr als Luft, Energie, ja mehr als das Leben selbst, wünsche ich mir Sicherheit, Wärme und: umsorgt zu werden. Verwirrt stelle ich fest, daß dies nichts Neues ist. Seit langem ist es da, es ist ein Teil von mir.

Seit jenem Tag im Bett habe ich erfahren, daß es andere Frauen wie mich gibt; Tausende und Abertausende von Frauen wurden auf eine bestimmte Weise erzogen und waren nie in der Lage, sich der Realität zu stellen, daß wir als Erwachsene allein für uns verantwortlich sind. Wir bekennen uns vielleicht mit Worten zu dieser Idee, aber innerlich akzeptieren wir sie nicht. Alles in unserer Erziehung sprach davon, daß wir *Teil* eines anderen Menschen sein würden – daß uns das eheliche Glück bis zum Tod beschützen, stärken und aufrechterhalten würde.

Natürlich kam eine nach der anderen von uns – jede auf ihre Weise – hinter die Lüge, die in diesem Versprechen lag. Aber erst in den siebziger Jahren kam es zu einem kulturellen Umdenken, und man sah Frauen anders, behandelte sie anders und dachte über sie anders als je zuvor. Jetzt wurde etwas Neues von uns erwartet. Man sagte uns, die alten Mädchenträume seien untauglich und wertlos. Es gebe bessere Dinge, die wir uns wünschen sollten: Geld, Macht und etwas, das sich nur sehr schwer definieren läßt – die Freiheit . . . die Fähigkeit zu bestimmen, was wir mit unserem Leben *tun*; wie wir denken und entscheiden, was für uns wichtig ist. Freiheit ist besser als Sicherheit, sagte man uns; Sicherheit lähmt.

Aber wir entdeckten bald, daß Freiheit Angst verursacht. Sie stellt uns vor Möglichkeiten, mit denen wir nicht fertigzuwerden glauben: Beförderung; Verantwortung; die Chance, allein zu reisen, ohne einen Mann, der uns führt; auf eigene Faust Freundschaften zu schließen. In kurzer Zeit eröffneten sich den Frauen sehr viele Möglichkeiten, aber mit der Freiheit kamen neue Forderungen: Wir sollten erwachsen werden und uns nicht länger unter den Schutz eines anderen stellen, den wir für »stärker« halten. Wir sollten Entscheidungen auf der Grundlage unserer eigenen Werte treffen – uns nicht auf den Ehemann, auf die Eltern oder einen Lehrer berufen. Freiheit verlangt, daß wir authentisch und uns selbst gegenüber aufrichtig werden. Und an diesem Punkt wird es plötzlich schwierig. Wir gelten nicht mehr einfach als »gute Ehefrau«, als »brave Tochter« oder als »gute Studentin«. Wenn wir den Prozeß der Loslösung von den Personen beginnen, die für uns Autorität besitzen, stellen wir wahrscheinlich fest, daß die Werte, die wir für unsere Werte hielten, es nicht sind. Sie gehören anderen – starken Persönlichkeiten einer mächtigen, allumfassenden Vergangenheit. Schließlich kommt der Moment der Wahrheit: »*Ich* habe eigentlich keine Überzeugungen. *Ich* weiß eigentlich nicht, woran ich glaube.«

Es kann eine Zeit der Angst über uns hereinbrechen. Alles, was uns sonst Sicherheit gab, wird brüchig wie die Erde vor einem Erdrutsch; wir sind völlig verunsichert – und verängstigt. Dieser schwindelerregende Verlust alter und überholter Stützen – der Überzeugungen, von denen wir nicht mehr überzeugt sind – kann der Beginn echter Freiheit sein. Aber weil der Vorgang so furchterregend ist, kann er uns zum überstürzten Rückzug verleiten, uns auf sicheres, vertrautes und bekanntes Gebiet zurücklocken.

Warum neigen wir zum Rückzug, wenn wir die Möglichkeit haben, vorwärts zu gehen? Weil Frauen nicht daran gewöhnt sind, sich der Furcht zu stellen und sie zu überwinden. Wir wurden ermutigt, allem aus dem Weg zu gehen, das uns erschreckt. Man hat uns von klein auf gelehrt, nur Dinge zu tun, bei denen wir uns sicher und wohl fühlen. Ja, man hat uns nicht auf die Freiheit vorbereitet, sondern auf das absolute Gegenteil – die Abhängigkeit.

Die Wurzel des Problems liegt in der Kindheit. In der Kindheit waren wir sicher, für alles wurde gesorgt, und wir konnten uns darauf verlassen, daß Mutter und Vater da waren, wann immer wir sie brauchten. In den Nächten gab es keine Alpträume, keine Schlaflosigkeit oder die quälende, zwanghafte Litanei all dessen, was wir tagsüber falsch gemacht haben oder vielleicht hätten besser machen können. Wir legten uns abends ins Bett und lauschten dem Wind, der durch die Bäume strich, bis wir einschliefen. Heute weiß ich, daß zwischen unserem weiblichen Hang zur Häuslichkeit und diesen angenehmen Träumen von der Kindheit, die an der Schwelle des Unterbewußtseins zu liegen scheinen, eine Verbindung besteht. Es hat etwas mit Abhängigkeit zu tun: Es ist das Bedürfnis, sich auf jemanden zu stützen – ein Bedürfnis, ernährt, umsorgt und vor Schaden bewahrt zu werden, das in die Kindheit zurückreicht. Dieses Verlangen begleitet uns in das Erwachsensein und fordert ebenso energisch Erfüllung wie das Bedürfnis nach Unabhängigkeit. Der Drang zur Abhängigkeit ist für Männer und Frauen in gewissem Maß normal. Aber wie wir sehen werden, sind Frauen seit ihrer Kindheit dazu ermutigt worden, in geradezu ungesunder Weise abhängig zu werden. Jede Frau, die sich nichts vormacht, weiß, daß sie nie dazu erzogen wurde, sich mit der Idee anzufreunden, für sich zu sorgen, auf sich selbst gestellt zu sein und sich zu behaupten. Sie hat höchstens das Spiel der Unabhängigkeit gespielt und dabei innerlich die Jungen (und später die Männer) beneidet, weil ihre Unabhängigkeit so natürlich zu sein schien.

Nicht die Natur schenkt den Männern diese Unabhängigkeit, sie wird durch Training erworben. Von Geburt an werden Männer auf die Unabhängigkeit vorbereitet. Und ebenso systematisch wird Frauen beigebracht, daß sie etwas anderes erwarten können: Sie werden eines Tages auf irgendeine Weise gerettet. Das ist das Märchen, die Botschaft, die wir mit der Muttermilch eingesogen haben. Vielleicht wagen wir uns eine Zeitlang allein in die Welt. Wir studieren, arbeiten, reisen. Vielleicht verdienen wir sogar gut. Aber bei alldem haben wir im Innern das Gefühl, daß dies nur ein *vorübergehender* Zustand ist. Du mußt nur durchhalten, heißt es in dem Kindermärchen, und eines Tages kommt ein Mann und befreit dich aus der Angst, für immer allein zu leben. (Der Junge lernt: Niemand rettet dich, wenn du es nicht selbst tust.)

An dieser Stelle muß ich erwähnen, daß ich durch persönliche Erfahrung auf das Thema Abhängigkeit der Frau gestoßen bin – aber erst vor kurzem. Lange Zeit hatte ich mich und alle anderen mit einer raffinierten Art der Pseudounabhängigkeit getäuscht – eine Fassade, an der ich jahrelang gebaut hatte, um den (beängstigenden) Wunsch, versorgt zu werden, zu verbergen. Die Maskerade war so überzeugend, daß ich vielleicht Zeit meines Lebens daran geglaubt hätte, wenn nicht etwas geschehen wäre, das in dem dünnen Gewebe meiner Unabhängigkeit einen beunruhigenden Riß erzeugt hat.

Als es geschah, war ich fünfunddreißig. Eine Reihe von Ereignissen führte dazu, daß ich in mir bis dahin unbekannte

Gefühle entdeckte, verborgene Selbstzweifel, die meine Sicherheit so sehr bedrohten, daß ich praktisch alles tat, um jemanden zu veranlassen, die Dinge für mich in die Hand zu nehmen, wenn es schwierig wurde – wenn die Anforderungen des Lebens begannen, verdächtig nach den echten, logischen Forderungen auszusehen, die an einen Erwachsenen gestellt werden, und nicht an ein frühreifes Mädchen, das Ausflüge in eine Welt unternimmt, in der es nur Spiele gibt. Meine Ehe lag bereits mehrere Jahre hinter mir, und ich mußte allein für drei kleine Kinder sorgen; aber mich erwartete eine Zeit bemerkenswerten Wachstums. Seltsamerweise wurden die Schmerzen, die diese Erfahrung begleiteten, noch dadurch verstärkt, daß ich mich verliebt hatte.

*Verlust der Ambitionen*

1975 verließ ich New York und zog mit meinen Kindern in ein kleines abgelegenes Dorf im Hudsontal, neunzig Meilen nördlich von Manhattan. Hinter mir lag der einsame vier Jahre dauernde Kampf, mich als alleinstehende Mutter durchzuschlagen. Ich hatte einen Mann kennengelernt, der ein idealer Partner zu sein schien: Er war zuverlässig, intelligent und wundervoll lustig. Wir mieteten ein großes, einladendes Haus mit Land, einem Garten und Obstbäumen. In meiner neuen Euphorie glaubte ich, daß es in dem Dörfchen Rhinebeck nicht schwieriger sein würde, den Lebensunterhalt mit Schreiben zu verdienen, als im Zentrum von Manhattan. Aber etwas hatte ich nicht erwartet – und ich konnte es auch nicht voraussehen – den verwirrenden Verlust der Ambitionen, sobald ich wieder mit einem Mann die Wohnung teilte.
Ohne eine bewußte Entscheidung zu treffen, ohne daß ich es erkannte, veränderte sich mein Leben dramatisch. Früher hatte ich täglich mehrere Stunden geschrieben und mich einer Karriere gewidmet, die vor zehn Jahren begann. In Rhinebeck schien Hausarbeit meine Zeit völlig in Anspruch zu nehmen –

beseligende Hausarbeit. Jahrelang hatte es bei mir nur Fertiggerichte gegeben, da mir für mehr keine Zeit blieb; jetzt begann ich wieder zu kochen. Nach einem halben Jahr auf dem Land wog ich zehn Pfund mehr. »Das ist gesund« redete ich mir ein, und seltsamerweise gefiel mir die Veränderung. »Wir sind alle entspannter.« Ich begann, karierte Röcke und viel zu weite Latzhosen zu tragen. Ich nahm mir zu allem mehr Zeit – ob ich die Blumentöpfe goß, das Feuer im Kamin vorbereitete oder aus dem Fenster sah. Die Zeit schien im Flug zu vergehen. Die herrlichen Herbsttage wichen dem Winter. Ich trug Stiefel und eine abgesteppte Jacke und hackte Holz. Ich schlief traumlos, aber morgens fiel es mir oft schwer aufzustehen. Es gab nichts, was mich dazu zwang.
Mein neuer Rückzug in das Leben einer Hausfrau hätte mich stärker beunruhigen sollen – er hätte wie ein Signal wirken müssen. Schließlich war ich in der Lage, für mich selbst zu sorgen, und hatte es sogar vier Jahre lang getan. Ja, aber es waren vier Jahre mit immer neuen Risiken gewesen; vier Jahre, in denen ich Tag für Tag das Gefühl hatte, mich einer Herausforderung stellen zu müssen. Der Vater der Kinder war zu krank, um irgend etwas zu ihrem Unterhalt beizutragen, und deshalb war ich daran gewöhnt, die Rechnungen zu bezahlen. Aber die meiste Zeit über machte ich mir Sorgen – mich ängstigten die unerklärlich steigenden Lebenshaltungskosten, ich hatte Angst vor dem Vermieter und fürchtete, daß ich es nicht schaffen würde, uns Monat um Monat, Jahr für Jahr über Wasser zu halten; daß ich grundsätzlich an meinen Fähigkeiten zweifelte, erschien mir weder seltsam noch ungewöhnlich. Empfanden nicht die meisten »alleinstehenden Mütter« ebenso?
Der Umzug aufs Land in diesem wunderschönen strahlenden Herbst erschien mir deshalb wie eine köstliche Atempause in meinem »Kampf«, wie ich es vage für mich bezeichnete. Das Schicksal hatte mich an einen Ort zurückgebracht, in einen inneren Raum, der dem glich, den ich als Kind bewohnte – eine Welt der Kirschkuchen, der Quilts und der frisch gebü-

gelten Sommerkleider. Jetzt hatte ich einen Garten und Blumen, ein großes Haus mit vielen Zimmern, gemütliche Sitzecken am Fenster, Nischen und Winkel. Seit Jahren fühlte ich mich zum ersten Mal wieder sicher; und ich machte mich daran, dieses friedliche Heim zu schaffen, das uns vorschwebte, weil es als eine Art »Deckerinnerung« die positivsten Seiten unserer Kindheit darstellt. Ich baute ein Nest und polsterte es mit dem zartesten Flaum und den weichsten Flocken, die ich finden konnte.

Und dann versteckte ich mich darin.

Abends kochte ich aufwendige Mahlzeiten und servierte sie stolz auf dem großen Tisch eines richtigen Eßzimmers. Tagsüber wusch ich, rechte Laub und deckte die Beete ab. Abends spielte ich Gehilfin und tippte Lowells Manuskripte. Seltsamerweise schien es durchaus in Ordnung zu sein, daß ich, die zehn Jahre lang mit Schreiben Geld verdient hatte, einem anderen Manuskripte tippte. Ich empfand es als *richtig* (inzwischen weiß ich, daß ich damit »bequem« und »sicher« meinte). Das ging monatelang so. Lowell saß vor dem Kamin im Wohnzimmer an seinem großen Schreibtisch, schrieb, telefonierte und kümmerte sich um die geschäftlichen Angelegenheiten. Ich verbrachte die Zeit damit, die Zimmer meiner Töchter zu tapezieren. Hin und wieder ging ich an den Schreibtisch und versuchte zu arbeiten, überflog die Zeitungen und Notizen zerstreut und unkonzentriert. Manchmal frustrierte es mich wohl, daß ich scheinbar das Gespür dafür verloren hatte, wie man an Aufträge kommt. »Ich habe eine Pechsträhne. Das Glück kommt schon wieder«, redete ich mir ein.

Aber es hatte nichts mit Glück zu tun. Ohne daß es mir bewußt wurde, hatte sich mein Selbstbild drastisch verändert. Auch meine Erwartungen an Lowell waren nicht mehr dieselben. In meiner Vorstellung war er der Ernährer der Familie geworden. Ich? Ich erholte mich von den Jahren, in denen ich halb gegen meinen Willen recht und schlecht versucht hatte, für mich selbst verantwortlich zu sein. Welche befreite Frau hätte sich das träumen lassen? Sobald sich die Gelegenheit bot, mich auf jemanden zu stützen, hörte ich auf, mich zu entwickeln – ich kam zum völligen Stillstand. Ich traf keine Entscheidungen mehr, ging nirgends hin, traf mich noch nicht einmal mit Freunden. Im Verlauf von sechs Monaten hatte ich keinen einzigen Ablieferungstermin einzuhalten. Ich erlebte nicht mehr die Spannung, mit einem Verleger über einen Vertrag zu verhandeln. Ohne jedes Abschiedsritual war ich wieder in die traditionelle Rolle der Frau zurückgeschlüpft: Gehilfin; fleißige Hausfrau; Sekretärin; Tippse der Träume eines anderen.

*Die Flucht vor dem Streß*

Vor mehr als einem Vierteljahrhundert stellte Simone de Beauvoir scharfsinnig fest, daß Frauen die untergeordnete Rolle akzeptieren, »um den Anstrengungen aus dem Weg zu gehen, die mit der Gestaltung eines authentischen Lebens verbunden sind«. Diese Flucht vor dem Streß war mein heimliches Ziel geworden. Ich war zurückgeglitten – ich hatte mich *zurückgelehnt* wie in einer großen Badewanne mit warmem Wasser – weil es leichter war. Denn es ist einfacher, Blumenbeete zu pflegen, den Einkauf zu organisieren und eine gute – versorgte – »Partnerin« zu sein. Das erzeugt weniger Angst, als draußen in der Welt der Erwachsenen zu stehen und für sich selbst zu kämpfen.
Aber Lowell war nicht der »traditionelle Mann«, denn er unterstützte meine Regression nicht. Ihn machte eine Situation, die zu einer dauerhaften Ungleichheit zu führen schien (er würde die Rechnungen bezahlen, ich die Betten machen), unglücklich und schließlich stellte er mich zur Rede. Er sagte, ich steuere kein Geld zur Haushaltführung bei, finanziell sorge er für alles – er ernähre mich, die Kinder, sich selbst – und mir scheine die Ungleichheit noch nicht einmal aufzufallen. Es tue

ihm weh, sagte er, daß ich mich scheinbar zufrieden zurücklehne und seine Bereitschaft einzuspringen ausnutze.
Seine Beschwerde, daß ich meinen Teil der Abmachung nicht erfüllte, machte mich wütend. Kein Mann hatte mir das je unterstellt. Würdigte er nicht, was ich alles für ihn tat – das schöne *Heim*, das ich ihm schuf, das gute Essen und die tollen Kuchen? Bemerkte er nicht, daß ich die Bettwäsche wechselte und das Gästebad putzte, wenn Freunde am Wochenende zu Besuch kamen?
Es stimmte, in unserem Zusammenleben übernahm ich die »Sklavenarbeiten«. Aber es stimmte auch, daß ich mir diese Rolle einfach ohne Diskussion angeeignet hatte. Insgeheim *wollte* ich die Sklavenarbeit tun. Sklavenarbeit ist so wunderbar sicher. Im Austausch dafür kann man eine unangemessene Gegenleistung verlangen – sie ist ein Schuldschein, den die Frau dem Mann jederzeit präsentieren kann.
Als Lowell und ich beschlossen, New York City zu verlassen und zusammen in ein Haus auf dem Land zu ziehen, waren wir uns darin einig, daß jeder auch weiterhin für sich selbst sorgen würde. Wie leicht war es gewesen, das zu vergessen! Ich hatte der Form Genüge getan und den Redaktionen Ideen für Zeitschriftenartikel und Bücher vorgeschlagen. Aber ich stand weder emotional noch intellektuell hinter dem, was ich tat. Wenn ich heute zurückblicke, staune ich darüber, daß ich nicht das *Bedürfnis* empfand zu arbeiten. Statt dessen genoß ich den Luxus, Ehefrau zu sein. Und Lowell sagte: »Das ist nicht fair.« Ich dachte: »*Was* ist nicht fair? Ist nicht alles, wie es sein sollte?«
Eine innere Verwandlung hatte stattgefunden. Solange ich allein lebte und die Notwendigkeit für mich und die Kinder zu sorgen, klar und eindeutig vor mir stand, war es mir gelungen, eine Karriere aufzubauen und mich zumindest scheinbar unabhängig zu verhalten. Als ich jedoch mit Lowell zusammenzog, begann ich, mich rückwärts zu entwickeln. Es dauerte nicht lange, bis ich ebenso abhängig dachte, empfand und handelte wie in den neun Jahren meiner Ehe. Diese Erkennt-

nis rüttelte mich wach. Ich hatte mich aus meiner Ehe befreit, weil ich gelernt hatte, meine Abhängigkeit zu hassen. Mein Leben erstickte und fesselte mich, und deshalb war ich ausgebrochen. Jetzt spielte ich das ganze Spiel von neuem – allerdings mit Garten, Kaminfeuer und einem großen alten Haus, um mir die Last zu versüßen.

Die wirtschaftliche Lage beeinflußte die Situation entscheidend. Da ich alle finanzielle Verantwortung auf Lowells Schultern geladen hatte, konnte ich gelassen vergessen, wieviel Angst mit dem Geldverdienen verbunden ist. Das Eingeständnis fällt mir auch heute noch nicht leicht, aber es ist nicht zu leugnen: Ich verhielt mich Lowell gegenüber ausbeuterisch. Ich *wollte* die Belastungen nicht, die die Verantwortung für meinen Lebensunterhalt mit sich brachte. Außerdem spukte in mir die unreflektierte Vorstellung herum, es sei ganz richtig, daß Lowell härter arbeitete und größere Risiken auf sich nahm, einfach weil er ein Mann war. Ich glaubte daran, zumindest teilweise, denn dadurch wurde mein Leben einfacher. Dies ist der Punkt, an dem der ausbeuterische Aspekt ins Spiel kommt. Ich hatte auch das Gefühl, eine wirklich ernsthafte Arbeit sei nicht so ganz »weiblich« – als würde ich etwas von meiner Weiblichkeit verlieren, wenn ich mich wirklich in das harte Geschäftsleben begab und dort aktiv kämpfte. Wie sich schließlich herausstellte, sollte diese unbedeutende, im wesentlichen ungeprüfte Annahme in meinem Kampf um Unabhängigkeit eine erstaunliche Rolle spielen.

Einmal im Monat zog Lowell sein Scheckbuch hervor und bezahlte Miete, Elektrizität, Wasser und Heizung; außerdem übernahm er die Kosten für das Auto. (Schließlich *fuhr* er es auch. Ich hatte panische Angst, selbst zu fahren, und konnte/wollte es nicht lernen.) Um Lowell zu zeigen, daß ich seine Anstrengungen unterstützte, kaufte ich keine persönlichen Dinge – keine Kleider, kein Make-up, keine dieser nutzlosen, aber hübschen Sachen für das Haus. Ich war stolz auf meine Fähigkeit, alte Gegenstände aus dem Keller dekorativ im Haus zu verteilen. Da ich mit Geld nichts zu tun hatte, konnte

ich auf eine sehr fundamentale Weise von allem losgelöst leben. »Ich würde gerne arbeiten«, versicherte ich Lowell immer wieder, »wie *glücklich* wäre ich, wenn mir nur jemand einen Auftrag geben würde. Ist es etwa meine Schuld, daß meine Vorschläge zu nichts geführt haben?«
»Und wenn es so weitergeht?« fragte er schließlich nach einem Jahr, »was dann?«
Das »Was dann?« bereitete mir Gänsehaut. Mir erschien es als Beweis, daß seine Liebe nicht sonderlich stark war – würde er mich sonst so unter Druck setzen? Würde er sonst sagen: »Ich *will* nicht für dich sorgen«, denn darauf lief es genaugenommen hinaus!
Die Tatsache, daß ich nicht mehr schrieb, begann meine Selbstachtung zu untergraben. Drei oder vier Monate als Hausfrau genügten, um meine Abhängigkeit deutlich sichtbar werden zu lassen. Meine beseligende Häuslichkeit schien über Nacht verschwunden zu sein, und die Depression überfiel mich wie das Eis, das einen winterlichen See überzieht. Ich glaubte plötzlich, nur sehr wenige Rechte zu haben. Ohne es zu merken, hatte ich begonnen, Lowell um *Erlaubnis* zu fragen. Hatte er etwas dagegen, wenn ich abends in Manhattan blieb, um eine Freundin zu besuchen? Konnten wir seiner Meinung nach Freitag abend ins Kino gehen?
Unvermeidlich entwickelte ich Unterwürfigkeit: Ich fürchtete mich vor dem Mann, der für mich sorgte. Zu diesem Zeitpunkt begann ich, Fehler an ihm zu entdecken; ich nörgelte und kritisierte ihn wegen der lächerlichsten Dinge – ein sicheres Anzeichen, daß ich mich machtlos fühlte.[1] Es ärgerte mich, wieviel leichter es Lowell fiel, mit Menschen umzugehen, mit welcher Gewandtheit es ihm privat oder geschäftlich gelang, sich auf den Rhythmus von Geben und Nehmen einzustimmen. Er schien so großes Vertrauen zu haben. Ich stellte fest, daß ich ihn deshalb haßte.
Lowell kam vorwärts, der Erfolg schien überall auf ihn zu warten. Ich fühlte mich deprimiert, war verängstigt und konnte nachts nicht schlafen. Ich sehnte mich nach Sex – oder

genauer, nach dem Kontakt, den der Sex bot – denn neben allem anderen begann ich auch an meiner sexuellen Attraktivität zu zweifeln. In dieser Zeit stand mein gesamtes Selbstbild auf dem Spiel. Ich hatte das Vertrauen in meine Fähigkeit als Schriftstellerin verloren, als Mensch, der seinen Weg machen würde, und – unvermeidlich – glaubte ich auch, keine begehrenswerte Frau mehr zu sein.
Das Bezeichnendste war vielleicht, daß ich nicht mehr die Perspektive besaß, die es erlaubt, die humorvolle Seite im Leben zu sehen. Ein heimtückischer Kreislauf war in Gang gekommen. Ich hatte die Achtung vor mir selbst verloren und schien daran nichts mehr ändern zu können. Ich lag am Boden und glaubte, ich würde nur wieder auf die Füße kommen, wenn mich jemand *aufhob*. Ich wollte, daß Lowell meine Krise erkannte und mir Mitgefühl entgegenbrachte. Er sollte begreifen, daß alle Umstände meines Lebens die Möglichkeit ausschlossen, jemals wirklich selbständig zu sein. Davon war ich fest überzeugt; ich glaubte, so verkrüppelt worden zu sein, daß ich mein ganzes Leben lang behindert bleiben würde.
»Denk nur daran, wie ich erzogen wurde«, sagte ich, »kein Mensch *erwartete* von mir, daß ich einmal meinen Lebensunterhalt über Jahre hinaus selbst verdienen würde. Wie sollte ich es dann selbst von mir erwarten?«
»Gilt nicht«, antwortete er, »Du hast in all den Jahren, nach dem Scheitern deiner Ehe sehr wohl deinen Lebensunterhalt verdient. Jetzt bist du plötzlich wie gelähmt. Etwas ist falsch daran.«
Das Schlimmste aber war, daß er und ich rational dasselbe Konzept vertraten. Wir glaubten beide, daß Frauen die Verantwortung für sich selbst übernehmen sollten. Wie konnte ich so schnell rückfällig werden? Was war mit mir vorgegangen?
Sehr viel, wie ich herausfinden sollte. Viele meiner Schwierigkeiten hatten ihre Wurzeln in der Kindheit. Aber ich konnte mich damit nicht einfach abfinden. Trotz aller Schmerzen und Verwirrung erkannte ich, daß ich dazu beitrug, die Dinge so

zu halten, wie sie waren; daß ich manches verzerrt sah und daß ich *diese Verzerrungen aktiv beibehielt.*
Ganz sicher war meine Beziehung zu Lowell – wenn ich ihn als Ernährer und mich als die Beschützte sah – verzerrt; die Beziehung zu mir selbst war es ebenfalls. Aus irgendeinem Grund sah ich mich schwächer als Lowell, weniger kompetent. Das war eine wesentliche Verzerrung, und sie zog folgerichtig eine andere nach sich: Lowell »sollte« für mich sorgen. Dies ist die verbogene Moral der Schwachen (oder aller, die darauf beharren, sich so zu sehen). Es ist die »Bürde« der Starken, uns mitzuschleppen. Tun sie das nicht, geben wir ihnen mehr oder weniger deutlich zu verstehen, daß wir nicht überleben werden.
Nachdem ich erkannte, daß mich die Vorstellung *wütend* machte, die Verantwortung für mein Leben wieder selbst übernehmen zu müssen, daß ich auf Lowell zornig war, weil er mich dazu brachte – fühlte ich mich beschämt und glaubte, völlig isoliert zu sein. Wie konnte ich mich so vor der Unabhängigkeit fürchten? Was den Feminismus anging, lebte ich wieder in der Eiszeit. Wen kannte ich, wen hatte ich je getroffen, der die Abhängigkeit der Unabhängigkeit vorzog – wie ich es zu tun schien?
Immer wenn ich in meinem Leben große Angst hatte und mich allein fühlte, habe ich den Drang zu schreiben verspürt. Dieses Mal war es nicht anders. Vielleicht entdeckte ich, daß es andere wie mich da draußen gab, wenn ich meine Erfahrung beschrieb. Die Vorstellung, daß ich eine Anomalität sein könnte, eine Art hilflose, abhängige Einzelgängerin, war entsetzlich.
Erst als ich über diese Empfindungen geschrieben hatte, brachte ich den Mut auf, darüber zu sprechen. Ich hatte noch nie gehört, daß jemand von einer solchen Erfahrung berichtete. Ein verständnisvoller Redakteur, den ich kannte, enttäuschte mich, als ich ihm den Artikel beschrieb, den ich schreiben wollte, und er nicht zu verstehen schien, wovon ich sprach. Ich atmete tief durch und begann von vorne; denn

wenn dieser Mann nichts begriff, wußte ich nicht, welcher andere Redakteur es begreifen sollte. Während ich ihm erzählte, was mir widerfahren war, seit ich auf dem Land lebte, und warum ich darüber schreiben wollte, hatte ich wieder das Gefühl, daß ich etwas wußte. Ich hatte etwas gelernt und würde nicht zulassen, daß es bedeutungslos würde, sobald jemand anders es nicht verstand. Ich sagte dem Mann, was ich erlebt und gelernt hatte, sei *wichtig*! Es sei besonders für Frauen wichtig, von den Problemen zu erfahren, mit denen ich mich herumgeschlagen hatte. Ich erklärte, meine Erfahrung enthülle etwas Wahres und etwas Schwächendes – ein psychologisches Problem, mit dem sich die Frauenbewegung noch nicht auseinandergesetzt hatte. In dem Artikel, den er veröffentlichen sollte, würde ich beschreiben, was die Frauen davon *haben*, wenn sie ihre abhängige Stellung im Leben nicht aufgeben – die Bonbons! Was die Psychiater den »sekundären Lustgewinn« nennen.
»Ich glaube, ich verstehe langsam, wovon Sie sprechen«, sagte der Redakteur.

## *Andere Frauen, dieselben Konflikte*

Einen Monat später veröffentlichte die Zeitschrift *New York* meinen Artikel als Titelgeschichte mit der Überschrift: »Nach der Befreiung: Bekenntnisse einer abhängigen Frau«. Die Leserbriefe, mit denen ich überschwemmt wurde, erschienen mir wie eine Offenbarung. Im Lauf der Jahre habe ich einiges an Post von Lesern erhalten, aber es schien, als hätte ich noch nie so ins Schwarze getroffen. »Sie stehen nicht allein«, schrieben die Leserinnen, ehe sie mit spürbarer Erleichterung darangingen, über eigene Erfahrungen zu berichten.
Der Postbote brachte jeden Tag ein neues Bündel Briefe. Ich ging damit in den kleinen Pavillon hinter dem Haus, las sie und weinte. Die Briefe kamen von Frauen aus dem ganzen

Land – Frauen Anfang Zwanzig, Frauen Ende Fünfzig, Frauen in akademischen Berufen, künftige Akademikerinnen und Akademikerinnen, die ihren Beruf aufgegeben hatten. Alle litten unter den gleichen Ängsten. Sie kämpften mit Examensarbeiten, guten Stellungen, besseren Gehältern um ihre Unabhängigkeit – und doch lag unter allem Unwillen – Unwillen, Zorn und eine schreckliche, schmerzliche Verwirrung, ein Gefühl: »Sollte das wirklich mein Los sein?«

»Nachdem ich jahrelang bei einer Zeitung gearbeitet hatte, beschloß ich, zu kündigen und freiberuflich zu arbeiten«, schrieb eine Frau aus Santa Monica, »es gab ja noch immer den Verdienst meines Mannes.« Eine gute Entscheidung, zumindest potentiell, aber sie setzte einen schweren Konflikt mit dem Mann in Gang, auf den sie sich innerlich verließ, um den Schritt überhaupt wagen zu können. »Seit dieser Zeit«, schrieb sie, »schwanke ich zwischen erdrückenden Schuldgefühlen, weil ich mich auf ihn verlassen habe, und der inneren Wut, daß er es wagt, dieses Recht in Frage zu stellen.«[2]

Der Konflikt, allein stehen und sich gleichzeitig an jemanden klammern zu wollen, »nur weil es einmal nötig werden könnte« (die Für-alle-Fälle-Motivation, die manche Leute dazu bringt, sonntags in die Kirche zu gehen), ruft eine chronische, kräfteverschleißende Ambivalenz hervor. Eine vierunddreißigjährige Frau schrieb, sie habe sich aus zwei Ehen befreit, zwei Kinder großgezogen, und dann ihr Jurastudium beendet. Trotzdem stelle sie fest, daß sie noch immer hoffnungslos in dem neurotischen *double bind* verstrickt sei, Abhängigkeit und Unabhängigkeit gleichzeitig zu hassen und zu fürchten. Sie arbeitete eine kurze Zeit im Staatsdienst und beschloß dann, eine Anwaltspraxis zu eröffnen. Zusammen mit einem Partner, der nicht mehr Erfahrung besitzt als sie selbst, hat sie jetzt ein Büro. Ihr fiel auf, daß der Mann die neue Verantwortung ganz anders bewältigte als sie. »Er stellte von Anfang an gedanklich nie in Frage, daß er *tun* würde, was getan werden mußte. Für mich gab es diese Klarheit nicht. Wenn ich vor einer neuen Situation stehe, überlege ich mir noch immer, ob ich vorpreschen oder mich lieber hinter einem Mann verstecken soll, der mich beschützt. In diese Falle gerate ich leicht; ich werde bequem und abhängig, wenn jemand da ist, den ich auf diese Weise benutzen kann.«

Der Wunsch, gerettet zu werden: Vielleicht erkennen wir ihn nicht immer so klar wie diese Frau, aber wir alle tragen ihn in uns. Er kommt zum Vorschein, wenn wir es am wenigsten erwarten, erfüllt unsere Träume und dämpft unseren Ehrgeiz. Möglicherweise geht der Wunsch der Frau, gerettet zu werden, bis in die Tage der Höhlenmenschen zurück, als die größere physische Stärke des Mannes Mütter und Kinder vor den Gefahren der Wildnis schützte. Aber dieser Wunsch ist in unserer Zeit nicht mehr angemessen. Wir brauchen nicht mehr gerettet zu werden.

Heute stehen die Frauen im Kreuzfeuer alter und radikal neuer sozialer Ideen. Aber eines steht fest, wir können nicht mehr in die alte Rolle zurückfallen. Sie ist nicht mehr zweckmäßig; sie ist keine wahre Alternative. Wir *glauben* es vielleicht, wünschen es vielleicht. Aber sie ist es nicht. Der Prinz ist verschwunden. Der Höhlenmann ist kleiner und schwächer geworden. Gemessen an den Anforderungen des Überlebens in der modernen Welt, ist er in Wirklichkeit nicht stärker, klüger oder mutiger als wir.

Er besitzt jedoch mehr Erfahrung.

## *Ich stelle mich: Entlarvung falscher Autonomie*

Anzeichen gibt es seit langer Zeit; die Flammen der Veränderung züngeln unter der Oberfläche, sozialer Wandel vollzieht sich nicht über Nacht. Die »Rolle« der Frau begann sich zu ändern, lange bevor die Frauenbewegung einen Namen hatte. Die Tatsache, daß es für uns Frauen keine Sicherheit mehr gab, daß wir nicht mehr wußten, wohin die Straße führte, die vor uns lag, hat uns in Kindheit und Jugend vielleicht mehr geängstigt, als uns bewußt war. Etwas geschah, aber weder wir noch unsere Eltern verstanden *was*. Die meisten Eltern in den vierziger und fünfziger Jahren hatten mit der Erziehung ihrer Töchter wenig Erfolg, weil sie keine Ahnung hatten, *wofür* sie sie erzogen. Ganz sicher bereiteten sie ihre Töchter nicht auf die Unabhängigkeit vor.

Wie viele andere Mädchen hatte ich ein irreführend vorlautes Wesen entwickelt, als ich endlich in die High School kam – ein Psychiater würde dies sehr schnell als Fassade durchschauen: Man legt sich einen Panzer zu, um Angst und Unsicherheit zu verbergen. Etwas untergrub mein Selbstvertrauen; eine innere Verwirrung, wer ich war, was ich mit meinem Leben beginnen wollte und was es überhaupt bedeutete, ein Mädchen zu sein. Aber all dies blieb unbemerkt. Ich behandelte die Lehrer schnippisch und die Jungen mit Ironie. Auf dem College lernte ich, intelligent zu argumentieren und zu diskutieren. Jahre später wurde ich der Star meiner Selbsterfahrungsgruppe – zäh, immer auf Konfrontationskurs und in meiner »Ehrlichkeit« beinahe prahlerisch. Ein Schwarzer, ein Mann, der auf der Straße groß geworden war und siebzehn Jahre lang im Gefängnis gesessen hatte, erzählte mir später, selbst *er* habe sich in den Gruppensitzungen vor mir gefürchtet. O welche Macht; welch faszinierende Autonomie.

Als diese »Autonomie« schließlich zerbröckelte, reagierten meine Bekannten überrascht. »Aber du warst doch immer so stark«, sagten sie, »so intakt.«

Nachdem meine Ehe gescheitert war, begann ich, unter panischen Angstzuständen zu leiden – Anfälle von Panik und Schwindelgefühlen machten es mir beinahe unmöglich, auf die Straße zu gehen. Dieses plötzliche Verschwinden meiner alten scheinbaren Stärke verwirrte mich genauso wie die anderen. *War* ich nicht stark? War ich nicht »intakt?« War es mir nicht jahrelang gelungen, beinahe völlig auf mich allein gestellt, meine Familie über Wasser zu halten?

Wenn ich heute zurückblicke, sehe ich deutlich, daß es immer Zeichen gab, die auf den verheerenden Mangel an Übereinstimmung zwischen meinem inneren und meinem äußeren Ich hinwiesen. Das äußere Ich war »stark« und »unabhängig«. (besonders gemessen an dem, was man von einer Frau erwartete). Das innere Ich war in Zweifel verstrickt und scheu. Auf dem College hatte ich etwas erlebt, das ich möglichst schnell vergessen wollte. Eines Sonntags hatte ich beim Gottesdienst plötzlich das heftige Bedürfnis, so schnell wie möglich aus der Kirche zu laufen. Prunk, Weihrauch und die entrückte Förmlichkeit der Liturgie lösten bei mir einen Schweißausbruch, Angst und Übelkeit aus: meine erste »Panikattacke«. Was geschieht mit mir, dachte ich, während ich mich an die Lehne der Bank vor mir klammerte und mich Wellen von Übelkeit überfluteten.

Es schien eine Ewigkeit zu dauern, bis ich die Kraft fand, die Kirche zu verlassen. Dieses Weggehen, so glaube ich heute, war ein Symbol für ein schwerwiegenderes Weggehen, eine Vorahnung, daß die Rituale des Katholizismus mir nicht für immer eine Stütze bleiben würden. Würde es *überhaupt* etwas geben, auf das ich mich stützen konnte?

Viele Jahre lang beschloß ich, diese Frage ungeklärt zu lassen. Der erste Mann in meinem Leben – mein Ehemann – konnte nicht für mich sorgen, zumindest nicht emotional. Psychische Probleme beeinträchtigten seine Fähigkeit, etwas zu einer stabilen Beziehung beizutragen, und noch weniger konnte er mir jene innere Sicherheit geben, nach der ich mich sehnte – und von der ich glaubte, sie würde mir von einem anderen Menschen geschenkt werden.

Lowell, der zweite Mann in meinem Leben, *wollte* nicht für mich sorgen (oder besser gesagt, er wollte nicht die traditionelle Rolle übernehmen und vorgeben, es zu tun). Er machte deutlich, daß er eine Frau suchte, die für sich selbst sorgte, und ich wußte deutlich, daß ich *ihn* wollte. Ich konnte meine alten vorgefertigten Ansichten über die »Pflichten« eines Mannes nicht auf ihn anwenden und geriet in eine psychologische Sackgasse, was mich nach längerer Zeit dazu brachte, einige destruktive Einstellungen zu ändern.

Zunächst jedoch lag die Aufgabe vor mir, die ersten, simplen

Elemente eines Selbstvertrauens zusammenzufügen. Es scheint merkwürdig, daß ich nicht damit aufgewachsen bin, aber es ist so. Man wird es kaum glauben, daß ein privilegiertes Mädchen in einer privilegierten Gesellschaft, mit einem Universitätsprofessor als Vater und einer liebenswürdigen, reizenden Frau als Mutter einen so ausgeprägten und starken Zug zur Selbstverachtung entwickeln konnte; aber es stimmt: Ich zweifelte an meiner Intelligenz. Ich zweifelte auch an meiner sexuellen Attraktivität. Und das war der teuflische *double bind:* Mir fehlte das Vertrauen in meine Fähigkeit, es allein in der Welt zu schaffen, den *neuen* Weg zu gehen, und ich zweifelte gleichermaßen an meiner Fähigkeit, auf die *alte* Weise als Frau Erfolg zu haben – das heißt, einen Mann dazu zu verführen, ihr Wohltäter und Beschützer zu sein. Unbegreiflicherweise – verstrickt in diese Art Geschlechtsverwirrung, mit der so viele Frauen heute zu kämpfen haben – wußte ich nie, wo ich stand. In all den Jahren, in denen ich das »Richtige« tat, auf das College ging, in der Redaktion einer Zeitschrift arbeitete, heiratete, die Arbeit aufgab, Kinder bekam, sie großzog, und allmählich zu den unmöglichsten Stunden, wenn die Kinder schliefen, wieder zu arbeiten begann – in all dieser Zeit blieb ich grundsätzlich in diesem Konflikt gefangen. Die Verwandten nickten zustimmend, brachten Kuchen vorbei und freuten sich, daß ich scheinbar mühelos meine »Rolle« in der Welt übernahm. Ich agierte in all diesen Jahren nach einer Schauspielmethode, die nur Frauen kennen – und versteckte mich vor mir selbst.

## *Ich gehe dem Problem auf den Grund*

Die Reaktion auf den Artikel in *New York* machte deutlich, daß es andere wie mich gab: abhängige, frustrierte und zornige Frauen. Frauen, die sich nach Unabhängigkeit sehnten, sich aber vor ihren Folgen fürchteten. Die Angst lähmte sie in ihren Bemühungen, sich zu befreien. Es stellte sich die

Frage, warum niemand darüber sprach. Wie viele Frauen litten wohl in stummer Verwirrung? Grassiert die innere Furcht vor der Unabhängigkeit unter den Frauen wie eine Seuche?

Ich wollte Fakten, und ich wollte Theorien. Ich wollte die Frauen selbst über ihr Leben sprechen hören, nun, da es uns angeblich freisteht, frei zu sein. Ich spürte, etwas geschah, über das nicht gesprochen oder geschrieben wurde; es fehlte in allen Artikeln und Untersuchungen.

Das psychologische Bedürfnis, Unabhängigkeit zu vermeiden – der »Wunsch, gerettet zu werden« – schien mir ein wichtiges Thema, vielleicht das wichtigste Thema, mit dem die Frauen sich heute auseinandersetzen müssen. Wir wuchsen mit der Vorstellung auf, von einem Mann abhängig zu sein, und uns ohne Mann nackt zu fühlen und zu fürchten. Man brachte uns bei, daß eine Frau allein in der Welt nicht bestehen kann; man sagte uns, sie sei zu zerbrechlich, zu zart und schutzbedürftig. Heute, in unserer aufgeklärten Zeit, verlangt unser Intellekt von uns, daß wir auf eigenen Füßen stehen; aber das unbewältigte emotionale Erbe zieht uns nach unten. Während wir uns danach sehnen, ungebunden und frei zu sein, sehnen wir uns gleichzeitig danach, umsorgt zu werden.

Die Neigung der Frau zur Abhängigkeit ist meist tief verborgen. Abhängigkeit ist furchterregend. Sie macht uns Angst, denn ihre Wurzeln liegen in der Kindheit, in der wir wirklich hilflos waren. Wir tun alles, um diese Bedürfnisse vor uns zu verbergen. Besonders heute, wo die Gesellschaft die Tendenz zur Unabhängigkeit ermutigt, erscheint es uns verführerisch, diesen anderen Teil von uns abzutrennen, zu ersticken.[3]

Dieser vergrabene und verleugnete Teil ist der Störenfried. Er schleicht sich in unsere Phantasien und Träume ein. Manchmal zeigt er sich in Form von Phobien. Er beeinflußt das Denken, Handeln und Sprechen der Frauen – nicht nur *mancher* Frauen, sondern buchstäblich *aller* Frauen. Das versteckte Bedürfnis nach Abhängigkeit bereitet der beschützten Hausfrau, die ihren Mann um Erlaubnis fragen muß, wenn sie sich ein Kleid kaufen will, ebenso Probleme wie der erfolgreichen berufstätigen Frau mit einem sechsstelligen Einkommen, die nachts nicht schlafen kann, wenn ihr Freund nicht in der Stadt ist. Alexandra Symonds, eine New Yorker Psychiaterin, hat Abhängigkeit untersucht. Sie sagt, mit diesem Problem hätten die meisten Frauen zu kämpfen, die sie kennt. Sie glaubt, daß auch Frauen, die nach außen erfolgreich wirken, dazu neigen, »sich anderen unterzuordnen, von ihnen abhängig zu werden, und unwissentlich ihre Energie darauf verwenden, Liebe, Hilfe und Schutz vor dem zu suchen, was ihnen in der Welt als schwierig, herausfordernd oder feindlich erscheint.«[4]

### *Der Cinderella-Komplex*

Wir haben nur eine wirkliche Chance zur »Befreiung« – wir müssen uns von innen heraus emanzipieren. Dieses Buch vertritt die These, daß die persönliche, psychologische Abhängigkeit – der tiefverwurzelte Wunsch, von anderen versorgt zu werden – die stärkste Kraft ist, die Frauen heute unterdrückt. Ich bezeichne sie als den »*Cinderella-Komplex*« – ein Netz aus weitgehend unterdrückten Haltungen und Ängsten, das die Frauen in einer Art Halbdunkel gefangenhält. Es verhindert die Entfaltung ihrer vollen geistigen und kreativen Kräfte. Wie Cinderella warten die Frauen noch immer auf ein äußeres Ereignis, das ihr Leben grundsätzlich verändert.

Ich nehme meine persönliche Erfahrung als Ausgangspunkt und habe in diesem Buch die psychologische und psychoanalytische Theorie mit den Geschichten der Frauen selbst verwoben (wo ich Namen und bestimmte Einzelheiten geändert habe, vermerke ich es). Auf den folgenden Seiten berichte ich über das Schicksal alleinstehender Frauen, verheirateter Frauen und von Frauen, die mit einem Mann zusammenleben. Manche haben einen Beruf, andere haben das Haus nie verlassen, wieder andere sind ausgebrochen, aber schließlich reumütig zurückgekehrt. Wir begegnen der weltgewandten Großstädterin und der Frau auf dem Land, die Holz hackt; Witwen, geschiedenen Frauen und Frauen, die eine Scheidung wünschen, den Mut dazu aber nicht aufbringen. Manche Frauen lieben ihren Mann, fürchten aber um ihre Seele. Viele der Frauen, mit denen ich mich unterhielt, hatten studiert, andere nicht; aber buchstäblich alle agierten weit unter ihren natürlichen Fähigkeiten. Sie lebten in einer Art geschlechtsspezifischem Gefängnis, das sie selbst geschaffen haben.

Im Verlauf der Arbeit an diesem Buch interviewte ich viele Frauen, die blind für das »Problem« waren. Ihr Kopf sagt ihnen, sie wünschen Freiheit und haben nie etwas anderes gewollt. Aber im emotionalen Bereich gibt es Anzeichen dafür, daß sie unter einem tiefen inneren Konflikt leiden.

Andere haben hin und wieder Einsichten, die ihnen einen Moment lang zeigen, was sie verängstigt und deprimiert.

Wieder andere wagen mutig den Sprung, im vollen Bewußtsein ihres tiefsitzenden Wunschs, beschützt und versorgt zu werden – und sind dann in der Lage, eine neue Stärke zu entwickeln, ein realistisches Gefühl dafür, wer sie sind und was sie tatsächlich erreichen können. Ein Therapeut bezeichnete diese Frauen als *mutig verwundbar*. Anstatt weiterhin ein Leben der Unterdrückung und des Verzichts zu führen, stellen sie sich der Wahrheit ihres inneren Ich und triumphieren schließlich über die inneren Ängste, die sie zwangen, am Herd sitzenzubleiben. Diese Frauen haben sich wirklich befreit, und von ihnen können wir viel lernen.

# II. KAPITEL KLEIN BEIGEBEN: DIE FRAUEN ENTZIEHEN SICH DER HERAUSFORDERUNG

Manchmal ist es leichter, sich einer Herausforderung von außen zu stellen, einer Krise oder einer Tragödie, als der Herausforderung von innen – dem selbstverliehenen Auftrag, Risiken auf sich zu nehmen, zu wachsen.

Ich hatte mich immer als Kämpferin gesehen, als eine Frau, die sich unbeirrt durch den tiefsten Schlamm arbeitet, wenn sie zur Schlacht gerufen wird. Ich hatte Zeiten erlebt, die Mut und Tapferkeit forderten, und ich hatte sie durchgestanden. Bald nachdem meine Ehe gescheitert war, wurde deutlich, daß ich für die Kinder sorgen mußte. Mein Mann wurde psychisch krank; er litt unter manischen Zuständen, die immer mit einem Krankenhausaufenthalt endeten. Neun Jahre lang mußte er etwa einmal jährlich ins Krankenhaus. Dann starb er an einem nicht behandelten Magengeschwür. Zwischen den Anfällen nahm er Lithium, und sein Zustand blieb relativ stabil. Aber die Krankheit schwächte ihn so sehr, daß er trotz seiner geistigen Fähigkeiten nur einfachste Arbeiten bewältigen konnte – er arbeitete als Barkeeper, Tellerwäscher und in den letzten fünf Jahren als Bote. Ich traf zwei Entscheidungen, die mitunter schwierige Konsequenzen nach sich zogen. Ich würde ihn nicht im Stich lassen, wenn seine Krankheit akut würde, und ich würde die Kinder nicht daran hindern, ihn zu besuchen, solange er keine Wahnzustände hatte.

Manische Depressivität ist etwas Unheimliches und schwer Faßbares. Die Wahnzustände scheinen in Zyklen aufzutreten, aber das Einsetzen eines Anfalls ist nicht vorhersehbar. Es kam immer wieder vor, daß Ed auf dem Höhepunkt eines solchen Anfalls in unsere Wohnung stürmte und davon überzeugt war, kurz vor einem großen nationalen Wahlsieg zu stehen. Er hatte wochenlang nicht geschlafen, war völlig überdreht und durcheinander und irrte durch die Straßen, bis ihn Depression und Paranoia wieder zusammenbrechen ließen. Ich besuchte ihn auf den Stationen der Kliniken, die von Verzweiflung und Einsamkeit widerhallten. Ich lernte – wenn ich überhaupt etwas lernte –, daß es in dieser Welt Dinge gibt, die sich unserer Kontrolle entziehen.

Gleichzeitig gab es einen geheimen, verborgenen Teil von mir, der mich bemitleidete. Es war äußerst erschreckend für die einst behütete und versorgte Ehefrau, in so kurzer Zeit – im Verlauf eines einzigen Jahres – in eine alleinstehende Mutter mit drei Kindern verwandelt zu werden, schutzlos und auf sich selbst gestellt, ohne sicher zu wissen, ob ich die Fähigkeit besaß, uns alle durchzubringen. Das einzige, was ich konnte, war Schreiben, aber auch das beherrschte ich noch nicht sonderlich; und 1971 war ich weit davon entfernt, an mich zu glauben. Ich mußte jeden Monat die Miete bezahlen, und dies war eine Realität, die mich anfangs reizte und herausforderte. Mein Tun fand große Unterstützung. Innerhalb eines Jahres hatte die Hälfte der Frauen, die ich näher kannte, ihre Männer verlassen. Wie ich lebten sie allein in großen Altbauwohnungen, deren Mieten nicht erhöht werden konnten; wie ich mußten sie für ihre Kinder sorgen, und sie hatten die gleichen Probleme wie ich. Wir kamen uns sehr nahe. Wir sahen uns jeden Tag und telefonierten jeden Abend miteinander. Zweifellos boten wir uns gegenseitig Unterstützung, und Gott weiß, was ohne diesen Zusammenhalt aus uns geworden wäre.

Aber wir versteckten uns auch. Wir schienen mehr daran interessiert zu sein, das Leben weiterzuführen, wie es gewesen war, ehe die Vaterfigur uns verließ, als uns der Herausforderung zu stellen und etwas Neues zu entwickeln. Es ist erstaunlich, wie lange ich in der Lage war zu existieren, ohne wirklich etwas zu *entscheiden*. Ich wollte nicht allein sein. Ich wollte nicht die Erfahrung machen, allein zu sein. Deshalb teilte ich wie bisher meine Verantwortung mit anderen. Keine von uns wollte wirklich eigene Entscheidungen treffen. In dieser Zeit berieten wir uns immer wieder miteinander – besonders in Fragen, die mit den Kindern zu tun hatten. Wir liehen uns gegenseitig Geld und trafen uns frühmorgens an New Yorker Straßenecken. Manchmal kam es vor, daß wir uns dabei in die Arme fielen und weinten. Wir stellten unsere innere Schwäche schamlos zur Schau, aber wir fanden das neue Leben auch aufregend. Wir tranken bis spät in die Nacht hinein Wein, rauchten Hasch und verabredeten uns wie junge Mädchen wieder mit Männern. Ich hatte keine Vorstellung, welche Art Mann mich interessierte oder gut für mich war. Wie ein Teenager lernte ich Männer kennen und ging mit ihnen aus: dieser sah lustig aus, der nächste war herrisch und ernsthaft, ein anderer sexy, aber zu stürmisch. Es machte mir Angst, mit Mädchen auszugehen. Ich kam mir wie ein vierzehnjähriges Mädchen im Körper einer dreiunddreißigjährigen Frau vor. Ich drehte mir wieder die Haare auf, zupfte mir die Augenbrauen und achtete auf reinen Atem.

Wir wurden erwachsen – das war es: Sinnlich, intelligent und mit einem Schliff, den nur das Leben in Manhattan bringt, aber in Wirklichkeit blieben wir pubertierende Mädchen, denen der Spinat in den Zahnklammern hing. Wir hatten keine Männer, keine Ehemänner zu Hause, und das enthüllte, wer wir wirklich waren: verängstigte, verunsicherte, geistig und psychisch erstaunlich unterentwickelte Frauen. Wir freuten uns, dem Käfig entflohen zu sein, aber innerlich schreckten wir vor der neuen Freiheit zurück, unser Leben selbst meistern zu können. Vor uns lagen nur dunkle unsichere Pfade, die in einen Dschungel führten.

Symptomatisch für die Abneigung, mich wirklich in die Welt der Erwachsenen zu begeben, war meine seltsame Einstellung zu Geld. Ich brauchte mehr Geld, fühlte mich aber nicht in der Lage, etwas zu unternehmen, um mein Einkommen zu verbessern. Als Schriftstellerin lebte ich von der Hand in den Mund und hoffte auf den wunderbaren »Durchbruch«. Ich hoffte, es würde sich eine Gelegenheit bieten, die ich nur ergreifen müßte. In den ersten Jahren der Selbständigkeit machte ich die finanzielle Realität meines Arbeitslebens nie richtig deutlich. Ich zog nicht in Betracht, wieder zu studieren; und ich entwickelte auch keinen Plan, der meine Situation stabilisiert hätte. Ich steckte den Kopf tief in den Sand, schloß die Augen und hoffte auf ein Wunder. Bestimmte nackte Tatsachen blieben mir nicht erspart, denn jeden Monat mußten die Rechnungen bezahlt werden. Aber ich reagierte darauf mit einer erschreckenden Passivität. Ich unternahm keinen ernsthaften Versuch, mein Leben wirklich selbst in die Hand zu nehmen; ich vermied nur das Schlimmste.

Gleichzeitig war ich aber davon überzeugt, daß ich nicht wieder heiraten wollte. Während der Ehe hatte ich keine Kraft gehabt, mich gegen das überwältigende Bedürfnis nach Abhängigkeit zur Wehr zu setzen; auf mich allein gestellt, war ich dazu gezwungen. In gewisser Weise war dieser Instinkt richtig. Obwohl die Abhängigkeit noch vorhanden war – sie schlief unter der Oberfläche, während ich den hektischen Kampf einer alleinstehenden Frau führte –, agierte ich wenigstens nicht die ganze Zeit über abhängig, verstärkte ich meine Hilflosigkeit nicht mit jedem Tag, wie ich es als Ehefrau getan hatte.

Andererseits wartete ein geheimer, unbewußter Teil von mir nur darauf, wieder aus dieser Situation erlöst zu werden. Wie ein junges Mädchen freute ich mich über meine neugewonnene Freiheit, aber wenn sich etwas Bedrohliches ereignete, sehnte ich mich wie früher nach Schutz. Ich hatte mit meinem persönlichen Wachstum eine Art Stillhalteabkommen getroffen. Aus Furcht lebte ich innerhalb gewisser starrer Grenzen, und das verhinderte, daß ich etwas lernte, meinen Horizont erweiterte und herausfand, was ich tatsächlich leisten konnte.

Psychologisch gesehen, lagen die Dinge komplizierter. Ich fühlte mich nämlich nicht einfach nur unterlegen und verängstigt, sondern ich schwankte zwischen grandiosen Vorstellungen von meinen Fähigkeiten und gänzlich erniedrigenden

Gefühlen der Inkompetenz hin und her. Ich spürte instinktiv, daß ich vor einem Hindernis stand, aber ich wußte nicht, wie ich es überwinden konnte. »Die Frau ist die Verliererin«, wie Janis Joplin sang. Die neue Erkenntnis von der unterdrückten Frau faszinierte mich. Unglücklicherweise verbanden sich die modischeren Aspekte der Frauenbewegung mit meiner persönlichen Lähmung und verstärkten sie. Ich benutzte den Feminismus, um meinen Standpunkt vor mir zu rechtfertigen. Statt mich auf meine Entwicklung zu konzentrieren, richtete ich mein Augenmerk auf »sie«. »Sie« ließen mich nicht hochkommen. Die Frauen konnten es zu nichts bringen, weil die Männer sie daran hinderten.

Etwas Erstaunliches geschah: Mein Schreiben wurde besser, und der Erfolg begann sich einzustellen. Auch das erschreckte mich. Ich konnte mich nicht antreiben. Statt mich über den Durchbruch zu freuen, glaubte ich, nicht besonders intelligent, sondern nur clever und geschickt im Manipulieren zu sein. Ich sagte mir, als Journalistin komme ich durch. Ein Erfolg hier, ein Erfolg da, aber eines Tages wird man mich als die Betrügerin entlarven, für die ich mich hielt.

An diesem Punkt hätte mir dämmern müssen, daß ich etwas gewann, wenn ich an dieser negativen Sicht meiner selbst festhielt. Ich wollte nicht wirklich Erfolg haben, nicht den großen Erfolg. Die Welt sollte nicht ein für allemal wissen, daß ich nicht wirklich jemanden brauchte, der für mich sorgte. »Ich kann für mich selbst sorgen«, diese Worte auszusprechen und daran zu glauben, hieße ebensoviel, wie das eigene Todesurteil zu unterschreiben. Der versteckte Trumpf wäre verspielt. »Ich kann für mich sorgen!« Welch unglaubliche Hybris; welche Versuchung des Schicksals und der Götter. Hat man das erst einmal zugegeben, hat man praktisch das Handtuch geworfen und jeden Anspruch auf Hilflosigkeit aufgegeben.

Also hieß das Spiel: »Irgendwie kann ich selbst für mich sorgen.« Aber unglücklicherweise kann man nicht am Zaun stehenbleiben und gleichzeitig Fortschritte machen. Mein

Leben wurde eher enger, statt sich zu erweitern. Ich lernte die raffiniertesten Vermeidungsstrategien. Buchstäblich jede freie Minute verbrachte ich mit anderen Leuten – und eine Menge Zeit, in der ich eigentlich hätte arbeiten müssen. Ich redete mir ein, daß ich dies nach den langen Ehejahren ohne Freunde brauchte. Vielleicht stimmte das, aber ich benutzte die Leute auch, um zu verhindern, daß ich mein eigenes Bewußtsein entwickelte. Ich stürzte mich ins gesellschaftliche Leben und wurde zur Queen der West End Avenue. Ich arbeitete nachts und schlief morgens lange. Sogar das Schreiben wurde zu einer Art Sicherheitsventil. Durch das Schreiben konnte ich mich in den Mittelpunkt des Vulkans wagen, etwas Dampf ablassen, in den Schlaf flüchten und einmal mehr den Grund für das destruktive Feuer ignorieren, das in mir wütete.

Frauen wissen es nicht (denn es erscheint uns bereits als eine so unerhörte Anstrengung, für uns selbst zu sorgen), aber Durchhalten an sich ist noch keine edle Beschäftigung. Es ist der Versuch, Zeit zu gewinnen, es ist Leerlauf. Letztendlich ist »Durchhalten« eine Flucht vor der Herausforderung. Wir Frauen müssen mehr tun. Wir müssen herausfinden, wovor wir uns fürchten, und die Furcht überwinden.

> Es fällt mir sehr schwer, etwas allein zu tun. Ich glaubte immer, mein Platz sei *hinter* jemandem. Ich hatte einen älteren Bruder, der geradezu vollkommen war. In vieler Hinsicht war ich sehr damit zufrieden, in seinem Schatten aufzuwachsen. Ich fühlte mich dort sicher.
> Ich habe oft das Gefühl, im Unrecht zu sein, weil ich nicht verheiratet bin und keine Kinder habe, obwohl das besonders hier in San Francisco, wo ich lebe, an der Tagesordnung ist und als ›schick‹ gilt. Aber ich bin nicht in diesem Sinn erzogen worden, und es ist auch nicht das, was ich mir wünsche. Eigentlich habe ich nie wirklich unabhängig sein wollen.

Dieses Eingeständnis der Abhängigkeit stammt aus einem Tonbandinterview mit einer erfolgreichen Psychotherapeutin, einer alleinstehenden zweiunddreißigjährigen Frau mit einem Doktor in Psychologie. Sie ist Feministin und praktiziert in Kalifornien. Wie ihre Aussagen zeigen, verwirrt sie die Rolle, die sie in der Welt spielt – ihr inneres Bedürfnis, sicher »hinter« jemandem zu stehen, widerspricht kraß ihrem Bestreben, Erfolg zu haben, an der Front zu stehen und selbständig zu sein.
»Immer wenn das Leben zu schwierig wird, haben Frauen die Möglichkeit aufzugeben und bei einem Mann Schutz zu suchen. Das nimmt dem Willen, unabhängig zu überleben, die Durchschlagskraft«, schreibt Judith Coburn, »jedesmal wenn ich zulasse, daß sich die Rechnungen stapeln, das Auto nicht repariert wird, ich mit der Reiseabrechnung nicht zurechtkomme, verkünde ich der Welt: Seht, ich schaffe es nicht allein; ich brauche jemanden, der mich rettet.[1]
Eine andere Frau, eine talentierte Liedertexterin, die sich als »militante Feministin« bezeichnet, versucht zu ergründen, warum sie anscheinend nicht die Energie aufbringt, den Sprung zu wagen und sich in der Musikbranche durchzusetzen. »Vielleicht möchte ich einfach einen Mann, der für mich sorgt«, sagt sie im Hinblick auf ihre innere Lethargie.

Man muß den Frauen heute nur zuhören, um schnell zu entdecken, daß die »neue Frau« in Wirklichkeit keineswegs etwas Neues ist – sie ist eine Mutation. Sie lebt in einer Art Niemals-Land und bewegt sich im Zickzack zwischen zwei Wertsystemen hin und her – dem alten und dem neuen. Mit keinem hat sie sich emotional aussöhnen können, und erst recht hat sie noch keinen Weg gefunden, beide miteinander zu verschmelzen. »Alle Türen stehen offen«, sagt Anne Fleming Taylor; aber es stellt sich die Frage, durch welche man gehen soll. »Können wir als gute Mütter berufstätig sein? Können wir lieben, wenn wir im Beruf erfolgreich sind? Sollen wir uns am Wettbewerb draußen beteiligen oder nicht? Können wir zu Hause bleiben, ohne uns schuldig, nutzlos und seltsam verletzt zu fühlen?«[2]

Innerlich verwirrt und ängstlich, scheuen sich die Frauen, im Scheinwerferlicht zu leben und zu den Grenzen ihrer Fähigkeiten vorzustoßen. Im letzten Sommer lernte ich eine Frau kennen, die im Reisebüro arbeitet; sie sagte: »Wir sind noch nicht in der Lage, allein auf unseren zwei Füßen zu stehen und zu sagen: ›Ja, ich kann das, ich bin dazu in der Lage.‹ Die Frauen haben immer noch Angst.«

Warum sind die Frauen so ängstlich? Die Antwort auf diese Frage rührt an die Wurzeln des Cinderella-Komplexes. Erfahrung hat etwas damit zu tun. Wenn man sich nicht hinauswagt und etwas tut, wird man sich immer vor den Mechanismen der Welt fürchten. Viele Frauen haben in ihrem Beruf durchaus Erfolg, bleiben aber innerlich unsicher. Wie wir in den folgenden Kapiteln sehen werden, leben erstaunlich viele Frauen heute mit einem versteckten Kern des Selbstzweifels, während sie nach außen wie Bollwerke des Selbstvertrauens wirken. Neuere psychologische Forschungen haben ergeben, daß dieser elementare Zweifel für die Frau von heute charakteristisch ist. »Wir haben festgestellt, daß Passivität, Abhängigkeit und vor allem der Mangel an Selbstachtung die Variablen sind, die Frauen immer wieder von Männern unterscheiden«, berichtet die Psychologin

Judith Bardwick von Untersuchungen an der University of Michigan.[3]
Die meisten Frauen wissen das, auch ohne wissenschaftliche Untersuchungen zu lesen. Der Mangel an Selbstvertrauen scheint uns von Kindheit an zu verfolgen, und zwar mit so spürbarer Intensität, daß man manchmal glauben könnte, er führe ein Eigenleben. Miriam Schapiro, eine Malerin aus New York, sagt: »Ich habe mein ganzes Leben lang das Gefühl, daß in mir ein schutzloses Kind lebt, ein zerbrechliches, hilfloses, ängstliches Wesen voller Selbstzweifel.« Nur wenn sie malt, sagt sie, »kann das Kind in mir selbstbewußter, lebendiger sein und sich freier bewegen«.[4]
Wie entschlossen wir auch versuchen mögen, als Erwachsene zu leben – flexibel, mächtig und frei – dieses kleine Mädchen läßt sich nicht abschütteln und flüstert uns seine angstvollen Warnungen ins Ohr. Die Auswirkungen dieser Unsicherheit finden sich allenthalben, und sie führen zu dem beunruhigenden sozialen Phänomen, daß Frauen im allgemeinen dazu neigen, weit unter dem Niveau ihrer angeborenen Fähigkeiten zu leben. *Aus kulturellen und psychologischen Gründen – ein System, das nicht wirklich hohe Erwartungen an uns stellt, in Verbindung mit unseren persönlichen Ängsten, die uns davon abhalten, aufzustehen und der Welt entgegenzutreten – unterdrücken die Frauen sich selbst.*

## *Das berühmte weibliche ›Leistungsdefizit‹*

Betrachten wir zunächst die Geschichte unseres ökonomischen »Fortschritts« in den letzten zwanzig Jahren. Trotz des wachsenden Bewußtseins in den sechziger und siebziger Jahren geht es den Frauen heute schlechter als in den Tagen der Krinolinen und Wespentaillen. Wir verdienen heute weniger (im Vergleich zu den Männern) als vor zwanzig Jahren. 1956 verdienten Frauen in den USA 63 Prozent von dem, was Männer verdienten; heute sind es weniger als sechzig Prozent. Trotz der

»Women's Studies«-Seminare an den Universitäten und trotz politischer Aufklärungsarbeit beginnt für die meisten von uns das Berufsleben mit schlechtbezahlten Arbeitsplätzen, und wir kriechen nur langsam – oft auf Umwegen – nach oben. Wir verdienen kaum je genug, um den Babysitter zu bezahlen; wir verdienen viel zuwenig, um unsere Zukunft zu sichern. Kapitalzuwachs, Gewinnanteile, aufwendige Altersvorsorge sind ein Luxus für Unternehmer – ein Luxus für *Männer*. Die Hälfte der berufstätigen Frauen in den USA arbeitet in Stellungen ohne Anspruch auf Rentenversicherung. Wir bilden – offensichtlich bereitwillig – eine Armee unterbezahlter Arbeitsbienen, die so massiv und so konstant auftritt, daß die Sozialwissenschaftler einen neuen Namen für uns geprägt haben: »Die achtzig Prozent.« Die achtzig bezieht sich auf den Prozentsatz an Frauen, die ungelernt oder angelernt in Berufen arbeiten, in denen sie sehr schlecht verdienen – es sind die Frauen, die zumindest ökonomisch am Boden des Korbs herumkrebsen.

Bis vor kurzem benutzten Statistiker den Begriff »das Heer der arbeitenden Frauen«, als seien wir eine Armee von Amazonen, das im Begriff steht, die Macht im Land zu ergreifen. Seit mindestens einem Vierteljahrhundert wird von der zunehmenden Stärke und Mobilität der Frauen geredet. Aber die Soziologen beginnen schließlich zu erkennen, »daß auf jede beruflich erfolgreiche Frau eine andere kommt, deren Beitrag zur Arbeitsproduktivität darin besteht, täglich acht Stunden am Fließband zu stehen, eine zweite, die Betten und Zimmer macht, und eine dritte, die den Tag damit zubringt, in einem der unpersönlichen großen Büros der amerikanischen Bürokratie Briefe zu schreiben und Korrespondenz abzulegen.« (Diese Feststellung stammt von James Wright von der University of Massachusetts, der auf Grund der Ergebnisse von sechs großen nationalen Untersuchungen zu der Erkenntnis gelangte, daß das Maß der Befriedigung bei berufstätigen Frauen nicht größer ist als bei Hausfrauen.[5] Es ist leicht verständlich, daß die berufstätigen Frauen in der Statistik unter »wenig begeistert« auftauchen, wenn achtzig Prozent von ihnen die Bequemlichkeiten ihrer Wohnung verlassen, um gegen schlechte Bezahlung und ohne Rentenansprüche Büros zu putzen und/oder niedrige Büroarbeiten zu verrichten.

An der Oberfläche scheint das Problem für Männer und Frauen gleichermaßen zu bestehen: Nur wenigen gelingt es, in Spitzenpositionen zu gelangen. Aber im Fall der Frauen sieht die Sache anders aus. Untersuchungen haben übereinstimmend gezeigt, daß der Intelligenzquotient bei Männern in relativ enger Beziehung zu den Leistungen steht; bei Frauen hingegen besteht zwischen IQ und Leistung keine Beziehung. Diese schockierende Diskrepanz wurde durch die Stanford-Untersuchung über hochbegabte Kinder enthüllt. Man wählte mehr als sechshundert Kinder mit einem IQ von über 135 (repräsentativ für das begabteste eine Prozent der Gesamtbevölkerung) aus kalifornischen Schulen aus und verfolgte ihre Entwicklung bis ins Erwachsenenleben. Die Frauen, deren Kindheits-IQ im gleichen Bereich wie der der Männer gelegen hatte, arbeiteten durchweg in unbedeutenden Stellungen. *Zwei Drittel der Frauen mit dem Geniewert von 170 oder mehr waren Hausfrauen oder Büroangestellte.*[6]

Die Verschwendung weiblichen Talents ist ein geistiger Aderlaß, der das ganze Land tangiert. Die Psychiater haben inzwischen begonnen, sich diesem Problem zuzuwenden. Dr. Alexandra Symonds stellte fest, daß in den letzten Jahren eine große Zahl von Frauen mit Leistungskonflikten in ihre Praxis kam. Sie entdeckte, daß talentierte Frauen oft nicht bereit sind, in Positionen aufzurücken, die wirkliche Unabhängigkeit mit sich bringen. Sie scheuen vor Beförderungen zurück oder reagieren darauf unangemessen ängstlich. Viele bleiben im Bannkreis von Mentoren und ziehen es vor, als intelligente, aber unbekannte Stützen für die Männer an der Macht zu arbeiten – sie verzichten sowohl auf das Ansehen als auch auf die Verantwortung, die aus ihren eigenen Beiträgen entstehen könnten. In der Therapie klammern sie sich an ihre Unbeweglichkeit. »Jeder Schritt in Richtung auf gesunde Selbstbehauptung wird bewußt oder unbewußt abgelehnt«, sagt Dr. Symonds, »manche Frauen sagen offen, sie wollten versorgt werden, und es gebe keinen Grund, diesen Standpunkt aufzugeben. Andere kommen . . . in der scheinbaren Absicht, sich weiterzuentwickeln, aber wenn sie wirklich vor der Möglichkeit der Veränderung stehen und die Entscheidung zur Trennung und Selbstbehauptung unvermeidlich wird, geraten sie in Panik.«[7]

Dr. Symonds behandelt in ihrer Praxis in Manhattan viele erfolgreiche Frauen, die nach »oben« streben. Sie hat festgestellt, daß das Problem der Selbstbeschränkung unter ihnen weit verbreitet ist. In Relation zu ihren natürlichen Fähigkeiten scheinen zu viele Frauen unfähig und nicht in der Lage zu sein, ihr Potential voll zu verwirklichen.

Warum? Was hält diese Frauen zurück?

»Angst«, sagt Dr. Symonds. Frauen wollen die Angst nicht erleben, die zum Wachstumsprozeß gehört. Es hat etwas mit ihrer Erziehung zu tun. Als Mädchen wurde den Frauen nicht beigebracht, selbstsicher und unabhängig zu sein; man brachte ihnen bei, bescheiden und abhängig zu werden. Die Tatsache, daß die Weichen heute anders gestellt sind, daß es den Frauen jetzt »erlaubt« ist, unabhängig zu sein, hat sie in inneren Aufruhr gestürzt. Dr. Symonds sagt, daß sich um diesen festen »Kern der Abhängigkeit« (der in der Kindheit den Frauen eingepflanzt wurde) eine ganze Konstellation von Charakterzügen entwickelt, die untereinander in Verbindung stehen und sich gegenseitig verstärken. Diese Züge brauchten Jahre, um sich herauszubilden. Wie jedes bestehende Charaktermuster kann man auch sie nicht ohne Angst aufgeben.

Also ist es das Aufgeben eines ganzen Charaktermusters – oder die Aussicht, es tun zu müssen –, das den Frauen heute das Gefühl der Zerrissenheit gibt. Die meisten einflußreichen Psychoanalytiker haben lautstark verkündet, daß Frauen von Natur aus abhängig sind. Das folgende Zitat aus Helene Deutschs klassischem Werk *Die Psychologie der Frau* wirkt vielleicht eigenartig und altmodisch (es stammt aus dem Jahr

1944); aber täuschen wir uns nicht: Es spiegelt die Vorstellungen unserer Mütter und Väter zur Zeit unserer Kindheit wider. Helene Deutschs Auffassung von der Frau als »der idealen Lebensgefährtin« ist Teil einer unleugbaren Wahrheit unseres Wesens. Helene Deutsch versichert der Welt, daß Frauen am ehesten glücklich sind, wenn sie sich freiwillig ihren Männern unterordnen.

> Sie scheinen leicht beeinflußbar zu sein, passen sich ihren Partnern an und verstehen sie. Sie sind die liebenswertesten und friedlichsten Gehilfinnen, und sie sind mit dieser Rolle zufrieden. Sie beharren nicht auf eigenen Rechten – ganz im Gegenteil.

Was Helene Deutsch über die Fähigkeit der Frauen zur Kreativität und Produktivität sagt, könnte von der Äbtissin eines Nonnenklosters stammen:

> . . . sie sind stets bereit, auf eigene Leistungen zu verzichten, ohne das Gefühl zu haben, etwas zu opfern, und sie freuen sich über die Leistungen ihrer Gefährten . . . Wenn sie nach außen aktiv werden, haben sie ein sehr starkes Bedürfnis nach Unterstützung.[8]

Aufgeklärte Psychiater erkennen heute, welche akrobatischen Leistungen Frauen in einer Zeit vollbringen mußten, die von ihnen forderte, die gesündesten eigenen Impulse zu unterdrücken. Wie Alexandra Symonds feststellt, wurden die Frauen nicht als »ideales Wesen« *geboren*, sie mußten daran arbeiten, es zu werden. »Es bedarf einer ständigen Anstrengung, auf eigene Leistungen zu verzichten, ohne dabei das Gefühl eines Opfers zu haben. Um liebenswert und friedlich zu sein, muß eine Frau ihr ganzes Leben lang feindselige Gefühle und Unwillen unterdrücken. Selbst ein gesundes Geltungsbedürfnis wird häufig geopfert, da es irrtümlich als Feindseligkeit gedeutet werden könnte. Deshalb unterdrükken Frauen oft ihre Tatkraft, geben ihre Ambitionen auf und leben unglücklicherweise in totaler Abhängigkeit mit dem tiefsitzenden Gefühl der Unsicherheit und des Zweifels an ihren Fähigkeiten und ihrem Wert.«[9]

Wenden wir uns wieder der Einstellung der heutigen Frau zu Berufstätigkeit und Geld zu – unter Berücksichtigung des enormen Wandels dessen, was die Gesellschaft als »angemessenes« weibliches Verhalten betrachtet.
Bestimmte neuere Trends (oder neu erkannte Trends) machen deutlich, daß Frauen nicht einfach in wirtschaftlicher Abhängigkeit gehalten wurden, sondern selbst viel zu dieser Situation beitrugen/beitragen. Zum Beispiel erhöhte sich zwischen 1960 und 1976 die Zahl der Collegeabsolventinnen um beinahe vierhundert Prozent.[10] Und doch sagten noch immer mehr als die Hälfte aller High-School-Anfängerinnen vorsichtig, daß sie Arbeitsplätze in nur drei Berufsgruppen anstreben: im kaufmännischen und Bürobereich, in Erziehungs- und Sozialwesen und in Pflegeberufen.[11]
»Die Diskriminierung der Frauen auf dem Arbeitsmarkt ist eine Tatsache. Aber ein überzeugenderer Grund für die mangelnde Arbeitsproduktivität der Frauen ist die fehlende Bereitschaft, langfristige Berufskarrieren anzustreben«, schreibt Judith Bardwick in *The Psychology of Women: A Study of Biocultural Conflicts* und kommt zu dem Schluß: »Wissenschaftlich begabte Mädchen besuchen und absolvieren mit geringerer Wahrscheinlichkeit das College als gleich intelligente junge Männer. Sie legen mit geringerer Wahrscheinlichkeit ein Universitätsexamen ab; die Chance, daß sie aus einem erworbenen Doktorgrad beruflich Nutzen ziehen, ist geringer; selbst als Akademikerinnen sind sie weniger produktiv als Männer, selbst wenn sie unverheiratet bleiben und weiterhin ganztägig arbeiten.«[12]
Noch immer *entscheiden* sich Frauen für schlechtbezahlte Berufe. 1976 erhielten 49 Prozent aller Frauen mit College-Abschluß, 72 Prozent der Frauen mit einem Magister und 53 Prozent aller Frauen, die promoviert hatten, ihre Grade auf sechs traditionell »weiblichen« und schlechtbezahlten Gebieten.[13] »Wenn Frauen weiterhin an traditionell weiblichen Berufen festhalten«, sagt Pearl Kramer, die leitende Wirtschaftsexpertin des Long Island Regional Planning Board,

»wird die Kluft zwischen ihrem Verdienst und dem ihrer männlichen Kollegen bestehenbleiben.«[14]

Dies ist das berühmte weibliche »Leistungsdefizit«. Man weiß seit langem, daß Frauen nicht erreichen, was sie auf Grund ihrer Leistungen erreichen könnten. *Man hat jedoch nicht erkannt, welche Rolle die Frauen selbst dabei spielen, daß dieses Defizit bestehenbleibt.* Frauen werden nicht einfach von der Macht ferngehalten (obwohl das systematisch geschehen ist); wir *entziehen* uns ihr auch aktiv. »Seht, wie unabhängig wir geworden sind!« frohlocken wir, wenn wir feststellen, wie viele Frauen den Haushalt verlassen haben und berufstätig geworden sind. Aber man untersuche die irreführenden amtlichen Zahlen nur einmal genauer, und man wird feststellen, daß heute viele Frauen nicht wirklich berufstätig sein *wollen.* Sie fühlen sich überfordert und manchmal mißbraucht. Im tiefsten Innern glauben sie noch immer, daß Frauen nicht wirklich ihren Lebensunterhalt selbst verdienen müßten. Viele, die die Wärme und Sicherheit ihrer Küche verlassen und sich in die Welt der Berufstätigen begeben, sind nicht so sehr vom Gefühl der Eigenverantwortung oder der Fairness gegenüber dem Ehemann motiviert, sondern von einer Krise. Die Inflation ist nicht zu bremsen, und Charlie verdient nicht genug, um damit Schritt zu halten.

Oder es gibt keinen Charlie mehr. Charlie hat wieder geheiratet, oder er ist gestorben, oder er hat sich bei Nacht und Nebel in die Arme einer jüngeren Frau geflüchtet, die ihm weniger zur Last fällt. Die zurückgebliebenen Frauen – verwitwet oder geschieden – haben wenig oder kein Geld, um sich und die Kinder zu ernähren. Unter solchen Umständen wird der »Wiedereintritt in den Beruf« weniger freudig erlebt, als wir es gerne sehen würden. Vielleicht herrscht anfangs ein gewisses Hochgefühl, vergleichbar der Freude eines Jugendlichen über das erste Gehalt; aber bald erstickt die Begeisterung über die Emanzipation unter einem entsetzlichen Verdacht: *Das könnte sich nie mehr ändern.*

Es gibt Hinweise, daß zumindest manche Frauen nicht einfach festen Fuß fassen, sondern auf ihre neue Freiheit negativ reagieren – sie bewegen sich rückwärts. Eine Untersuchung des *Wall Street Journal* ergab, daß Unternehmer darüber klagen, wie schwierig es sei, Arbeitnehmerinnen zur Teilnahme an Fortbildungsprogrammen zu bewegen, die ihre Firmen eigens für sie entwickelt hatten. »Sie wehren sich mit Händen und Füßen dagegen«, sagte ein Geschäftsführer von General Motors. (Ein Personalchef erklärte weniger irritiert, aber mit gleicher Überheblichkeit: »Es ist soziale Konditionierung. Frauen haben solche Berufe früher nie angestrebt. Man kann sie nur schwer davon überzeugen, es jetzt zu tun.«[15]

Manche Ehefrauen geben ihre Stellungen mit der Begründung auf, die Arbeit rufe mehr Streß und Angstgefühle hervor, als sie verkraften könnten. »Sie scheinen das Gefühl zu haben, der große amerikanische Traum zerrinne ihnen unter den geschäftigen Händen«, berichtete die Zeitschrift *Better Homes and Gardens* nach einer neuen Untersuchung der Einstellung von 300 000 Leserinnen zu ihrem Beruf.[16] Die meisten dieser Frauen sind verheiratet und haben Kinder. Sie neigen dazu, die Angst vor der eigenen Entwicklung auf das sichere Thema »ich werde zu Hause mehr gebraucht« zu verlagern. In Wirklichkeit haben sie das Gefühl des »Gebrauchtwerdens« verloren, das für ihre psychische Konstitution so wichtig war, und es auf ihre Familien projiziert. So gewannen sie die Überzeugung, daß die Familie sich durch ihre Abwesenheit »im Stich gelassen« fühlte. Einige der verunsicherten und verängstigten Frauen sagten, sie hätten ihre Männer überredet, in kleinere Wohnungen und in weniger teure Viertel zu ziehen, weil sie ihren Beruf aufgeben und »sich wieder ganz der Familie widmen wollten« – eine Entscheidung, die ihnen nach eigenen Worten, das Gefühl »großer Erleichterung« verschaffte.[17]

Außerdem gibt es das »Noch-ein-Kind«-Syndrom – eine

gesellschaftlich gebilligte Methode, zu Hause zu bleiben (oder sich wieder dorthin zurückzuziehen). Nach Ansicht von Ruth Moulton, einer Feministin und Psychiaterin an der Columbia University, werden selbst hochbegabte Frauen schwanger, um sich der Angst vor ihrer erfolgreichen Karriere zu entziehen.[18] Sie hält den Fall einer Künstlerin für charakteristisch. Die Frau wurde im Lauf von fünf Jahren zweimal »versehentlich« schwanger. Jedesmal stand sie vor der Möglichkeit einer wichtigen Ausstellung ihrer Werke. In beiden Fällen »entschied« sie sich für die Schwangerschaft. Infolgedessen wurden ihre Ausstellungen verschoben, bis sie über fünfzig war und, wie Ruth Moulton schreibt: »Dadurch verringerte sich die Zeit, die ihr für die Entwicklung ihres Talents und für einen Erfolg in der Öffentlichkeit blieb, entscheidend.«[19]
Dr. Moulton nahm sich die Liste ihrer Patientinnen der letzten Jahre vor und entdeckte: »Ich könnte mühelos zwanzig Frauen im Alter von vierzig bis sechzig aufzählen, die ihre Schwangerschaft als Fluchtmittel vor der Welt benutzt hatten. In mindestens der Hälfte dieser Fälle bekam die Mutter ein drittes oder viertes Kind – und das zu einem Zeitpunkt, als die anderen Kinder in der Grundschule oder in der High School waren und die Mutter größere Freiheit hatte, ihre Energien auf Arbeit außerhalb des Hauses zu richten.«
»Zwanghaftes Kinder-Großziehen« nennt Dr. Moulton dieses Syndrom. Nicht die Erfüllung, die das Muttersein mit sich bringt, ist entscheidend, sondern der Ersatz für die Aktivitäten draußen in der Welt, der sich damit bietet. Frauen »benutzen Schwangerschaft sogar als Mittel, um der Armee zu entkommen«. Diese Aussage von M. Kathleen Carpenter wurde 1977 in dem Bericht »Evaluation of Women in the Army« zitiert. (M. K. Carpenter ist vom Pentagon mit der Überwachung der Chancengleichheit der Frauen in der Armee beauftragt und hat eine solche Feststellung ganz gewiß nicht leichtfertig getroffen. Derselbe Bericht stellt fest, daß Schwangere in der Armee oft »nicht ihren Anteil an zusätzlichem Dienst übernehmen, vom Dienst im Feld freigestellt

sind, den vollen Sold und Zuschüsse beziehen, ohne sie zu verdienen, und von den Uniformvorschriften weitgehend befreit sind«.)

Das Phänomen der »Schwangerschaft zur Streß-Vermeidung« hat ganz bestimmt keinen positiven Einfluß auf unsere ehrwürdigste Institution: das amerikanische Familienleben. Frauen, die Kinder bekommen, um der Angst zu entgehen, die mit persönlicher Entwicklung verbunden ist, verewigen einen destruktiven Kreislauf. Sie lehnen sich bald gegen die enge, sie selbst einschränkende Rolle auf, die sie als Ausweg gewählt haben, entwickeln manchmal Phobien oder werden hypochondrisch. Aber noch wichtiger: *Sie erziehen ihre Kinder nicht zur Unabhängigkeit.* Ruth Moulton sagt, die Abhängigkeit der abhängigen Frau von ihren Kindern »beeinträchtigt die Entwicklung zur Unabhängigkeit und die Individuation aller Betroffenen«.

Heute hört man oft den einleuchtenden Standpunkt, (der allen zu gefallen scheint – Feministinnen, Nonfeministinnen und Männern), daß Frauen vor allem eigene Entscheidungen treffen sollen/können. Sie sollten zum Beispiel *wählen* können, ob sie berufstätig sein wollen oder nicht, ob sie eine Ganztagsstellung annehmen oder nicht, ob sie zu Hause bleiben und »sich der Familie widmen wollen« oder nicht. Niemand soll die Frauen herumkommandieren und ihnen sagen, was sie »tun müssen«, oder was sie »nicht tun können«. Die Feministinnen sagen uns, die Unterstellung, daß Frauen sich der Verantwortung entziehen, indem sie zu Hause bleiben, sei ebenso absurd, wie darauf zu bestehen, daß Frauen zu Hause bleiben, wenn sie eine Arbeit annehmen wollen. Zu Hause bei den Kindern zu bleiben, die Wohnung zu putzen und für den Ehemann da zu sein, damit *er* die Ängste bewältigen kann, die mit dem Broterwerb verbunden sind – zählen angeblich als wichtige soziale Beiträge der Frau, auf die sie zu Recht stolz sein kann. Aber dieses »Recht, selbst zu entscheiden«, ob wir oder ob wir nicht für uns sorgen, hat sehr viel zu dem weiblichen Leistungsdefizit beigetragen. Da den

Frauen die gesellschaftlich akzeptierte Möglichkeit offensteht, zu Hause zu bleiben, können sie – und oft tun sie das auch – sich der Eigenverantwortung entziehen.
Es ist eine Tatsache, daß viele Frauen, die »nicht arbeiten müssen«, weil ihre Ehemänner bereit und in der Lage sind, für sie zu sorgen, *es auch nicht tun.* Die wachsende Zahl berufstätiger Frauen steht in deutlicher Relation zu der Zunahme gescheiterter Ehen. Zweiundvierzig Prozent aller berufstätigen Frauen sind Haushaltsvorstände.[20] *Heute* ist es überraschend, daß die Hälfte der verheirateten Frauen, die mit ihrem Mann zusammenleben, es noch immer vorziehen, zu Hause am Herd zu *bleiben.*[21]
Daran ist etwas falsch. Man beginnt das zu verstehen – die Verbindung herzustellen –, wenn man die wirtschaftliche Misere der älteren Frauen in den USA betrachtet. Alle reden von der Entscheidungsfreiheit, aber wir sollten uns sinnvollerweise fragen: »Wer sorgt für die Frauen, wenn sie alt werden?« Die Antwort lautet: natürlich niemand. Wenn die Haare der Frau grau geworden sind, gilt der alte Grundsatz: »Frauen und Kinder zuerst« schon lange nicht mehr. Die Realität schlägt hart zu, wenn der Mann stirbt. Die neuesten Zahlen der Regierung besagen, daß das Durchschnittsalter der amerikanischen Witwen bei sechsundfünfzig Jahren liegt. Mehr als die Hälfte der Frauen können damit rechnen, mit fünfundsechzig Jahren Witwe zu sein. Und selbst die Frauen, die ihr ganzes Leben lang berufstätig waren, sind im Alter nicht versorgt: eine von vier Frauen wird arm sein – wesentlich ärmer als gleichaltrige Männer. Das durchschnittliche Jahreseinkommen aller älteren Frauen lag 1977 bei 3087 Dollar oder 59 Dollar in der Woche. Im Vergleich dazu stand den älteren Männern im Durchschnitt ein nahezu doppelt so hohes Einkommen zur Verfügung. (Der Hauptgrund für die schlechte finanzielle Lage der ehemals berufstätigen Frauen liegt darin, daß das Rentensystem auf dem Lohnsystem basiert; und wie bereits erwähnt, verdienen Frauen nur sechzig Prozent von dem, was Männer verdienen.)[22]

Dies ist also die bittere Wahrheit, vor der jüngere Frauen – noch immer romantisch, noch immer verliebt, noch immer selig träumend, daß eine Frau es ruhig einem andern überlassen kann, für sie zu sorgen – die Augen verschließen. Aber wenn solche Frauen älter werden, sind sie plötzlich auf grausame Weise rechtlos, von ihrer Versorgungsbasis abgeschnitten, noch ehe sie wissen, wie ihnen geschieht. Diese Katastrophe im Alter ist das bitterste Ergebnis des Cinderella-Komplexes. Wir leben mit einer Art Krankheit, einem blinden Fleck – mit der Unfähigkeit (oder Weigerung), den Zusammenhang zwischen der falschen Sicherheit einer Ehefrau und der Einsamkeit und Armut älterer, meist verwitweter Frauen zu sehen. Wir klammern uns verzweifelt an den Glauben, daß jemand für uns sorgen wird. Wir klammern uns verzweifelt an den Glauben, daß wir nicht selbst für unsere soziale Sicherheit verantwortlich sind.

*Verwirrung in Atlanta*

Unter den Frauen der Mittelklasse ist dieses Märchen besonders weit verbreitet. Sie tragen eine rosarote Brille und sehen in der Arbeit nichts weiter als ein Experiment, beinahe eine Art Spiel. Sie langweilen sich in Teilzeitjobs oder Jobs, die ihren »Horizont erweitern« oder ihnen die Möglichkeit bieten, »aus dem Haus zu kommen und Menschen kennenzulernen«. Es gibt eine bestimmte Gruppe junger Ehefrauen der oberen Mittelklasse, die nicht wissen, was sie mit den Möglichkeiten tun sollen, die ihnen offenstehen. Sie haben mehr oder weniger beschlossen, so lange wie möglich die Hände in den Schoß zu legen, denn jede noch so verlockende Zukunft hält für sie mehr Angst als Faszination bereit. Bei einem Abendessen in Atlanta, Georgia, lernte ich einige solcher Frauen kennen.

Es waren schmale, gepflegte Frauen Anfang Dreißig, sehr attraktiv und lebhaft. Sie hatten erfolgreiche Ehemänner –

Börsenmakler, ein Beamter im Außenministerium, ein Psychologieprofessor. Eine der Frauen, die ich Paley nennen will, entsprach noch immer dem Bild eines vorwitzigen, rebellischen Südstaatenmädchens. Helen war erst vor kurzem aus Cambridge in den Süden gekommen. Lynann hatte ihr ganzes Leben in Atlanta verbracht. Diese Frauen sprachen alle von einem gewissen Maß an Frustration in ihrem Leben – die Kinder waren in der Schule oder würden es bald sein –, aber wenn sie über einen möglichen Beruf nachdachten, fiel ihnen wenig ein. Sie wünschten sich nur leichte Berufe – gutbezahlte Teilzeitjobs. Bridge langweilte sie inzwischen, obwohl sie immer noch ihren Bridge Clubs angehörten.)
Paley hatte sich bisher als einzige um einen Job bemüht und ihn auch gefunden. »Ich arbeite in einem kleinen vegetarischen Restaurant in unserer Straße«, sagte sie, »ein paar Tage in der Woche und nur wenige Stunden. Aber mit den Trinkgeldern komme ich auf einen höheren Stundenlohn als mein Mann!«
Die anderen lachten. In Paleys Leben hatte Geld noch nie wirklich eine Rolle gespielt. Sie kam aus einer kleinen Stadt in Georgia, wo jeder jeden kannte, und es allen gutging. Jetzt lebte sie in Atlanta und war noch immer so »wild« wie zu College-Zeiten.
Nach dem Essen schien sich die Stimmung zu ändern. Die Frauen ließen die Männer im Chippendale-Eßzimmer sitzen und versammelten sich in einer Ecke des Wohnzimmers. Jetzt sprachen sie über die Langeweile in ihrem Leben. Befangen machten sie sich darüber lustig, daß sich ihre Gespräche nur über Bohnerwachs und Schmutzränder am Hemdenkragen drehten. Es hätten dieselben Frauen sein können, die Betty Friedan vor zwanzig Jahren in ihrer Untersuchung von College-Absolventinnen entdeckte, die in den Vororten im Nordosten beinahe verrückt wurden. Aber das hier war nicht mehr 1960, sondern 1980; und diese Frauen wurden noch nicht aus Frustration verrückt. Wenn überhaupt, dann ging es ihnen zu gut – Mittagessen im Country Club, elegante Autos, viele

Parties. Nur wenn sie an ihre College-Zeit zurückdachten, fiel ihnen wieder ein, daß sie sich einmal ein anderes Leben erhofft hatten. Damals hatten sie sich frei und *ungebunden* gefühlt; sie hatten sich vorgestellt, daß sie etwas *tun* würden.

Das bequeme Eheleben erschwerte es diesen Frauen zu begreifen, daß auch sie auf der untersten Stufe der Leiter würden anfangen müssen. »Für jemanden zu arbeiten, das ist nichts für mich«, erklärte Lynann entschieden. Sie sagte, so viel stehe fest, sie würde nicht als Untergebene arbeiten: »Ich möchte von Anfang an in der Geschäftsleitung sitzen. Ich möchte den anderen sagen, was sie zu tun haben.« (Die Frauen lachten wieder.)

Dachte sie daran, zu studieren und ein Wirtschaftsdiplom zu machen, um ihren Traum verwirklichen zu können? »Na ja ... nein ... eigentlich nicht.« Sie interessierte sich für diesen »einfachen Kursus«, von dem sie gehört hatte. »In diesem Kursus lerne ich bestimmte Methoden, die es mir erlauben, so aufzutreten, als *sei* ich intelligent.« (Noch mehr Gelächter.)

Paley war nicht blind für den gesellschaftlichen Rahmen, in dem sie sich bewegten. »Der Stolz vieler Frauen in Atlanta beruht immer noch auf dem Gehalt des Mannes und darauf, wie gut er für sie sorgt«, sagte sie, »für sie zählt nur, welches Auto er ihnen kaufen kann, ob sie eine Hilfe für die Kinder und den Haushalt haben und ob sie sich Reisen leisten können.«

Aber es blieb das Problem der Langeweile. Was *taten* sie in den langen Stunden, wenn der Einkauf erledigt und die Kinder in der Schule waren? Sie lasen Liebesromane. Ironisch (denn sie wußten ja, was davon zu halten war), begannen die Damen, sich über die literarischen Meriten der zur Zeit populären Liebesromane zu unterhalten. Alle beteiligten sich an dem Spiel.

»Wieviel Zeit verbringen Sie damit, solche Romane zu lesen?« fragte ich.

Paley – mit Wuschelkopf, lackierten Nägeln, eleganten Schuhen und vermutlich recht gescheit – sagte: »Ich lese und lese und lese. Ein paar Stunden sind gar nichts. Ich vergesse alles um mich herum; ich glaube, ich würde es nicht merken, wenn meine kleine Tochter sich aus dem Haus schleicht. Manchmal weint sie sogar, ohne daß ich es höre.«

Dies sind die wohlbehüteten Ehefrauen; sie sind jung, attraktiv, schlagfertig und abgesichert. Sie glauben, als Frauen ein Recht auf finanzielle Abhängigkeit zu haben. Als Gegenleistung widmen sie sich dem Heim, und sie sind glücklich und stolz auf ihre Fähigkeit zu putzen, den Haushalt zu organisieren, Kinder großzuziehen und Einladungen zu geben. Aber ohne sich dessen bewußt zu sein, haben sie einen festen Vorsatz gefaßt – es ist beinahe ein Ritual, wie sie der Erkenntnis aus dem Weg gehen, daß ihr Dasein gefährdet ist. Sie denken nicht darüber nach, was geschieht, wenn ihre Ehe scheitern sollte. Natürlich gibt es Scheidungen. Sie beobachten es immer wieder, und sie halten die weiblichen Opfer für sehr mutig, wenn sie versuchen, die abgeschnittenen Fäden ihres Lebens selbst in die Hand zu nehmen. Aber eine Frau, der es gutgeht, glaubt nicht ernstlich daran, daß ihr dies widerfahren kann. Scheidung ist etwas für andere, für Frauen ... die einfach Pech haben.

Es ist etwas wie Krebs. Oder der Tod.

### *Depression im ganzen Land*

Nicht nur in Atlanta ist diese Blindheit verbreitet. Sie hat zu einem relativ neuen gesellschaftlichen Phänomen geführt: dem der »displaced homemakers«, der »abgeschobenen Hausfrauen«. Es handelt sich um eine große Subkultur verwitweter oder von ihren Ehemännern verlassener Frauen, die nie gelernt haben, für sich selbst zu sorgen. Diese »abgeschobenen Hausfrauen« bilden in den USA eine emotional behinderte Schicht von fünfundzwanzig Millionen.[23] Ihnen wurde gesagt, die Gesellschaft würde sie dafür belohnen, daß sie gute Ehefrauen und Mütter seien, die sich um das Haus kümmern. Der erdbebenartige Umbruch der ehelichen Moral hat diese Frauen entwurzelt und sie ins Mark getroffen. Sie halten sich für inkompetent. Talente, die sie vielleicht einmal hatten, als sie die Schule verließen, sind längst verkümmert. Ihre Muskeln, ihre Köpfe sind nicht trainiert. Es sind Frauen, die ihr ganzes Leben an das Märchen von Cinderella und daran geglaubt haben, daß immer ein Mann da sein würde, um für sie zu sorgen. Die Statistik eines Zentrums für »abgeschobene Hausfrauen« zeigt, wie grausam das Erwachen aus diesem Traum ist. Nur 17 Prozent der Frauen, die von diesem Zentrum betreut werden, erhielten von den früheren Ehemännern eine finanzielle Unterstützung; ein Drittel lebt in Armut. Und diese Frauen sind keineswegs alt; sie sind zwischen dreißig und fünfundfünfzig.

Da die Gesellschaft Scheidungen ermutigt – und gleichzeitig die Idee der berufstätigen Mutter propagiert –, hat sie die Sicherheit dieser Frauen ins Wanken gebracht. Milo Smith, Mitbegründerin der Organisation »Displaced Homemakers« und Leiterin des Zentrums in Oakland, Kalifornien, sagt dazu, daß die Frauen, denen sie zu helfen versucht, zornig sind: Sie können sich nicht mit der Idee anfreunden, daß plötzlich alles anders sein soll; sie lehnen sich dagegen auf, das Haus zu verlassen und etwas zu lernen, um Arbeit zu finden.

Außerdem sind sie depressiv. »Selbstmord ist unser größtes Problem«, sagte mir Milo Smith, »in diesem Jahr hatten wir allein hier im Zentrum vier Selbstmordversuche«.

An dem Tag, als ich dieses Zentrum besuchte (es gibt Dutzende davon im ganzen Land), kamen die Frauen, die Hilfe suchten, sorgfältig frisiert; die meisten benutzten einen leuchtend roten Lippenstift. Einige hatten Übergewicht und trugen lange, weite Kleider. Sie wurden von freundlichen Helferinnen empfangen, die selbst entlassene Hausfrauen waren; während der Wartezeit gab es Kaffee. Wie frühere Zellengenossen versuchten die ehemals versorgten Frauen,

sich gegenseitig zu helfen. Die Neuankömmlinge reagierten mit dankbarem Lächeln, offenbar bestrebt, sich beliebt zu machen. In ihren Augen leuchtete die Unsicherheit wie Fieber.
»Viele sind völlig durcheinander, wenn sie zum ersten Mal kommen«, sagte Milo Smith, eine Frau in den sechzigern, die diese Arbeit begann, weil sie vor einigen Jahren selbst eine verängstigte Witwe ohne jede Berufserfahrung war. »Sie sind wie Süchtige, nur ganz legal . . . Valiumsüchtige, die von ihren Hausärzten dazu gemacht wurden.«
Der Verlust des Ehemanns raubte ihnen die Stütze; das Gefühl des Verlusts – nicht nur des Mannes, sondern einer Lebensweise, die ihnen ihre Identität garantierte, stürzte sie in Verzweiflung. Sie gingen zu ihrem Hausarzt; obwohl sie mehr brauchten, als ihnen ein Arzt geben konnte – und bekamen Pillen. Die Verzweiflung der entlassenen Hausfrauen ist unübersehbar. Die Gesellschaft weiß nichts mit ihnen anzufangen – und sie wissen mit sich selbst nichts anzufangen, da der Sinn des Daseins, für das sie erzogen wurden, verlorengegangen ist. Ihre Selbstachtung scheint über Nacht zu verschwinden. Milo Smith deutete auf den Eingang des Zentrums und sagte: »Jede Frau, die durch diese Tür tritt, hat die Vorstellung verinnerlicht, daß sie jetzt häßlich, alt, dick und nutzlos ist.«
Noch schlimmer: Sie glauben, das bestätigte Selbstbild sei etwas, das man ihnen angetan habe, und das verbittert sie. »Diese Frauen verschwenden ihre Energie mit dem Versuch, sich zu rächen,« sagte Milo Smith, »sie sind schrecklich starr und unbeweglich. All das gehört zum Bild der Depression. Man versucht, ihnen zu zeigen, was sie für sich selbst *tun* können, und sie kommen mit Entschuldigungen wieder. Die typische entlassene Hausfrau kann mir fünfzig Gründe nennen, warum sie etwas nicht tun kann, was ich ihr vorschlage, weil es ihr meiner Meinung nach helfen könnte; und aus purer Angst.
»Die depressive Frau ist eine Verliererin«, sagt Maggie Scarf.

Sie spricht über das erschreckende Ausmaß an Depression, das in vielen neuen Untersuchungen über Frauen erkennbar wird, über die zunehmende Zahl von Selbstmordversuchen von Frauen (besonders jüngeren) und den unmäßigen Tablettenkonsum zur Bewältigung emotionaler Probleme. Eine Untersuchung des *National Institute of Mental Health*, die zu Beginn der siebziger Jahre abgeschlossen wurde, ergab, daß ein Drittel aller Frauen im Alter von dreißig bis vierundvierzig ihre Stimmung mit verschreibungspflichtigen Medikamenten beeinflußten. Fünfundachtzig Prozent dieser Frauen gaben an, noch nie bei einem Psychotherapeuten gewesen zu sein.[24]
Aber was hat die depressive Frau verloren? »Etwas, das für sie lebenswichtig war«, sagt Maggie Scarf, »mit beinahe erstaunlicher Regelmäßigkeit habe ich festgestellt, daß es sich bei diesem ›Verlust‹ um den Verlust einer elementaren emotionalen Beziehung handelt, durch die in vielen Fällen die Identität der Frau definiert wurde.«
Frauen blicken auf andere, die ihnen die Definition bieten können – das Gefühl dafür, wer sie sind. Sie sehen sich in solchem Maße mit den Augen des anderen, daß sie sich selbst nicht mehr sehen können, wenn mit dem anderen etwas *geschieht* – wenn er stirbt, sie verläßt, oder sich auch nur entscheidend *ändert*. Eine Frau, die den Mann verlor, mit dem sie drei Jahre zusammengelebt hatte (ich zweifle nicht daran, daß sie dabei für Millionen sprach) sagte: »Ich habe langsam das Gefühl, nicht mehr zu existieren.«

### *Wie der Cinderella-Komplex die Arbeit der Frauen beeinträchtigt*

Das Bedürfnis nach »dem anderen« und die Bindung an ihn hindert die Frauen auf vielerlei Weise an der Entfaltung ihrer Fähigkeiten zu produktiver Arbeit. Sie können nicht kreativ, engagiert und begeistert sein. In dem Märchen, daß unsere Rettung in der Bindung liegt, verbirgt sich die Schlußfolge-

rung, daß wir nicht unser ganzes Leben lang arbeiten müssen. Viele Frauen reagieren mit heftigem Zorn, wenn sie gezwungen sind, plötzlich wieder zu arbeiten. Arbeiten zu *müssen* ist irgendwie ein Zeichen, daß sie als Frau versagt haben.
Oder ist es ein Zeichen dafür, daß der Traum eine Täuschung war?
»Meine Arbeit hat mir etwa ebensoviel Befriedigung gebracht, wie wenn ich den ganzen Tag in einer Haarnadelfabrik am Fließband gestanden hätte«, erinnerte sich die Kuratorin eines Museums. Sie war einunddreißig, unverheiratet und hatte eine beneidenswerte Stellung in der Kunstwelt von Washington D.C. Aber alles, was früher so faszinierend zu sein schien, verlor mit einem Mal seinen Glanz und wurde öde und langweilig. An dem Tag, als sie einunddreißig wurde, geschah etwas mit ihr, denn sie hatte sich diesen Tag innerlich als Termin für ihre Befreiung aus der Unabhängigkeit gesetzt. »Zu spät«, verkündete eine innere Stimme, »du solltest nicht mehr arbeiten *müssen.* Frauen in deinem Alter haben ein Recht darauf, *nicht* zu arbeiten. Sie sollten zu Hause bleiben, malen, sich karitativ betätigen oder Kinder großziehen können.«
Es kam ihr so vor, als hätte sie bereits eine märchenhafte Chance verpaßt. Vielleicht war es lächerlich, aber sie wurde wütend und lethargisch. Sie erledigte ihre tägliche Arbeit nur noch mechanisch und routinemäßig. Die Erregung, die eigene Kreativität zu erleben – und mit ihr zu arbeiten –, war plötzlich verschwunden. Jahre später erzählte sie mir: »Ich kam mir nutzlos vor, als würde ich mit einer endlosen Kette von Pflichten kämpfen, die nichts als Pflichten waren. Dadurch verringerten sich meine Leistungen um etwa die Hälfte. Warum eine bestimmte Arbeit erledigen, wenn sofort eine andere aufreibende Forderung an ihre Stelle tritt?«
Ich kenne eine Frau mit College-Abschluß, die als Putzfrau arbeitet und in New York die Wohnungen anderer Leute mit der Begründung putzt: »Ich möchte nicht das Gefühl haben, daß ich etwas Permanentes tue, etwas, das ich mir ausgesucht

habe; etwas das sagt ›Okay, das ist jetzt deine Arbeit, damit wirst du jetzt dein Geld verdienen.‹« Diese Frau ist vierundzwanzig Jahre alt und ungewöhnlich intelligent. Daneben arbeitet sie freiberuflich; sie entwirft ausgezeichnete Werberundschreiben. Ihr Chef hält sie für phantastisch, und das ist sie auch – allerdings gerät sie etwa alle zwei Monate in eine Krise und hält Termine nicht mehr ein. Sie ist »blockiert« und kann keine Zeile mehr schreiben. Das ist immer dann der Fall, wenn sie etwas mehr verdient, als sie für den Lebensunterhalt und die Miete ihres winzigen Einzimmerapartments in Greenwich Village braucht. »Wenn ich nicht kurz davorstehe, daß man mir den Strom abstellt, ist das Leben für mich nicht *real*«, sagt sie, »arbeiten zu müssen, um wieder einen Monat zu leben, ist eine Sache; aber arbeiten zu müssen, weil Erwachsene das eben *tun*, weil das von nun an dein *Leben* ist . . . damit kann ich mich nicht abfinden. Es ist völlig neurotisch und infantil, aber im tiefsten Innern will ich nicht selbst für mich sorgen. Ich möchte, daß es jemand anders tut.«

Es gibt zahllose rote Flaggen, die signalisieren, daß Frauen als Resultat ihrer verzerrten Einstellung zur Arbeit an schweren Problemen leiden. Manche verharren Jahr um Jahr an geisttötenden Arbeitsplätzen, andere protestieren gegen den »Konkurrenzkampf« in der männlichen Arbeitswelt und »verweigern« es, daran teilzunehmen. Aber oft sind es gerade diese Frauen, die die Männer darum beneiden, Dinge tun zu können, zu denen sie sich selbst nicht in der Lage fühlen oder die ihnen ungewöhnlich schwerfallen – Verhandlungen zu führen, zum Beispiel; eigene Projekte zu entwickeln; um Gehaltsaufbesserung zu bitten und sie auch zu bekommen.[25] Kurzum, eine aktive Rolle im Hinblick auf ihr Wohlergehen zu übernehmen. Es gibt ein ganzes Bündel psychologischer Probleme, deren Symptome friedlich verborgen bleiben, bis die Frau sich um einen Arbeitsplatz bemüht oder versucht, einen Beruf zu ergreifen. Dann wird sie davon überrumpelt. Die Angst vor Tests zum Beispiel ist bekanntermaßen bei Frauen größer als bei Männern.[26] Ein Eignungstest für eine

Laufbahn, beim Berufswechsel oder für eine Beförderung kann auf die Pläne einer Frau verheerende Auswirkungen haben (es gibt Frauen, die *jede* Art Test in Angst und Schrecken versetzt; sei es die Aufnahmeprüfung fürs College, die Führerscheinprüfung oder die Prüfung als Immobilienmaklerin).

Es fällt Frauen auch schwerer, in der Öffentlichkeit zu sprechen. In einer Untersuchung von zweihundert Absolventen der Columbia University stellte eine Professorin fest, daß fünfzig Prozent der Frauen unfähig waren, in der Öffentlichkeit zu sprechen, aber nur zwanzig Prozent der Männer. Die Furcht mancher Frauen war so groß, daß sie Schwindelanfälle bekamen und ohnmächtig wurden.[27]

Für Frauen mit niedriger Selbstachtung, die sich eigentlich wünschen, daß jemand für sie sorgt, ist Kommunikation überhaupt schwierig. Manche sind verwirrt, vergessen, was sie sagen wollten, können das richtige Wort nicht finden und dem anderen nicht in die Augen blicken. Oder sie werden rot, stottern, und die Stimme versagt ihnen. Manchmal haben sie auch Schwierigkeiten, ihren Gedankengang weiterzuverfolgen, sobald ihnen jemand widerspricht. Sie regen sich auf und sind den Tränen nahe – besonders wenn ein Mann anderer Meinung ist.

Eine Reihe von Frauen, mit denen ich mich unterhielt, sprach davon, daß sie erleben, wie das Gefühl des Kontakts, die Überzeugung, etwas zu wissen, und ihre *Autorität* schwinden, sobald sich das Gespräch von ihnen zu einem Mann verlagert.

Alle diese Probleme sind im Grunde Formen der Leistungsangst; und Leistungsangst steht mit anderen, allgemeineren Ängsten in Verbindung, die mit dem Gefühl der Unzulänglichkeit und Hilflosigkeit im Umgang mit der Welt zu tun haben: die Furcht vor der Kritik, wenn man etwas falsch tut; die Furcht, »nein« zu sagen; die Furcht die eigenen Bedürfnisse klar und deutlich zu äußern, ohne dabei jemanden zu manipulieren. Diese Formen der Angst erleben hauptsächlich

Frauen, denn wir wurden in dem Glauben erzogen, daß es unweiblich sei, für uns selbst zu sorgen und uns zu *behaupten.* Wir haben den starken Wunsch, für Männer attraktiv zu sein, unbedrohlich, liebenswürdig, »feminin«.

Dieser Wunsch hemmt die Freude und die Produktivität, mit der Frauen leben könnten. Ganz davon zu schweigen, daß sie uns zu »Dummerchen« macht. Auf einer Tagung der American Academy of Psychoanalysis in Beverly Hills erklärte Alexandra Symonds ihren erstaunten Kollegen: »Für die Abteilungsleiterin einer Bank ist es unangemessen, in Tränen auszubrechen, wenn ihr Vorgesetzter ihre Arbeit kritisiert. Es ist nicht akzeptabel, daß eine Chefredakteurin mit einem Jahresgehalt von dreißigtausend Dollar charmant und verführerisch agiert, wenn einer ihrer Vorschläge zurückgewiesen wird, oder daß eine Professorin, der man einen ungünstigen Vorlesungsplan zugeteilt hat, in der Hoffnung schmollt, daß der Dekan es bemerkt und den Plan ändert. Dies sind Verhaltensweisen, die ›Papas kleinem Mädchen‹ entsprechen und weniger einer emanzipierten Frau, die selbständig handelt.[28]

Dr. Symonds erfand nicht einfach eine Reihe hochbezahlter ›kleiner Mädchen‹, um etwas deutlich zu machen. Diese erfolgreichen Frauen waren Patientinnen, die hilfesuchend zu ihr in die Praxis gekommen waren – »Superfrauen« in schweren Konflikten wegen ihrer inneren Gefühle der Abhängigkeit.

### *Das »Aussehen« und die Sprache von Papas kleinem Mädchen*

Wenn Frauen die Leiter des Erfolgs in der Berufs- und Geschäftswelt erklimmen, verraten sie durch ein gewisses affektiertes Verhalten und durch Manierismen, wie unecht das Selbstvertrauen ist, das sie auszustrahlen versuchen. Frauen, die innerlich den Anspruch nicht aufgegeben haben, »Papas kleines Mädchen« zu sein, können Kollegen und Geschäftspartner mit unverständlichen Botschaften sehr verwirren. Ähnlich wie bei dem gegenwärtigen Mode-Trend »Kleidung signalisiert Erfolg« – halb Engel, halb das neueste Titelgirl für *Cosmopolitan* – präsentiert sich die innerlich abhängige Karrierefrau oft geradezu schizoid. Sie *scheint* so hart zu sein – bis Augenaufschläge und Lächeln sie hilflos und verführerisch wirken lassen.

Es ist ein Verhalten, das von den Männern nicht immer geschätzt wird, mit denen diese Frauen geschäftlich zu tun haben. Vor kurzem unterhielt ich mich mit einem Wirtschaftsjournalisten, einem Wallstreet-Makler und einem Werbefachmann darüber, wie Frauen im Geschäftsleben aussehen, wie sie sich verhalten und wie sie sprechen. Hier einige Auszüge aus dem Gespräch:

*Journalist:* Vor einigen Monaten interviewte ich eine Frau in einer wichtigen Position an der New Yorker Börse. Sie trug ein weißes Seidenblüschen, war auffällig geschminkt, hatte lange, lackierte Nägel, und an ihren Ohren baumelten und klimperten goldene Ohrringe. Ich konnte sie kaum ansehen, in ihrer Selbstdarstellung war alles so übertrieben. Sie veränderte ständig ihre Ausdrucksweise. Zunächst sprach sie sehr ernst und überzeugt. Dann nahm sie eine Sekunde lang alles zurück, kicherte, zwinkerte mir zu oder sah mich Zustimmung suchend an.

*Makler:* Ich beobachte das an Frauen, mit denen ich zusammenarbeite, ebenfalls. Man bekommt das schizophrene Gefühl, nicht zu wissen, in welche Person sie sich als nächstes verwandeln. Man beginnt, nach den Anzeichen zu suchen, und fragt sich, wann die nächste große Verwandlung geschehen wird.

*Journalist:* Die Diktion dieser Frau war unglaublich langsam. Sie wählte ihre Worte sehr sorgfältig, sie achtete übertrieben darauf, was sie sagte und wie sie wirkte. Dann tat sie etwas, das ich an vielen Frauen in höheren Stellungen bemerkt habe. Sie beendete ihre Aussagen damit, daß sie die Stimme senkte und dabei leicht nickte.

*Werbefachmann:* Ja. Ich habe das auch schon erlebt. Es ist eine Art verschleiertes Prahlen. Sie beenden ihre Sätze mit einer Andeutung von Stolz. Sie verhüllen, worauf sie stolz sein können, denn es soll nicht so aussehen, als sei es ihnen wirklich wichtig.

*Journalist:* Es ist, als hätten Frauen Angst, sich hinter eine Aussage zu stellen. Sie reden und reden und reden und gewinnen eine gewisse Überzeugungskraft. Aber dann scheinen sie plötzlich zu bemerken, daß sie überzeugen, und schrecken davor zurück. Ich glaube, sie fürchten sich vor der Macht.

*Makler:* Das Senken der Stimme und das Leiserwerden, das von einem Nicken begleitet wird, ist sehr verbreitet.

*Werbefachmann:* Das Nicken soll Zustimmung bewirken.

*Makler:* Ja.

*Werbefachmann:* Ich habe festgestellt, daß Frauen im Berufsleben beim Gespräch nie ungezwungen sind. Man hört nie, daß eine Frau einmal sagen würde: »Sie sind ja verrückt!« oder etwas Ähnliches. Dagegen gibt es viele Männer, die ihre Persönlichkeit im Beruf frei entfalten. Das ist ihre Art, Geschäfte zu machen. Sie denken nicht ständig darüber nach, wen sie darstellen sollten. Sie *sind* es einfach. Frauen sind höflich und förmlich. Sie stellen die Regeln in den Vordergrund. Sie erinnern mich an die Mädchen, die in der sechsten Klasse immer Klassenbeste waren.

*Makler:* Deshalb eignen sich Frauen so gut für den Umgang mit Kunden. Die Leute können zu ihnen kommen, wüten und toben und sie anschreien, und sie ziehen sich gelassen hinter ihre Funktion zurück und hören zu. In gewisser Weise sind

Frauen immer unbeteiligt. Die Aufmachung, das Make-up und die *Weiblichkeit* stehen ihnen im Weg.

*Journalist:* Es ist so typisch, daß ein junges Mädchen zu ihrem Freund ins Auto steigt und sich spazierenfahren läßt. Dieses Klischee scheint sie ihr ganzes Leben lang nicht aufzugeben. Die Frau fährt in der Welt des Mannes spazieren. Wenn die Frau ins Auto steigt, das heißt in die Institution des Mannes einsteigt, dann geht es für sie um eine Spazierfahrt. Sie versucht nicht, ans Steuer zu kommen, etwas auf ihre Art zu tun, etwas zu verändern. Sie versucht nie, an die Macht zu kommen. Diese Abhängigkeit ist eine echte »Komm-mit«-Mentalität: »Komm mit, Jane!«

Frauen fühlen sich nicht wohl, wenn sie geradeheraus sind, wenn sie direkt um etwas bitten, oder wenn sie jemanden von ihrer Ansicht überzeugen wollen – besonders wenn sie sich dabei über die Ansichten anderer hinwegsetzen müssen. Irgendwo lauert in ihnen die Versuchung – manchmal in den unpassendsten Situationen –, in die Rolle der Naiven, der Verführerin oder des kichernden Mädchens zu schlüpfen. Dazu bedarf es nur eines Blicks oder einer Geste – »ein verschwörerisches Nicken oder ein koketter Augenaufschlag«, wie der Journalist sagte.
Die Psychologin Phyllis Chesler vertritt in dem Buch *Women, Money and Power* die Ansicht, daß Frauen dies alles absichtlich tun (wenn auch nicht immer bewußt), um bequem auf dem Beifahrersitz bleiben zu können. »Frauen aller Klassen setzen zu Hause und in der Öffentlichkeit eine elementare Körpersprache ein, um Nachgiebigkeit, Harmlosigkeit und Hilflosigkeit zu suggerieren . . . eine Haltung, die andere und die Männer ›über ihnen‹ beruhigen soll.«
Frauen haben noch andere Mittel, um Männer – oder auf alle Fälle einen anderen Menschen – »über sich« zu stellen. Eine Reihe neuer wissenschaftlicher Arbeiten über Sprache und Sprechmuster der Frauen weisen darauf hin, daß Furcht und Unsicherheit unsere Sprache bestimmen – unsere Diktion,

unsere Wortwahl, unsere Intonation, den zögernden Unterton, sogar die Stimmlage (in ihrem Flehen um Hilfe wird sie bei manchen Frauen hoch und mädchenhaft). Die Linguistin Robin Lakoff stellte in der Sprache der Frauen folgende Merkmale fest:

+ »Leere« Adjektive (herrlich, phantastisch, schrecklich, etc.), die wenig oder nichts aussagen und das Gesagte nur ausschmücken. Menschen, deren Ausdrucksweise mit solchen Adjektiven gespickt ist, werden grundsätzlich nicht ernst genommen.
+ Rhetorische Redewendungen nach eindeutigen Aussagen. (»Es ist sehr heiß heute . . . nicht wahr?«)
+ Das Senken oder fragende Heben der Stimme am Ende einer Feststellung, wodurch sie abgeschwächt wird.
+ »Ausweichende« oder modifizierende Wendungen (»etwa«, »ungefähr«, »vermutlich«), die Zögern und Unentschlossenheit suggerieren.
+ »Überkorrekte« und übertrieben höfliche Sprache (keine Widersprüche äußern oder sorgfältig jeden Anklang von Dialekt vermeiden).

Robin Lakoffs Ergebnisse – die zunächst auf heftigen Widerspruch stießen – regten Wissenschaftler im ganzen Land sofort zu eigenen Untersuchungen an.[29] Vieles von dem, was sie entdeckten, bestätigte die Beobachtungen von Robin Lakoff: Frauen bedienen sich tatsächlich einer vorsichtigen Ausdrucksweise. Sally Genet von der Cornell University prägte den Ausdruck »unsicher deklarativ« für unsere Neigung, von klaren, eindeutigen Aussagen zurückzuschrecken.
Indem wir sprechen, wie wir sprechen, sorgen wir über unsere Wirkung im Umgang mit anderen eindeutig dafür, daß etwas geschieht – oder nicht geschieht. »Sprache kann unterschiedliche Machtpositionen nicht nur widerspiegeln«, stellt Mary Brown Parlee, eine Psychologin der Redaktion von *Psychology Today* fest, »sie kann dazu beitragen, daß sie entstehen.«[30]

Mit anderen Worten: Karrierefrauen, die sich auf »unsicher deklarative Aussagen« verlassen, werden wahrscheinlich noch lange Zeit nur in den Vorzimmern der Macht sitzen.
Die Weiblichkeit steckt in einer neuen Krise. Der Konflikt darüber, was und was nicht »weiblich« ist, verhindert, daß viele Frauen harmonisch und voll integriert leben und handeln. Weiblichkeit ist so lange mit Abhängigkeit assoziiert, ja sogar *identifiziert* worden, daß Frauen, die der – wie ich es nenne – ›Geschlechtspanik‹ verfallen, fürchten, unabhängiges Verhalten sei unweiblich (siehe Kapitel VI). Wir sehen es vielleicht nicht unbedingt als *maskulin* an, aber gleichzeitig haben wir auch nicht das Gefühl, es sei feminin. Eine junge Börsenmaklerin gab dieser neuen Geschlechtspanik deutlich Ausdruck, als sie mir sagte: »Ich glaube, daß jemand – ein Mann oder eine Frau – mir beibringen wird, wie ein Mann zu sein ... Geld zu verdienen wie ein Mann, so sicher und energisch zu sein wie ein Mann. Wenn ich das erreicht habe, werde ich wieder zur Frau. Ich werde schwanger und bleibe für etwa sechs Jahre zu Hause bei meinem Kind. Dann werde ich wieder ein Mann.«
Diese Zerrissenheit der Frauen im Hinblick auf ihre Weiblichkeit steht in engem Zusammenhang mit unserer Entscheidung, *nicht* wie unsere Mütter zu leben. Psychiater entdecken allmählich, je abhängiger und unterdrückter die Mutter ist, desto intensiver bemüht sich die Tochter darum, einen anderen Weg einzuschlagen. »Die bescheidene, still leidende Mutter – die ihrer Tochter vielleicht sogar sagt: ›Sei nicht so dumm wie ich, laß dich nicht einsperren! Mach was aus dir!‹ – mißbilligt vielleicht trotzdem, daß ihre Tochter nicht dasselbe Rollenmodell übernimmt und fühlt sich sogar bedroht«, sagt Alexandra Symonds.[31]
Die Mißbilligung der Mutter führt in vielen Fällen zu einer von drei charakteristischen Verhaltensstörungen bei den Töchtern. Die erste ist eine chronische leichte Depression – Traurigkeit und Depression scheint alles zu begleiten. Dr. Symonds sagt, dies sei typisch für die Frau, die sich in ihre

Arbeit stürzt und anderen viel gibt, selbst aber emotional unterernährt ist.

Das zweite Syndrom, die Unsicherheit im Bereich weiblicher Identität (jene Art von Geschlechtsverwirrung, welche die junge Börsenmaklerin zum Ausdruck brachte) taucht wahrscheinlich bei Frauen auf, die sich von der Lebensweise der Mutter losgesagt haben. »Mir ist die Panik, sogar das Entsetzen aufgefallen, das diese Frauen angesichts von Aspekten ihrer Persönlichkeit empfinden, die in ihren Augen maskulin sind«, stellt Dr. Symonds fest und sagt, daß Frauen, die sich um ein unabhängiges Leben bemühen, bis zum heutigen Tag den Erwartungen der Gesellschaft nicht entsprechen.

Das Syndrom kreist um den harten Kern innerer Abhängigkeit, den diese Frauen jahrelang verleugnen und oft hinter einer bemerkenswert überzeugenden Fassade der Unabhängigkeit verstecken.

Die pseudounabhängige Frau arbeitet vielleicht ganztags, versorgt eine Familie, kocht und backt, ohne ihre Zuflucht zu Fertiggerichten zu nehmen, und zeigt generell zu Hause und im Beruf das zwanghafte Bedürfnis, »super« zu sein. Vielleicht weint sie sich auch nachts in den Schlaf, wenn der Mann nicht daheim ist.

Viele Frauen neigen heute sehr dazu, ihre Probleme dadurch lösen zu wollen, daß sie äußere Dinge ändern – heiraten (oder sich scheiden lassen), den Beruf wechseln, umziehen, der Gewerkschaft beitreten oder für die Rechte der Frauen kämpfen. Aber solange sie sich nicht aus den Fesseln ungelöster Abhängigkeitskonflikte lösen, wird sich ihr Leben nie ändern, nur weil sie den »richtigen« Mann, den »richtigen« Beruf oder den »richtigen« Lebensstil gefunden haben. Ihr Einsatz im Kampf um die Rechte der Frau wird das Gefühl der persönlichen Isolation vielleicht mildern. Aber keine dieser äußeren Veränderungen wird das Knäuel aus widersprüchlichen und destruktiven Einstellungen in ihrem Innern entwirren.

Frauen, die ein besseres Gefühl zu sich selbst entwickeln

wollen, müssen damit anfangen, sich ihren inneren Vorgängen zu stellen. Ich habe mit Psychotherapeuten und Psychiatern gesprochen, Frauen interviewt und das Leben der Frauen um mich herum beobachtet, und ich bin zu dem Schluß gekommen: Zu allererst müssen die Frauen das Ausmaß der Furcht erkennen, die ihr Leben beherrscht.
Eine irrationale und absurde Furcht, die in keiner Beziehung zu ihren Fähigkeiten oder zur Realität steht, grassiert heute unter den Frauen wie eine Epidemie. Die Furcht, unabhängig zu sein (das könnte bedeuten, daß wir allein und unversorgt bleiben); die Furcht, abhängig zu sein (das könnte bedeuten, daß wir von einem dominierenden »anderen« geschluckt werden); die Angst, auf einem Gebiet *gut* und kompetent zu sein (das könnte bedeuten, daß wir für immer auf diesem Gebiet gut sein müssen); die Angst, inkompetent zu sein (das könnte bedeuten, daß wir uns weiterhin minderwertig, deprimiert und *zweitrangig* fühlen müssen.)
Die Fessel der Angst ist in jedem Lebensabschnitt der Frau gegenwärtig. Es beginnt mit der Pubertät, wenn sie unbedingt für Männer attraktiv sein will (vielleicht findet sie keinen Mann; andererseits findet sie vielleicht einen und ist dann für den Rest ihres Lebens limitiert und gefangen). Die Angst der entlassenen Hausfrauen, denen die Ehemänner davongelaufen sind, ist ebenso spürbar wie die der Witwen, die mit dem Leben nicht mehr fertigwerden, nachdem ihre Männer gestorben sind. Angst herrscht unter den Frauen, die einen Beruf ergreifen wollen, unter Frauen, die sich scheiden lassen wollen, sich vor diesem Schritt aber fürchten, unter Frauen, die die Fesseln der Ehe abgeworfen haben und sich bei der Aussicht auf Selbständigkeit völlig gelähmt fühlen.
Aber vielleicht am erschütterndsten ist die Angst der Frauen, die auf der Leiter des Erfolgs weit gekommen sind – und *glaubten*, sie hätten das Problem gelöst; die aber am Punkt X ihrer Karriere, in dem Moment, als sich wirklich unabhängiges Handeln nicht mehr vermeiden ließ, wenn sie endgültig die Spitze erreichen wollten, plötzlich von Angst überwältigt

werden und nicht weiterkönnen. *Die Angst hat das weibliche Dasein so sehr durchdrungen, daß sie eine heimliche Krankheit zu sein scheint. Sie ist in langen Jahren der sozialen Konditionierung genährt worden und ist deshalb so heimtückisch, weil sie unsere Kultur so völlig durchdrungen hat, daß wir nicht einmal erkennen, was mit uns geschehen ist.*

Solange Frauen Angst haben, werden sie nicht frei sein. Wir werden so lange keine wirklichen Veränderungen in unserem Leben, keine echte Emanzipation, erreichen, bis wir uns daranmachen – beinahe eine Art Gegengehirnwäsche –, die Ängste aufzuarbeiten, die verhindern, daß wir uns als fähige und ganze Menschen erleben.

# III. KAPITEL DIE WEIBLICHE REAKTION

In der High School wurde ich für die Nonnen zum Problem. Sie erlebten mich als widersprüchlichen Charakter – disziplinlos und doch Anführerin. Ich agierte mit unbesonnener Kühnheit, verachtete diese merkwürdigen schwarzgekleideten Wesen, fürchtete mich aber gleichzeitig vor ihnen. Als ich in die Oberstufe kam, wurde ich Klassensprecherin und geriet dauernd in Schwierigkeiten, weil ich mich hinter dem Rücken der Lehrerinnen als notorische Besserwisserin gab. Offensichtlich konnte ich meinen Widerspruchsgeist nicht zähmen, und selbst heute habe ich noch, wenn ich mich an diese Zeit erinnere, das beglückende Gefühl, einem System zu trotzen, das ich für dumm hielt, und Lehrern, die ich nicht respektieren konnte.

Meine Verwirrung war echt. Hinter dem intelligenten, vorwitzigen Äußeren verbarg sich ein kleines Mädchen – nicht eine junge Frau, sondern ein *kleines* Mädchen, das alles ängstigte und verwirrte; am meisten aber, daß kein Mensch zu wissen schien, wie er für dieses Mädchen sorgen konnte. Während meine Eltern mehr oder weniger annahmen, ich sei in sicheren Händen, schienen die Nonnen meine Erziehung mit jedem Jahr mehr zu verpfuschen. Man zwang mich, zu schnell erwachsen zu werden. Ich kam mit zwölf in die High School und mit sechzehn aufs College. Jeder staunte über meine Frühreife, aber niemand schien zu wissen, was ich emotional brauchte – am wenigsten ich selbst. Ich entwickelte die typische gegenphobische Fassade – stark nach außen und ängstlich im Innern. Ich versuchte verzweifelt und um jeden Preis, meine Angst zu verbergen.

Mit zwanzig verließ ich das College. Zwei Stunden nach der

Abschlußfeier stand ich am Flughafen von Washington D. C. – bereit zum Start in ein neues Leben. Meine Zukunft war durch eine Glückssträhne gesichert (zumindest glaubte ich das). Ich hatte mich an einem Wettbewerb von *Mademoisselle* für Collegestudentinnen beteiligt und fand mich zu meiner Überraschung unter den Siegerinnen. Mit neunzehn anderen jungen Frauen wurde ich als »Gastredakteurin« eingeflogen, um einen Monat lang an der Collegebeilage der Zeitschrift mitzuarbeiten. Was würde nach diesem aufregenden Monat geschehen? Wer konnte das wissen? Wen kümmerte es? Die Welt hatte offensichtlich für besondere Menschen wie mich ihre eigenen Pläne.

Fünfzehn Jahre später, als Sylvia Plath in *The Bell Jar* den deprimierenden Bericht ihrer eigenen qualvollen Zeit als Gastredakteurin veröffentlichte, litt ich so sehr darunter, daß ich das Buch zu dieser Zeit nicht zu Ende lesen konnte. Aber als ich die schmeichelhafte Einführung in die »glamouröse« Welt der Zeitschriftenredaktionen erlebte, war ich blind für das, was mit mir geschah. Emotional wußte *keine* von uns wirklich, was geschah. Intelligente, talentierte junge Frauen, die in den fünfziger Jahren erwachsen wurden, bewegten sich auf den Rand eines Abgrunds zu. Wir ahnten damals nicht, wie sehr sich unser Leben verändern, in welchen Zwiespalt uns die großen Veränderungen in der Gesellschaft stürzen würden. Soviel wurde von uns erwartet; Dinge, die man von Frauen im allgemeinen noch nie erwartet, Dinge, auf die uns niemand vorbereitet hatte.

Nach dem Monat als Gastredakteurin bot man mir eine Routinearbeit in der Redaktion an. Ich hatte noch kaum Zeit darauf verwendet, über einen Beruf nachzudenken oder zu planen, wie ich mein Leben gestalten wollte. Irgendwie erwartete ich, daß man wieder einmal für mich »sorgen« würde. Ich nahm die Stellung an und zog mit drei Freundinnen vom College in ein Apartment an der New Yorker Upper East Side.

Nach ein oder zwei Jahren war ich es leid, Tag für Tag

dasselbe zu tun. Der Glanz des Jobs begann zu schwinden, und das belastende Wissen, daß ich eigentlich nicht genug Geld verdiente, um davon leben zu können, zehrte an meinen Nerven. Ich sagte mir vor, ich sei in einer besseren Lage als meine Mitbewohnerinnen, deren Eltern sich ständig in ihr Leben einmischten, indem sie anboten, Zahnarztrechnungen zu bezahlen oder ihnen Kleider zu kaufen. Ich verdiente fünfzig Dollar in der Woche und lebte arm, stolz und völlig verwirrt. Es kam mir nicht in den Sinn, etwas anderes zu suchen – einen neuen Job, andere Mitbewohnerinnen, vielleicht sogar einen *männlichen* Mitbewohner.

Im dritten Jahr begannen mich Fragen zu quälen, und ich trank an den Wochenenden zuviel. Was tue ich hier? Wird das Leben einfach so weitergehen? Wird schließlich doch etwas *geschehen?* Werde ich jemanden kennenlernen? Werde ich heiraten?

Schließlich geschah etwas. Vier Jahre, nachdem ich auf dem Flughafen *La Guardia* gelandet war, wo mich die blinkenden Lichter New Yorks begrüßt hatten, bekam ich eine Phobie.

Es geschah ohne jede Vorwarnung. Ich hatte mehr als drei Jahre in dem zukunftslosen Researchjob gearbeitet. Ich hatte mich noch nicht ein einziges Mal zu dem Versuch durchgerungen, einen Artikel zu schreiben, obwohl mein Stolz verletzt war und ich glaubte, ich müsse wirklich *»etwas tun«* (Artikel aus Collegezeitungen auszuschneiden und ungefähr einmal im Monat irgendein Interview zu machen, konnte man kaum als *»etwas tun«* bezeichnen). Heute weiß ich, in Wirklichkeit wollte ich gerettet werden; ich wollte auf Feenflügeln in ein selbstsicheres, kreatives, aufregendes und vor allen Dingen sicheres Leben entführt werden. Die endlose Mühsal, als alleinstehende berufstätige Frau ohne Mann und ohne Zukunft in New York zu leben, verringerte meine Selbstachtung mit jedem Tag. Ich hielt nicht bewußt nach einem Mann Ausschau. Andererseits versuchte ich auch nicht, mir ein Leben aufzubauen. Ich hatte auch keine Vorstellung davon, was ich mit einer Zukunft beginnen würde, die drohend, fordernd und potentiell zerstörerisch vor mir aufragte.

*Hier war er – natürlich ohne daß es mir bewußt wurde: der Cinderella-Komplex. Früher befiel er sechzehn- oder siebzehnjährige Mädchen und hinderte sie daran, aufs College zu gehen, indem er sie in eine frühe Ehe trieb. Heute befällt er junge Frauen, die das College verlassen und eine Zeitlang in der Welt draußen gelebt haben. Wenn der erste Reiz der Freiheit schwindet und Angst an seine Stelle tritt, beginnt der alte Wunsch nach Sicherheit wieder an ihnen zu nagen, der Wunsch, gerettet zu werden.*

Nicht alle Frauen leiden unter der Angst, die den Komplex begleitet, in ihrer akuten, zwanghaften Form. Für die meisten bleibt sie ein diffuses, amorphes Etwas, ein allmähliches Ausfransen der Ränder. Wie sich herausstellte, war ich für die akute Version anfällig. Immer wenn der Wunsch, gerettet zu werden, mich am heftigsten überkam – im letzten Jahr auf dem College; nachdem ich ein paar Jahre gearbeitet und noch immer keinen Platz für mein Leben hatte; nach dem Scheitern meiner Ehe –, setzte die Phobie ein.

Als ich eines Nachmittags im *Brooklyn Museum* Material zusammenstellte, überfiel mich ein heftiges Schwindelgefühl, und zwar so übermächtig, daß ich mich setzen und den Kopf auf die Knie pressen mußte. Ich hatte noch nie eine Ohnmacht oder einen Schwindelanfall erlebt, und der Vorfall ängstigte mich zutiefst. Ein halbes Jahr lang lebte ich in ständiger Furcht vor neuen Anfällen – und ich wurde nicht enttäuscht. Das Schwindelgefühl überflutete mein Gehirn, wenn ich morgens in den Bus stieg, um zur Arbeit zu fahren, wenn ich ein Kaufhaus betrat oder die Treppen zur U-Bahn hinunterstieg. Menschenmassen schwammen an mir vorüber und gaben mir das merkwürdige Gefühl, ankerlos dahinzutreiben. Was würde geschehen, wenn ich in der Menge oder auf der Straße ohnmächtig wurde? Sechs Monate lang drängten diese erschreckenden Symptome alles andere in den Hintergrund und quälten mich unablässig. Sie waren eine Metapher für die

unausgesprochene, aber zentrale Frage: *Wer wird mich auffangen, wenn ich falle?*
Als ich das College hinter mir ließ und nach New York flog, glaubte ich, der erstickenden Unterdrückung der katholischen Mädchenschule zu entfliehen, in der ich aufgewachsen war. Aber ich glaubte nicht an meine Fähigkeit, mir einen Platz in der Welt zu erkämpfen, und darin lag das Problem. Die Zeit verging; meine Tage waren ausgefüllt mit denselben langweiligen Ritualen, und mein Selbstbild geriet ins Wanken. Die alten Stützen zerfielen und wurden durch das Gefühl der Wurzellosigkeit ersetzt. Die Realität der Beziehung zu meinen Eltern, meine Religion, meine ganze Herkunft waren in einer Vergangenheit begraben, deren Einfluß ich zu ignorieren versuchte. Wie hatte ich gegen die Restriktionen meiner Kindheit gekämpft – gegen die Nonnen, die Regeln, das wöchentliche Pilgern zum Beichtstuhl, gegen den unsensiblen, unfehlbaren Instinkt meines Vaters, mit dem er jedesmal in die Bresche sprang, wenn ich etwas allein hätte durchkämpfen sollen (meine Mutter, die ihn stillschweigend unterstützte), wie sehr ich auch nichts mehr damit zu tun haben wollte, hing all das trotzdem an mir. Ich war damit aufgewachsen, daß die Kirche meine Entscheidungen in Sachen Moral traf und die Eltern mir vorsagten, wie ich mich im weltlichen Leben zu verhalten hatte. Wenn die Dinge hin und wieder durcheinandergerieten, ließ ich die Kirche praktische Entscheidungen und meinen Vater die moralischen treffen. Offensichtlich machte es keinen Unterschied, wer die Entscheidungen für mich traf. Wichtig war nur, daß es *jemand* tat.
Im September meines vierten Jahres in New York verschwanden die Panikattacken so mysteriös, wie sie aufgetreten waren. Mehrere Monate lang lebte ich mit größter Vorsicht. Ich fürchtete, wenn ich über die Schulter zurückblickte, würde das »Ding« – dieses schreckliche angstvolle Herzklopfen – noch immer da sein. Ich war auch einmal zum Arzt gegangen; aber er hatte mir versichert, ich sei organisch gesund. Nachdem diese zermürbenden Symptome schließlich verschwanden,

dankte ich Gott für meine Rettung. Ich begrub die Erfahrung und beschloß, es habe sich um ein ungewöhnliches Zwischenspiel gehandelt, statt es als Zeichen dafür zu sehen, daß etwas grundsätzlich nicht in Ordnung war. Ich war noch niemandem begegnet, der eine ähnliche Erfahrung gemacht hatte, und dadurch wurde alles noch schrecklicher und bedrohlicher. Für die abhängige Persönlichkeit ist es charakteristisch, die Anzeichen eines Problems zu ignorieren, es so wenig wie möglich zu analysieren und einfach zu leiden. (»Vielleicht wird sich alles ändern«, sagte Aschenputtel und fegte jeden Tag von neuem die Asche aus dem Herd.)

Im April lernte ich jemanden kennen. Er war Katholik und Intellektueller. Er hatte drei Jahre lang in Paris gelebt und an der *Sorbonne* studiert. Jetzt arbeitete er als Journalist für eine Fernsehzeitschrift, schrieb Gedichte und backte seine eigene *Dobostorte.* Ich fand ihn faszinierend. Beinahe augenblicklich (bei unserem ersten Rendezvous servierte er mir Spargel mit Parmesankäse) beschloß ich, mein Schicksal in seine Hände zu legen.

Innerhalb eines Monats war ich schwanger und bald darauf verheiratet. Es war eine der letzten Entscheidungen, zu denen mein Vater mir verhalf. Ich bat ihn nicht um seine Meinung, andererseits wies ich sie aber auch nicht zurück. Mein Vater erklärte, unter den gegebenen Umständen sei die einzige moralische Verhaltensweise zu heiraten. »Du hast die Entscheidung in dem Moment getroffen, als du schwanger wurdest«, sagte er.

Moralische Fragen beschäftigten mich nicht wirklich. Um moralisch zu sein, muß man authentisch sein. Ich konnte das Richtige nicht wirklich vom Falschen unterscheiden; ich wußte nur, was im Katechismus stand. Ich hatte ein bequemes Leben geführt und die Regeln befolgt, die andere für mich aufstellten. Das tat ich auch jetzt. Ich fiel in die Ehe wie in ein Federbett und sollte für weitere zehn Jahre meine Ängste auf der Straße und die nächtlichen Panikanfälle nicht mehr erleben.

Psychotherapeuten, die Frauen mit Phobien behandeln, haben festgestellt, daß sich in den Biographien gewisse Ähnlichkeiten finden. Diese Frauen neigen dazu, sehr früh selbständig zu wirken und ihre Gefühle unter Kontrolle zu halten. Als Kinder bemühen sie sich darum, Fertigkeiten und Eigenschaften zu entwickeln, die ihnen später die Illusion der Stärke und Unverwundbarkeit geben. Als Erwachsene ergreifen sie meist Berufe, die ihr Image von Selbständigkeit verstärken. Vieles von dem, was Frauen, die später eine Phobie entwickeln, in ihrem Leben erreichen wollen, ist völlig normal, ja sogar bewundernswert. Es wird erst in dem Moment neurotisch, wenn der Drang, etwas zu erreichen, zum Zwang wird. Die *raison d'être* einer solchen Frau besteht darin, eine Festung zu errichten, in der sie den inneren Kern der Unsicherheit und Angst verstecken kann.

»Du hast dich immer benommen, als ob du dir von niemandem etwas sagen lassen würdest«, erinnert die Mutter einer Freundin ihre Tochter bis zum heutigen Tag, »mit vierzehn oder fünfzehn hast du klargestellt, daß ich nichts tun oder sagen konnte, was dir in irgendeiner Weise helfen würde.«

Unglücklicherweise nahm diese Mutter das selbstsichere Auftreten der Tochter als Tatsache hin. Es schüchterte sie ein und machte sie fassungslos; sie fragte sich, wie aus ihrem Kind so plötzlich eine Alleswisserin hatte werden können. Aber indem die jugendliche Tochter lautstark verkündete: »*Ich brauche niemanden; ich kann selbst für mich sorgen*«, enthüllte sie ein Symptom. Die burschikose Selbstsicherheit war Theater; ein Versuch, den tiefsitzenden Mangel an Selbstvertrauen zu kompensieren.

Es ist nicht ungewöhnlich, daß Menschen, die später eine Phobie entwickeln, in der Jugend besonders wagemutig sind. Vielleicht scheuen sie vor keinem Risiko zurück, sind körperlich aktiv und beim Sport aggressiv, oder sie verhalten sich

Autoritätspersonen gegenüber widerspenstig und trotzig. Der Stil mag sich im einzelnen unterscheiden, sagt Alexandra Symonds, die Phobien bei Frauen untersucht hat, »die Botschaft ist immer dieselbe: *Ich brauche niemanden; ich kann selbst für mich sorgen.*« Schritt für Schritt entsteht im Laufe der Jahre eine raffinierte gegenphobische Fassade. Die Einzelheiten variieren vielleicht von Person zu Person, aber das allgemeine Charakterbild bleibt dasselbe: dominierend, rechthaberisch, selbstbewußt. Der kalte Kern kann durch eine attraktive Ausstrahlung verhüllt werden – eine faszinierende Energie, die teilweise aus den gegenphobischen Bemühungen erwächst, mit der unmittelbaren Umgebung fertigzuwerden. Gegenphobische Menschen sind zum Beispiel oft sehr redegewandt. Sie haben ein großes Bedürfnis zu formulieren und zu definieren. In Gesellschaft können sie sehr beherrschend wirken. Wer würde vermuten, daß diese aufregende Frau im grünen Seidenkleid, die im Mittelpunkt der Party steht und jeden mit ihren Geschichten und dem gewagten Dekolleté in Atem hält, eine Frau mit einer versteckten Phobie ist? Sie zweifelt an ihrer Intelligenz, an ihrer Attraktivität und daran, daß ihr Busen groß genug ist.

Gegenphobische Frauen haben Schwierigkeiten, eine positive Beziehung zu Männern aufzunehmen. Sie haben das innere Bedürfnis, sich überlegen zu fühlen, »verantwortlich« zu sein. In Liebesbeziehungen beklagen sie sich über die Männer, in die sie sich verliebt haben. Nachdem die Flitterwochen vorüber sind, werden sie zunehmend kühl und abweisend. Die Männer sind wie vor den Kopf gestoßen. Sie entwickeln ein merkwürdiges Schuldgefühl, ohne genau zu wissen, was sie eigentlich falsch gemacht haben. Ihr Fehler lag darin, an das selbstsichere Bild zu *glauben*, das diese Frauen, die im Grunde genommen Angst haben, nach außen projizieren. Beim Wort genommen, spüren diese Frauen, daß sie sich niemals auf den Mann stützen können, und genau das wollten sie insgeheim tun. Die Frauen, die kühn, extravertiert und unabhängig handeln, bedienen sich eines ganzen Systems unterschiedlicher Botschaften als Tarnung ihrer grundlegenden Unsicherheit. Die Männer begreifen nicht, daß sie sich durch die Maske der Selbständigkeit haben täuschen lassen. Vielleicht hatten sie sogar den gleichen Wunsch wie ihre Frauen: Sie suchten einen starken, unabhängigen Partner, um sich auf ihn stützen zu können. Wenn die wahren Bedürfnisse der Frauen allmählich ans Licht kommen, und die Männer nicht in der Lage oder willens sind, sie zu erfüllen, gibt es oft verheerende Zusammenstöße. Einen solchen dramatischen Verlauf nahm die erste Beziehung einer jungen Frau aus Kalifornien, die ich Jill nennen will.

Jills Vater war ein extravertierter, sehr erfolgreicher Anwalt. Die Mutter lebte zwar gesellschaftlich zurückgezogen, arbeitete aber zufrieden als freiberufliche Illustratorin für Zeitschriften. Jill war das erste Kind und stand in ständigem Konflikt zwischen ihren widersprüchlichen Auffassungen von männlich und weiblich. Weiblich bedeutete unauffällig, aber gut versorgt zu sein; männlich hieß lebenslustig und gesellig zu sein, aber bei den Auseinandersetzungen mit der Welt allein und ungeschützt zu stehen. Mit zwanzig begann Jill den Konflikt auszuleben, der in ihr wütete. Sie zog mit einem Schreiner zusammen, einem einfachen, aber intelligenten jungen Mann, der nicht genau wußte, was er mit seinem Leben anfangen sollte. Jill fühlte sich bald unglücklich, frustriert und ließ es den jungen Mann spüren. Sie ging in die Therapie und klagte darüber, sie könne sich nicht entscheiden, ob sie Psychologin, Anwältin, Keramikerin oder Musikerin werden solle. Schließlich eröffnete sie eine Keramikwerkstatt. Aber der Beruf war das kleinste ihrer Probleme. Jill war sexuell verunsichert. Sie gehörte zu der Art Menschen, die auf einer Party im Mittelpunkt stehen müssen. Sie lebte in der ständigen Furcht, daß der Freund eine attraktivere Frau kennenlernen und sie deretwegen im Stich lassen würde.

Auch Jills Klagen über Geld waren aufschlußreich. Sie wollte ein größeres Haus, wußte aber nicht so recht, ob sie oder ihr Freund für die Erfüllung dieses Wunschs verantwortlich war.

Innerlich grollte sie ihm, weil er nicht genug verdiente, um das Haus kaufen zu können, das sie sich vorstellte. Sie war sich jedoch des Ausmaßes ihres Grolls nicht bewußt, der in scharfem Widerspruch zu ihren feministischen Idealen stand.

»Es ist sehr interessant«, erinnert sich Jills Therapeutin, »daß Jill immer den Eindruck erweckte, ungeheuer verantwortungsbewußt zu sein. Sie kam pünktlich zu ihren Sitzungen; sie beendete sie selbst, statt geduldig darauf zu warten, daß ich es tat; sie schien tatkräftig zu sein und die Dinge unter Kontrolle zu haben. Im zweiten oder dritten Jahr der Therapie brach alles auf.«

Ohne Vorwarnung bekam Jill eines Morgens schwere Atembeschwerden, Schwindelgefühle und heftiges Herzklopfen – sie erlebte das ganze Arsenal der Angstsymptome. Sie fürchtete sich, das Haus zu verlassen. Die »plötzliche« Unsicherheit manifestierte sich auf alle mögliche Weise. Sie rief zum Beispiel ihre Therapeutin am Samstagabend zu Hause an, um zu sagen, daß sie zur Sitzung am nächsten Dienstag später kommen würde. Ihre Therapeutin erklärte: »In Notfällen stehe ich immer zur Verfügung. Aber dies war kein Notfall. Diese superselbständige Frau behandelte mich plötzlich wie ihre Mutter. Ich sollte für sie da sein, wann immer sie es wünschte. Schließlich entdeckten wir, daß Jills früheres, gegen Abhängigkeit gerichtetes Verhalten ein Ablenkungsmanöver gewesen war. Sie hatte das so erfolgreich betrieben, daß ich mich nach zwei Jahren fragte: ›Weshalb kommt diese Frau überhaupt noch zu mir?‹ Sie schien so *kompetent* zu sein.

Jetzt hat Jill begonnen, ihrem Zorn Ausdruck zu verleihen. Wie sich herausstellte, ist sie wütend, weil sie zwei Jahre lang unzufrieden war und ich ihr das nie auf den Kopf zugesagt habe. Ich erklärte ihr, es gehe dabei um etwas anderes: Warum hatte *sie* es mir nicht gesagt? Jetzt fürchtet sie sich plötzlich, etwas selbständig zu tun. Sie fürchtet sich davor, in Urlaub zu fahren, denn sie ist nicht in der Lage, auf die starre Struktur ihres Lebens zu verzichten. Nachdem die Fassade eingefallen ist, entdecken wir, daß sie noch immer in großer Abhängigkeit von ihren Eltern lebt. Das unabhängige Verhalten sollte all das tarnen. Ihre Abhängigkeit kommt in der Form des Ärgers über mich und ihren Freund zum Vorschein. Sie hat eine maßlose Wut auf ihn, weil er nicht Anwalt wird und richtig für sie sorgt.«

Jill hat das Bild des starken dynamischen Vaters auf den Freund übertragen. Wie ihr Vater, soll auch er viel Geld verdienen und für ein interessantes gesellschaftliches Leben sorgen. Geld, Unterhaltung, politische Freunde – für all das sorgte ihr »Daddy«. Der Mann, mit dem Jill zusammenlebte, konnte ihrem Vater nicht das Wasser reichen. »Er ist ein netter, freundlicher und liebenswürdiger Mann, den ihre Eltern sehr mögen«, sagte die Therapeutin, »aber es ist offensichtlich, daß Jill unzufrieden mit ihm ist. Auf dem College ging sie mit einem anderen Mann. Er war nicht sicher, was er werden wollte, und sie trennten sich, weil Jill seine Unentschlossenheit nicht ertragen konnte. Erst wenn der Mann stark ist, kann sie sich stark fühlen.«

Jill wollte nicht so zurückgezogen und passiv wie ihre Mutter leben. Sie identifizierte sich in erster Linie mit dem Vater. Aber sie möchte keineswegs die mächtige, für alles verantwortliche Figur in ihrem Leben sein. Diese Aufgabe soll der *Mann* übernehmen. Wenn er das nicht tut, fühlt sie sich enttäuscht und wird ärgerlich. »Jill gehört zu den Frauen, die am Anfang einer Beziehung sexuell sehr aktiv sind. Aber nach einer gewissen Zeit schwindet das Interesse, denn sie wird zornig«, sagt ihre Therapeutin.

*An die Angst rühren*

Jills Phobie trat genau zu dem Zeitpunkt in ihrem Leben auf, als sie erkannte, daß sie nicht bekommen würde, was sie sich wirklich wünschte: Es würde nie jemanden geben, der für sie das Risiko übernahm. »Ich sehe, daß sie jetzt kurz davorsteht, echte tiefgreifende Entscheidungen zu treffen, durch die sie reifer wird«, sagt ihre Therapeutin, »sie muß die Hoffnung auf den internalisierten Vater aufgeben, der ihr Leben in Ordnung bringt. Vielleicht muß sie zurück aufs College gehen und etwas lernen, was intellektuell befriedigender ist als ihr kleiner Keramikladen – etwas, das ihr auch die finanzielle Grundlage verschafft, die sie für ihre Sicherheit braucht. Mit siebenundzwanzig muß sie diese Dinge wahrscheinlich selbst entscheiden. Sie kann nicht erwarten, daß ihr Partner ihr alles bietet. Sie arbeitet jetzt daran, sich mit diesen Gedanken vertraut zu machen und zu begreifen, was aus purer Angst entsteht.«

Die pure Angst kann Jill tatsächlich zu einem freieren, gelösteren und befriedigerenden Leben führen, wenn es ihr gelingt, die Zusammenhänge zu sehen und die Angst zu überwinden. Vor der Krise tat sie alles, was in ihrer Macht stand, um die Angst zu vermeiden. Sie versuchte im wesentlichen, die geschützte Umgebung zu kopieren, in der sie als Kind lebte, und beeinflußte ihren Freund in der Hoffnung, ihn dazu zu bringen, daß er wie ihr Vater agieren würde. Teilweise war es die Weigerung ihres Freundes, die Rolle des Vaters zu übernehmen, die Jills Abhängigkeitskrise auf den Höhepunkt trieb. So schmerzlich und erschreckend die Krise auch sein mag, Jill hat jetzt die Möglichkeit, sich von den alten Gewohnheiten zu befreien und erwachsen zu werden. Sie sah – ja sie *erlebte* – ihre gegenphobische Fassade und ist bereit, es ohne sie zu versuchen. Sie verzichtete auf den Panzer; jetzt lebt sie ungeschützt, unbehütet und verwundbar.

Frauen, deren gegenphobisches Verhaltensmuster nicht erkannt wird, sind in einer weniger glücklichen Lage. Sie bauen ihr ganzes Leben lang an einem zunehmend undurchdringlicheren Verteidigungswall. Es sind die Frauen, die alles getan, die auf alles verzichtet haben – auf Liebe, Befriedigung und Glück – um sich zu ersparen, was Jill erleben mußte: Panik, Verwirrung, Zorn.

Gegenphobische Frauen wählen bestimmte Berufe, die ein gewisses Image fördern; Berufe, von denen mehr offensichtlich gehemmte Frauen sagen: »Oh, *das* könnte ich nie. Davor hätte ich zu große Angst.« Und natürlich ist das der springende Punkt. Das Gefühl der Hilflosigkeit und Angst ist so bedrohlich, daß diese Frauen ihre ganze Energie darauf richten, ein Leben – und einen Lebensstil – zu schaffen, das dazu dient, jeden (auch sie selbst) von der richtigen Spur abzulenken. Sie werden vielleicht Rennfahrerinnen, Schauspielerinnen oder Prostituierte.

Ein auffälliges Merkmal der gegenphobischen Persönlichkeit ist ihre Effektivität als Schutz. Frauen mit einer Gegenphobie haben selten Angst, und deshalb wissen sie nicht, in welchem Ausmaß Angst ihr Leben beherrscht.

Phobien bei Frauen können im Zusammenhang mit den Gefühlen der Hilflosigkeit und Verletzbarkeit stehen, und der Furcht, die sexuelle Zurückhaltung aufzugeben. Diese Furcht drückt sich manchmal in Prostitutions- und Dominanzphantasien aus.

Solche Ängste entstehen durch große Einsamkeit in der Kindheit. Das Bedürfnis nach Liebe, das in der Kindheit unerfüllt blieb, kann zu dem passiven und potentiell destruktiven Wunsch führen, sich jedem zu überlassen.

## *Die weibliche Reaktion*

Ängstlichkeit wurde lange als eine natürliche Komponente der Weiblichkeit betrachtet. Die Angst vor Mäusen, vor der Dunkelheit, vor dem Alleinsein – solche Ängste galten als normal bei Frauen, nicht aber bei Männern. *Endlich* sind Psychologen und Sozialwissenschaftler der Überzeugung, daß Phobien oder irrationale Ängste bei Frauen ebensowenig »normal« oder gesund sind wie bei Männern.

Und doch sind sie unter Frauen verbreiteter. Alexandra Symonds stellte überrascht fest, wie viele Frauen mit Phobien in ihre New Yorker Praxis kamen. Sie sagt, diese Frauen scheinen sich zwar davor zu fürchten, von anderen bevormundet zu werden, aber in Wirklichkeit haben sie Angst davor, die Verantwortung für ihr Leben selbst zu übernehmen. Sie fürchten sich, einen persönlichen Weg zu gehen. Sie fürchten Bewegung, Entdeckung, Veränderung – alles, was unbekannt und unvertraut ist. Aber am stärksten behindert sie ihre Furcht vor normaler Aggression und Selbstbehauptung.

Frauen haben weit mehr Angst, als gerechtfertigt ist. Da die Phobie mit Abhängigkeit einhergeht, muß sie aufgespürt und identifiziert werden. Frauen vermeiden zu viele Dinge im Leben, um ihre Ängste nicht zu wecken. Vivian Gold, eine Psychologin, die in San Francisco praktiziert, sagt, daß Frauen mit jeder erdenklichen Art von Angst zu ihr kommen. »Sie haben Angst, das Haus zu verlassen, Angst, eine Beziehung aufzunehmen, Angst, die Initiative in ihrer Beziehung zu übernehmen – Angst vor allem möglichen.«

Das Ausmaß der Angst, unter der Dr. Golds Patientinnen leiden, ist bei Beginn einer Therapie nicht immer erkennbar: »Am Anfang sprechen Frauen lieber über Schwierigkeiten in der Ehe, oder daß es ihnen schwerfällt, im Beruf bestimmte Entscheidungen zu treffen. Erst sehr viel später entdeckt man, daß sie sich maßlos davor fürchten, allein zu sein. Manchmal können sie nicht ertragen, auch nur eine Nacht allein zu sein.«

Ruth Moulton sagt: »Die Phobien vieler Frauen lassen sich auf überängstliche Eltern zurückführen . . . Eltern, die ihre Töchter damit erschreckten, daß sie die eigenen Angstvorstellungen auf sie übertrugen. Sie sagten ihnen, sie sollten sich nicht mit fremden Männern verabreden, sie sollten abends früh zu Hause sein; sie warnten sie vor Vergewaltigungen und forderten sie auf, immer vorsichtig zu sein.« (Natürlich gibt es gute Gründe, einem Mädchen beizubringen, vorsichtig zu sein, aber die verheerenden Wirkungen all dieser Drohungen und Warnungen in der Kindheit legen nahe, daß die Ausbildung in Selbstverteidigung für junge Frauen konstruktiver wäre, als ihnen einzuflößen, daß sie ständig vorsichtig und ängstlich sein müssen, wenn sie überleben wollen.)

Das Leben der phobischen Frau verläuft im allgemeinen in immer enger werdenden Kreisen. Ein Freund nach dem anderen wird aufgegeben; Aktivitäten werden eingestellt; die Frau, die in der Schule gerne Sport trieb, wird als Matrone völlig unbeweglich: Skifahren ist zu riskant (»Du könntest dir ein Bein brechen«, sagt sie sich und glaubt auch noch, vernünftig zu sein); Tennis spielen kommt nicht in Frage (zu aggressiv); Reisen wird vielleicht zum Problem. Flugzeuge sind beängstigend. Die Piloten sind alle Alkoholiker, sagt sie, und zitiert die letzten Statistiken über Flugzeugabstürze. Jeder vernünftige Mensch müßte ihrer Meinung nach Angst vorm Fliegen haben. (Natürlich kommt es der phobischen Frau nicht in den Sinn, daß Fliegen ein Symbol der Trennung vom Prinzen ist – wer auch immer es sein mag, auf dessen Fürsorge sie sich verläßt.

Manchmal zwingt die phobische Reaktion Frauen dazu, scheinbar völlig harmlose Tätigkeiten zu vermeiden, und niemand würde erraten, daß Angst dafür verantwortlich ist. Eine Reihe von Frauen, mit denen ich mich unterhielt, berichteten, daß sie aufhörten zu lesen, als sie Kinder bekamen: »Ich schien einfach keine Zeit mehr dafür zu haben«, war die übliche Erklärung, »dann wurde es eine Art Gewohnheit. Mein Mann las die ganze Zeit, aber ich nicht. Die Kinder waren inzwischen erwachsen und aus dem Haus . . . irgendwie habe ich nie wieder angefangen zu lesen. Ich saß statt dessen am Fernsehen oder strickte.«

Diese Frauen vermieden es zu lesen, weil lesen bedeutete, auf eine Reise zu gehen – eine Reise allein, weg von Haus und Ehemann. Lesen war eine der vielen »fallengelassenen« Aktivitäten, von denen phobische Frauen sagten, sie seien einfach aus ihrem Leben verschwunden. Das geschah, ohne daß es hinterfragt wurde.[1]

Weniger akute Formen der Phobie sind sehr viel üblicher – und es fällt schwerer, sie als irrationales Verhalten zu identifizieren. – Der Rückzug der Frau ins Haus zum Beispiel: Es ist leicht, die häusliche Alternative als Schutz gegen die Unbeständigkeit einer angsteinflößenden Welt zu benutzen. »Zu viele Menschen machen mich nervös«, sagt die Schriftstellerin Anne Fleming als Erklärung dafür, daß sie lieber zu Hause bleibt. »Die Vorstellung in einer Zeitungsredaktion in der Stadt zu sitzen, in der ständig Schreibmaschinen klappern, finde ich entsetzlich. Ich möchte mir nicht die Ängste der anderen anhören müssen, die versuchen, in diesem Zirkus des Berufs zu überleben. Ich möchte schon gar nicht, daß jemand *meine* Angst bemerkt.«

Eine Bekannte, die selbständig lebte, bis sie mit dreiunddreißig heiratete (dann gab sie sofort ihre Arbeit auf, wie jemand, dem man ein Vermögen geschenkt hatte), überlegte sich jetzt, ob sie wieder arbeiten und einen neuen Beruf ergreifen sollte. Außerdem dachte sie daran, sich von ihrem Mann zu trennen – eine Vorstellung, die sie schon mehrere Jahre mit sich herumtrug, die sie aber offensichtlich erschreckte. »Nachts liege ich im Bett und starre an die Decke«, sagte sie mir, »ich habe Angst, daß die Decke aufbricht und mich verschlingt.«

Die Vorstellung, wieder selbständig zu sein, ist für diese Frau entsetzlich. Auf der Straße hat sie manchmal das Gefühl, daß hohe Gebäude auf sie niederstürzen.

Bei manchen Frauen scheint die Ehe zur Phobie zu führen, bei anderen wird sie durch die Scheidung ausgelöst. »Ich stellte fest, daß ich eine ganze Gruppe von Patientinnen hatte, die nach ihrer Scheidung, die sie selbst betrieben hatten, plötzlich unter Angstzuständen litten und sich isoliert fühlten«, sagte mir Ruth Moulton. Diese Frauen leiden »unter dem zwanghaften Bedürfnis nach einem Mann«. Praktisch alle ihre Patientinnen mit Phobien hegten dieselbe Illusion: *»Wenn doch nur ein Mann im Haus wäre – er könnte schlafen, betrunken oder krank sein – es wäre immer noch besser, als allein zu sein.«*

Vielen stark abhängigen jungen Frauen fällt es schwer (oder es ist ihnen sogar unmöglich), die Fassade der Stärke aufrechtzuerhalten, wenn sie ins heiratsfähige Alter kommen. In der Jugend haben sie vielleicht viel geleistet, aber jetzt sehnen sie sich danach, die Maske fallenzulassen und die Abhängigkeit zu genießen. Ohne sich dessen bewußt zu sein, suchen sie nach einer Situation, die ihnen erlaubt, die Fassade der Selbständigkeit aufzugeben. Sie wollen sich in die Wärme und Geborgenheit zurückfallen lassen, in diesen Zustand, der sie an die Kindheit erinnert und der für eine Frau so verführerisch ist – in ein Zuhause. Gibt es Idealeres als das Hausfrauendasein, um einer früheren »Erfolgsfrau« das Aussteigen mit Anstand zu ermöglichen? In vielen Fällen ist die plötzliche Leidenschaft für alles Häusliche eine große Überraschung.

Sicher wurde niemand mehr als Carolyn Burckhardt von der großen Begeisterung für die beruhigende Häuslichkeit überrascht, die an dem glücklichen Tag einsetzte, als sie Mrs. Helmut Anderson wurde. »Ich kannte diese Seite an mir nicht«, erzählte sie mir zwölf Jahre später in Erinnerung an die Zeit (sie war damals Anfang Zwanzig), als sie »beschloß«, ein paar Kinder zu bekommen, ehe sie ihre Sängerkarriere wiederaufnahm. Carolyn ist jetzt Ende Dreißig und versucht, ihr Leben wieder zu ordnen. Ihre Jugendpläne haben sich alle zerschlagen, waren unter dem erdrückenden Gewicht der Ehe zusammengebrochen. Sie glaubte, die Situation nicht mehr zu beherrschen.

Als junge Frau war Carolyn eine erstklassige Kontraaltistin, eine der jüngsten Sängerinnen, die je an die Oper von Santa Fe engagiert wurden. Sie war in Shaker Heights, Ohio, aufgewachsen und hatte als Mädchen viel geleistet, denn sie war sehr ehrgeizig. Sie ritt Jagden und Turniere und trainierte, trainierte, trainierte eine Stimme, die sich schließlich als äußerst bemerkenswert erwies. Alle, die sie kannten, waren über ihre Disziplin, ihre Reife und auffallende Zielstrebigkeit

erstaunt. »Carolyn wußte schon als kleines Mädchen sehr genau, was sie wollte«, erzählte ihre Mutter voll Stolz im Kreis der Damen im County Club. Sie nickten und waren insgeheim neidisch, weil *ihre* Töchter nur mit ihren Frisuren beschäftigt waren und Petticoats stärkten. Carolyn dagegen tat eindeutig etwas ... *Sinnvolles*! Sie arbeitete unermüdlich: Entweder mistete sie in alten Jeans und einem Arbeitshemd die Ställe aus oder trainierte auf dem Parcours in Reithosen und der schwarzen samtenen Reitmütze.
Als sie älter wurde, beschäftigte sie sich nicht mehr mit Pferden, sondern begann, zwei, drei, vier Stunden am Tag ihre Stimme auszubilden. Im Frühjahr ihres letzten Semesters am College fuhr Carolyn zum Vorsingen nach Santa Fe. Zum Entzücken ihrer Familie wurde sie engagiert. Im Juni packte sie ihre Siebensachen, reiste ab, um sich in die Welt der Musik zu begeben. Wer hätte erwartet, daß sie bereits sechs Monate später auf einer Reise nach New York, zu der sie ihre Mama eingeladen hatte, damit sie dort eine Woche lang in die Oper gehen konnte, den eleganten Helmut Anderson kennenlernen und sich in ihn verlieben würde?
Wahrscheinlich hätte Carolyn in New York ein Engagement finden können, aber als Helmut sie bat, ihn zu heiraten, wollte sie ihrem Mann das Leben erleichtern und »eine Weile zu Hause bleiben«. Helmut war vierundzwanzig und beendete gerade seine Doktorarbeit in Philosophie. Er brauchte die Ruhe und den Frieden eines gutgeführten Haushalts, während er schrieb – kurz gesagt: er brauchte eine Frau.

### *Die insgeheim von Angst gequälte Ehefrau*

Ohne weiter darüber nachzudenken, wurde Carolyn sofort schwanger und acht Monate nach der Geburt des ersten Kindes noch einmal. Carolyn war jung, energisch, bis über beide Ohren verliebt und hatte in der Vergangenheit bereits einiges geleistet, auf das sie sich stützen konnte. Sie glaubte deshalb, es würde leicht sein, die Karriere wiederaufzunehmen, wenn die Kinder erst einmal in den Kindergarten gingen. Inzwischen wollte sie Hausfrau, Mutter und Sekretärin spielen – eine Rolle, die sie liebte, wie sie überrascht feststellte. »Als kleines Mädchen hatte ich nie Hausmütterchen gespielt«, erzählte sie mir, »Puppen interessierten mich mit sechs Jahren überhaupt nicht mehr. Aber als Helmut und ich heirateten, blieb ich mit Begeisterung zu Hause. Ich ging mit Leidenschaft daran, ein Heim zu *schaffen*. Ich war glücklich darüber, eine Ehefrau zu sein. Ich hätte das nie geahnt. Es war, als hätte etwas in mir die Weichen umgestellt, und plötzlich fand ich das alles in Ordnung.«

Helmut wurde sofort nach dem Examen an einer Universität eingestellt, die von Brooklyn aus leicht erreichbar war. Er residierte in einem Zimmer der Wohnung – im Eßzimmer. Es war der beste Raum mit viel Luft und Licht, und Helmut erklärte ihn bald zu seinem Arbeitszimmer.

Es gefiel ihm, in diesem Zimmer zu residieren. Durch die Glastüren konnte er seine kleine Familie sehen, die friedlich ihren Beschäftigungen nachging. Carolyn achtete darauf, daß die Kinder ruhig spielten, wenn Helmut zu Hause war. »Pst, Papa arbeitet ...«, hörten die Kinder tagein, tagaus von frühester Jugend an. Das Arrangement war in mancher Hinsicht unbequem, aber Carolyn dachte, es sei ein geringer Preis, da sie den Rest der großen Wohnung in Brooklyn Heights für sich hatte. *Außer natürlich, wenn Helmut aus dem Arbeitszimmer auftauchte, denn dann gehörte die ganze Wohnung ihm.*

Dies war eine der häßlichen kleinen Realitäten, vor denen wir so oft die Augen verschließen. Carolyn besaß nichts; sie hatte keinen echten Anspruch auf etwas. Alles, was *sie* besaßen, gehörte Helmut. Der Hund gehörte Helmut; der Mietvertrag lief auf Helmuts Namen; das Essen auf dem Tisch – selbst der Fluchtweg aus alldem – die Monatskarte nach New Haven – gehörte Helmut.

Als Carolyn das begriff, war sie beinahe dreißig. Eines

Morgens wachte sie auf (es schien wirklich, als sei die Erkenntnis in ihr gerade erwacht) und wußte, Helmut war ein »Habender« und sie, die ihre ganze Kindheit eine »Habende« gewesen war, mußte sich jetzt mit dem demütigenden Status eines »Habenichts« abfinden. Helmut mußte nur hinter seinen Glastüren im Arbeitszimmer brummen, und schon ging die Familie nur noch flüsternd und auf Zehenspitzen durch die Wohnung. Die Kinder stritten sich (scheinbar unaufhörlich), und Carolyn stürzte aus der Küche, um sie zum Schweigen zu bringen. Wenn ein Kind krank war, ließ sie das gesunde von einem Babysitter zur Schule bringen. Helmut half ihr bei solchen Dingen nicht. An den zwei Tagen, in denen er während der Woche zu Hause war, schrieb er – punktum. Er kümmerte sich nicht um die Familie. In jedem Winter auf dem Höhepunkt der Grippewelle stöhnte er über das viele Geld für die Babysitter. Das war 1978, und Helmut lehrte an einer der angesehensten Universitäten des Nordwestens – die Studentinnen hatten die Administration gerade mit ihren Forderungen nach einer veränderten Haltung gegenüber Frauen in die Knie gezwungen – aber bei Helmut zu Hause herrschte unverändert das alte Motto: *Er*, Helmut, war der leuchtende Fixstern in der Familienkonstellation. Carolyn umkreiste ihn als Satellit.

Irgendwie vergingen acht Jahre. Die Oper war inzwischen für Carolyn nur noch wie ein Nachbild auf der Netzhaut: zu hell, um es klar und im Detail zu sehen und zu flüchtig, um für mehr als einen Moment in ihr Bewußtsein zu dringen. Damals war sie ein Kind gewesen – ein Mädchen voller Träume und ohne Gefühl für die wirkliche Welt, ein Mädchen mit der verrückten, kindlichen Vorstellung, daß das Leben im Scheinwerferlicht auf der Bühne stattfinden konnte.

Carolyn war keine Sängerin mehr. Sie war hager und verspannt; die Haare waren nicht mehr so üppig wie früher. Die samtige Haut der Mädchenzeit verlor allmählich ihren Glanz. »Aber *Liebling*«, rief ihre Mutter am Telephon, wenn Carolyn versuchte, über ihre Sorgen zu sprechen, »ich verstehe das nicht! Helmut ist so *erfolgreich.* In seinem Alter außerordentlicher Professor zu sein, das ist nicht zu verachten. Bald hast du mehr Geld und das Leben wird einfacher.«

Carolyn konnte ihrer Mutter nicht sagen, daß Geld die Probleme nicht lösen würde. Carolyn fand die Worte nicht, um ihr deutlich zu machen, daß sie inzwischen weder Mädchen noch Frau war. Sie lebte in einem zeitlosen Gefängnis, in dem sie einem anderen diente. Sie war ein Mensch ohne jede Autonomie. Sie träumte – aber nur im Schlaf – von der Möglichkeit, das Heft in der Hand zu haben. Sie träumte davon, eine Chirurgin zu sein, deren Helfer im Operationssaal so perfekt reagierten, daß sie die Instrumente nur mit den Augen verlangen mußte.

Als Timothy, der Jüngste, in die Grundschule kam, begann Carolyn davon zu reden, »etwas zu tun«. »Helmut, ich glaube wirklich, ich muß etwas tun«, setzte sie immer wieder an.

»Mein Gott! Bitte, dann *tu* doch endlich was«, antwortete er dann, »du machst mich verrückt!«

Inzwischen hatte sie den Mut verloren, der sie in der Jugend so unablässig vorwärtsgetrieben hatte. Sie fühlte sich durch Helmuts Reaktion im Stich gelassen; es schien, als *wolle* er nicht für sie sorgen; er wollte nur, daß sie ihn in Frieden ließ. Carolyn sehnte sich nach der *Möglichkeit,* eine Arbeit anzunehmen. Aber ganz sicher wollte sie nicht das Gefühl haben, es tun zu *müssen.* Sie glaubte, sie sollte in gewisser Weise entscheiden können, wie ihr Leben verlief.

Aber Carolyns Sorge um ihre Entscheidungsfreiheit war oberflächlich und falsch. Sie würde eher *ohne* Entscheidungsfreiheit leben – wie sie es schließlich seit dem Tag ihrer Hochzeit getan hatte – als das Risiko der Individualität auf sich zu nehmen. Deshalb beugte sie sich. Als Helmut über die Rechnungen zu murren begann, aber gleichzeitig darauf bestand, daß ihre Einladungen auf einem anderen Niveau als bisher stattfanden, war das für sie ein Befehl. Helmut wurde in der akademischen Welt bekannt. »Nichts mehr von diesem Käse und Salzstangenzeug . . . dem billigen Assistenten- und

Dozentenfutter«, knurrte er, »auch keinen Wein mehr aus der Karaffe. Diese Leute sind an Flaschenweine gewöhnt.«
In Wirklichkeit wollte Helmut zu diesem Zeitpunkt ein zweites Gehalt in der Familie; etwas, das ihrem Leben ein paar Glanzlichter aufsetzen würde. Er war dem Stil entwachsen, in dem sie lebten. Er veröffentlichte jetzt regelmäßig. Man *sprach* in seinen Kreisen von ihm. Anstatt sich darüber zu freuen, beklagte er sich bei mehreren Kollegen, mit denen er gut befreundet war, daß ihn Frau und Familie nur behinderten.

*Die Flucht einer Ehefrau vor dem Ich*

Carolyns phobische Flucht vor dem Leben wurde zunehmend deutlich, denn sie tat nichts, um sich einen neuen Aktionsbereich zu schaffen. Sie folgte nicht dem inneren Befehl, zu wachsen und sich zu entwickeln, sondern *reagierte* lediglich auf Helmuts Forderung, eine Bühne zu schaffen, die er mit seiner Brillanz erleuchten konnte, indem sie verzweifelt versuchte, das Haushaltsgeld geschickter zu verwalten. Sie nahm an einem kostenlosen Kursus der Volkshochschule in Weinkunde teil. Sie erweiterte ihr kulinarisches Repertoire und wurde sehr geschickt darin, exotische Mahlzeiten mit wenig Fleisch zu zaubern. Wenn Gäste kamen, gab es jetzt anstelle von Käse und Salzstangen selbstgemachte Caponata, frischgebackenes Gewürzbrot und dunklen Bordeaux – sie hatte gelernt, in der billigen Weinhandlung an der Ecke einen aufzuspüren, der weniger als vier Dollar kostete. Um die Wohnung eleganter wirken zu lassen, stöberte sie in Gebrauchtwarenläden herum und kaufte kleine geknüpfte Brücken, Messinglampen und schwere, versilberte Servierschüsseln – Gegenstände, die dazu beitragen würden, ein Flair von Komfort und Erfolg zu verbreiten. Carolyn hatte nie »Das andere Geschlecht« gelesen, denn sonst hätten Simone de Beauvoirs Gedanken über die Gefahren einer exzessiven

Beschäftigung mit dem Haushalt wohl ihre Aufmerksamkeit erregt. »Dieser Wahn . . . beschäftigt die Frau so sehr, daß sie ihre eigene Existenz vergißt«, erklärt Simone de Beauvoir, »*der Haushalt mit seinen unzähligen feststehenden Pflichten erlaubt der Frau eine sadomasochistische Flucht vor sich selbst* . . .«

Carolyn war zu beschäftigt, um die Folgen ihres geschäftigen Tuns zu sehen; nicht aber Helmut, der langsam das Gefühl hatte, daß seine Frau eine Versagerin war. Die Frauen seiner Kollegen *taten* etwas, selbst wenn es nur bedeutete, daß sie zurück aufs College gingen. »Mein Gott, Carolyn, schon wieder Caponata«, sagte er fünf Minuten vor dem Eintreffen der Gäste, »wenn ich mich nicht täusche, hatten die Aronsons dieses Zeug hier schon dreimal.«

Ich brauche ein Jahr, sagte sich Carolyn. Ich brauche einen Agenten, jemanden, der meine Termine macht und jemanden, der mich am Flügel begleitet. Ich müßte in diesem Jahr mindestens vier Monate reisen, manchmal wochenlang unterwegs sein, und *dann* stellt sich am Ende vielleicht heraus, daß ich nicht mehr das Zeug dazu habe, eine Oper zu singen.

Sie dachte daran, Medizin zu studieren. Aber das war unrealistisch; es lohnte nicht, länger darüber nachzudenken. Es würde zwei Jahre dauern, bis sie sich zum Studium qualifiziert hatte, dann kamen vier Jahre Universität, danach Praktikum und dann die Facharztausbildung . . . Voll Entsetzen erkannte Carolyn, daß sie mit über vierzig gerade anfangen und daß das Leben bis dahin sehr schwierig sein würde – schrecklich, unglaublich schwierig. Helmut würde sich nie auf das Durcheinander einlassen, das entstehen würde, wenn sie zu studieren begann.

An diesem Punkt ihrer Gedanken traten Carolyn immer die Tränen in die Augen. »Vermutlich würde ich nicht einmal die Aufnahmeprüfung für das Medizinstudium bestehen.« Es fiel Carolyn leichter, sich als »nicht intelligent genug« einzuschätzen, als sich das Ausmaß ihrer Abhängigkeit von Helmut in allen Lebensbereichen einzugestehen. Dank ihrer Abhängigkeit konnte Helmut ungestraft tun und lassen, was er wollte. Er war ein kleinlicher Tyrann, dem jeder Wunsch erfüllt wurde, und er war ihr noch nicht einmal mehr *treu.*

Nur in den frühen Morgenstunden der Nächte, in denen Helmut in New Haven blieb, gestattete sich Carolyn, darüber nachzudenken, wie oft er in New Haven übernachtete. Wie selbstverständlich sich diese Routine eingebürgert hatte. Ein oder zweimal in der Woche rief er an und hatte eine Entschuldigung parat – es war schlechtes Wetter, und er übernachtete bei einem Freund, oder er hatte noch spät in der Bibliothek zu tun, und es war sinnlos, den letzten Zug erreichen zu wollen.

Dieser faule Zauber! Und wie lange das schon so ging. Mit Ausnahme seiner akademischen Karriere, die mit jedem Jahr glanzvoller zu werden schien, hatte Helmut Carolyn praktisch in allem enttäuscht, was sie sich von ihm erhofft hatte. Für seine Kinder war er nur insoweit Vater, als er für ihren Lebensunterhalt sorgte. Obwohl er öfter als die meisten Männer zu Hause war, sah er seine Kinder selten, wenn man von den ritualisierten Ausflügen an Samstagnachmittagen absah.

Und seine Beziehung zu ihr? Helmut war kaum ein passender Partner, da er nur noch selten mit Carolyn sprach – außer um sie daran zu erinnern, daß sie für Dinge sorgte, die er brauchte: Seine Hemden waren aus der Wäscherei zu holen; würde sie ihn bitte auf den schrecklichen Elternabenden in Timothys Schule entschuldigen?! Würde sie bitte dafür sorgen, daß ihre Mutter erst nach Neujahr zu Besuch kam?! Ihre Mutter würde ganz sicher nicht zu den Leuten aus dem Institut passen, die sie für Silvester eingeladen hatten.

Mit zweiunddreißig, elf Jahre nach der Heirat, bekam Carolyn plötzlich lange Weinkrämpfe. Selbst wenn sie nur an eine Veränderung *dachte* – an eine Stellung, an ein paar Tage Ferien allein, an den geringsten Ausweg aus dem Alptraum, zu dem ihr Leben geworden war – wurde sie unerträglich müde und teilnahmslos. Sie hatte das Gefühl, von einem

Förderband durch den Tag geschleppt zu werden und immer die gleichen trostlosen Runden zu drehen: Schule, Metzger, die Kinderabteilung der Bibliothek, der Weinhändler. Sie nahm ab, aber sie trauerte dem Verlust ihrer Schönheit kaum nach, denn ihr Körper war völlig nutzlos für sie geworden. Nachts lag sie wach und wurde von der Erinnerung an seltsame Träume gequält – Bilder voller Gewalt und Tod. Helmut setzte sie unter Druck; sie müsse sich endlich eine Arbeit suchen. Er war mit ihr nicht mehr zufrieden. Das machte sie wütend; aber sie wagte nicht, ihm ihren Zorn zu zeigen. *Wer glaubte er denn zu sein, wenn er von ihr verlangte, sich zu ändern – nach allem, was sie für ihn aufgegeben hatte?* Sie hatte ihr Leben aufgegeben! Er? Er hatte nichts aufgegeben. Wie eine bösartige Vogelmutter versuchte er, sie aus dem Nest zu drängen, ehe sie fliegen konnte. Nein, sie konnte es nicht ... jemand hatte ihr die Flügel gestutzt. Jemand hatte es unterlassen, ihr das Fliegen beizubringen.

Als Helmut schließlich beschloß, Carolyn zu verlassen, war sie vierzig und hatte immer noch nichts gelernt. Die Scheidung richtete sie beinahe zugrunde. Es dauerte sehr lange, bis sie die Scherben ihres Lebens wieder zusammengefügt hatte. Es dauerte lange, bis sie erkannte, daß sie und nicht er das Instrument ihres Martyriums gewesen war. Es dauerte lange, bis sie gelernt hatte, was jeder Mensch im Leben lernen muß und dem niemand entfliehen kann: Verantwortung. All das geschäftige Hin und Her, die Besorgungen und das Aufgehen in Familienangelegenheiten hatten ihr das Gefühl gegeben, verantwortlich zu sein. Aber das war eine Täuschung. Seit dem Tag, an dem Carolyn Burckhardt Helmut Anderson kennenlernte, hatte sie nicht eine einzige unabhängige Entscheidung getroffen, die sie persönlich anging. Sie war zu einer Gehilfin geworden – und nur dem Namen nach erwachsen. Nach ein paar Ehejahren hatte die phobische Flucht vor dem Leben sie so weit geführt, daß sie jede Autorität aufgegeben und Helmut überlassen hatte, von dem sie hoffte, daß er sie retten würde.

Frauen über Dreißig trifft dieses Schicksal am härtesten. Wir sind zur Abhängigkeit trainiert und erzogen worden – für die Mutterschaft, für das Leben als Ehefrau, für all das, was bei näherem Hinsehen eine ins Unendliche verlängerte Kindheit ist. Wenn die Ehe scheitert, stellen die Frauen mit großem Entsetzen fest, daß sie zum ersten Mal für sich selbst verantwortlich sind. Tief innen hatten sie immer geglaubt, es sei ihr gottgegebenes Recht, von einem Mann versorgt und ernährt zu werden.

*Wir müssen uns jetzt die Frage stellen: Wie sind Frauen so geworden?*

# IV. KAPITEL HILFLOS WERDEN

Ich war länger als andere Kinder das verwöhnte und behütete erste Kind. Als ich fünf war, schickten mich meine Eltern in die kleine Dorfschule jenseits des Bahndamms. Ich kam früh in die Schule, zum Teil weil ich schon lesen konnte und meine Eltern die Leiterin der *Holy Name of Mary School* überredeten, mich aufzunehmen, und zum Teil weil mein Bruder – das zweite und letzte Kind – gerade geboren worden war.
Ich fühlte mich verdrängt und kam in eine merkwürdige Institution, in der ich mich vom ersten bis zum letzten Tag nie wohl fühlte und wo mich schwarzgekleidete Nonnen unterrichteten. Das Lernen fiel mir leicht, und ich langweilte mich oft. Andere Kinder hatten Schwierigkeiten und wiederholten dieselben Dinge immer und immer wieder mit der Schwester. Meine Schnelligkeit machte mich manchmal überheblich, aber meistens kam ich mir absonderlich vor.
Ich übersprang die Hälfte der zweiten und die Hälfte der fünften Klasse. Dies brachte mich mit neun Jahren in die sechste Klasse und in das Thomas-Aquina-Institut – eine chaotische Schule in einer kleinen Industriestadt bei Baltimore. Es war die einzige kirchliche Schule in unserer Nähe. Die Kinder dort waren arm und feindselig, und wenn sie intelligent waren, dann zeigten sie es nicht. Es kostete mich viel Zeit zu vermeiden, nach der Schule verprügelt zu werden. Am Ende der achten Klasse wurden Intelligenztests durchgeführt, und der Rektor verlas in typischer Ignoranz die IQs vor der Klasse. Ich hatte den höchsten, und von diesem Augenblick an sahen die anderen in mir den Feind – ich war noch sonderbarer, als sie sich das vorgestellt hatten. »Sie hält sich ja für sooo intelligent«, zischelten die Mädchen hinter

meinem Rücken, wenn ich an die Tafel ging, um Gleichungen zu lösen.
Gott sei Dank! kam ich schließlich in eine private High School auf dem Land. Allerdings stellte sich heraus, daß die Mädchen dort beinahe ebensowenig am Lernen interessiert waren wie meine Klassenkameradinnen in der Stadt. Da ich mich nirgends integrieren konnte, war ich frech und rebellisch geworden. Aber man betrachtete mich auch als »Führerin«. Ich wurde zur Klassensprecherin gewählt, zur Herausgeberin des Jahrbuchs und zur Anführerin der Paraden beim Sportfest. Diese neugewonnene Macht brachte ich mit nach Hause und setzte sie bei den Streitgesprächen mit meinem Vater ein, dessen Interesse an meiner intellektuellen Entwicklung plötzlich erwacht war. Ich versuchte ihm immer zu zeigen, daß ich intelligent war, daß ich etwas wußte und daß ich begonnen hatte zu denken. Er versuchte mir immer zu beweisen, ich täte besser daran einzusehen, daß ich über *nichts* wirklich Bescheid wußte und seine Belehrungen annehmen sollte. Die Wissenschaft war sein Gebiet – Wissenschaft und Mathematik. Je länger ich in die High School ging, desto schlechter wurde ich in Mathematik. Als ich soweit war, mich aufs College vorzubereiten, war meine »Wissenschaftsangst« so gewachsen, daß ich beinahe die Aufnahmeprüfung in Chemie nicht bestand.
Jahrelang glaubte ich, meine Probleme hätten etwas mit meinem Vater zu tun. Ich war bereits über Dreißig, als mir langsam dämmerte, daß die Einstellung zu meiner Mutter Teil meines inneren Konflikts war, der sich schon in früher Jugend zu entwickeln begann. Meine Mutter war ein ausgeglichener Mensch. Bei ihr gab es keine Wutausbrüche; sie war immer da; sie wartete auf uns, wenn mein Bruder und ich aus der Schule nach Hause kamen. Sie ging mit mir zum Ballettunterricht, als ich noch sehr klein war, und später – noch als ich bereits ein Teenager war – bestand sie darauf, daß ich jeden Tag Klavier übte. Sie saß dann neben mir und zählte so regelmäßig und unbeirrbar wie ein Metronom. Ebenso regelmäßig hielt sie ihren Nachmittagsschlaf – ein kurzer Rückzug aus der Realität

ihres Alltags. Sie war anfällig für immer wiederkehrende Leiden: Kopfschmerzen, Schleimbeutelentzündungen und Abgeschlagenheit.
Oberflächlich gesehen, schien an ihrem Leben nichts Ungewöhnliches zu sein. Sie war eine typische Hausfrau/Mutter ihrer Zeit. Und doch . . . es gab da etwas Unbestimmbares, und die kleinen Leiden, von denen viele, wie ich heute glaube (und sie ebenfalls), in Zusammenhang mit ihrem zurückgehaltenen und unterdrückten Zorn standen. Sie mied die Konfrontation mit meinen Vater; sie wirkte auf uns Kinder, als sei sie völlig von ihm eingeschüchtert. Wenn sie in irgendeinem Zusammenhang einen festen Standpunkt vertrat, war die Anstrengung, die ihr das verursachte, spürbar. Sie fürchtete ihn.
Im Vergleich dazu ragte mein Vater groß und plastisch in meinem Leben auf – der starke Vater mit der lauten Stimme, den großen Gesten, dem groben und manchmal peinlichen Benehmen. Er war ein autoritärer Didaktiker und niemand, der ihn kannte, konnte ihn leicht beiseite schieben. Gewiß, man konnte ihn ablehnen, und es gab Menschen, die das taten. Aber keiner konnte so tun, als sei er nicht vorhanden. Er behauptete seinen Platz im Bewußtsein aller, mit denen er in Berührung kam. Er war eine Kämpfernatur. Man hatte das Gefühl, daß er einen mit Aufmerksamkeit überschüttete; aber oft schienen die Gespräche einem eigenen, verborgenen Bedürfnis zu entspringen.
Ich liebte ihn. Ich bewunderte die Sicherheit, den Idealismus, die große flammende Energie, die er ausstrahlte. Sein Laboratorium im Technischen Institut der *John Hopkins* Universität wirkte kühl und durch die großen kalten Geräte sehr eindrucksvoll. Er war Der Professor. Wenn meine Mutter sich mit anderen unterhielt, sprach sie von ihm als von Dr. Hoppmann und von sich selbst als Mrs. Hoppmann. »Mrs. Hoppmann«, meldete sie sich am Telefon, als suche sie in der Förmlichkeit der Redewendung und der Benutzung des Namens meines Vaters eine Art Zuflucht. Wir waren eine recht förmliche Familie.

Im Beruf – der sein Leben bedeutete – hatte mein Vater mit Kreide, Zahlen und Eisen zu tun. In seinem Laboratorium standen Geräte; auf dem Schreibtisch lag ein massiver Briefbeschwerer, den ihm jemand aus der Metallurgieabteilung geschenkt hatte. Es war ein glatter, polierter Stahlblock mit einem exakt gravierten Kreuz auf der Oberseite. Ich nahm den Briefbeschwerer gern in die Hand. Aber ich fragte mich auch, wem so etwas gefallen konnte, denn er war weder schön noch inspirierend.
Angesichts der fordernden Persönlichkeit meines Vaters hatte meine Mutter offensichtlich Schwierigkeiten, sich zu behaupten. Sie war eine ruhige und pflichtbewußte Frau und als vierzehntes von sechzehn Kindern auf einer Farm in Nebraska aufgewachsen. Irgendwann, als sie bereits über Sechzig war, begann sie – ruhig und entschlossen – ihr eigenes Leben zu leben, beinahe *trotz* ihres Ehemanns. Im Alter wurde meine Mutter härter und interessanter, aber als ich aufwuchs, war sie keineswegs hart. Sie war ergeben, und genau diese Ergebenheit sah ich buchstäblich an jeder Frau, die ich kennenlernte – daraus sprach das Bedürfnis, sich dem Mann unterzuordnen, der für sie sorgte, dem Mann, von dem sie in jeder Hinsicht abhängig war.

Als ich in die High School kam, brachte ich eigene Vorstellungen aus dem Unterricht mit nach Hause – nicht zu meiner Mutter, sondern zu meinem Vater. Und er zerlegte sie am Eßtisch mit leidenschaftlicher Verachtung. Dann schweifte er vom Thema ab und gestattete sich seinen eigenen Gedankenflug, der wenig mit mir zu tun hatte. Aber er führte diese Gespräche immer mit großer Energie. Seine Energie wurde meine Energie – so glaubte ich wenigstens.
Mein Vater hielt es für seine gottgegebene Pflicht, mich auf den Weg der Wahrheit zu bringen – insbesondere mir die falschen Einstellungen auszutreiben, die »drittklassige Köpfe« (meine Lehrer) mir in den Kopf gesetzt hatten. Seine Rolle als Lehrer war für ihn weit faszinierender als die zaghafte Entwicklung

meines Geistes. Mit zwölf oder dreizehn verfolgte ich ein Ziel, das sich zu einem lebenslangen Ehrgeiz entwickelte: Ich versuchte, meinen Vater zum Schweigen zu bringen. Zwischen uns bestand eine merkwürdige gegenseitige Abhängigkeit: Ich wollte *seine* Aufmerksamkeit; er wollte *meine*. Er glaubte, wenn ich nur stillsitzen und ihm zuhören würde, könnte er mir die Welt ganz und fehlerlos wie eine geschälte Birne auf einem Silbertablett servieren. Ich wollte nicht stillsitzen; und ich wollte auch die geschälte Birne nicht. Ich wollte das Leben auf meine Weise finden – ich wollte in einem Feld darüber stolpern; und es sollte eine Überraschung sein, wenn ich den roten, vielleicht häßlichen Apfel fand, der von einem ungeschnittenen Baum fällt.

Wenn ich mich bei meinem Vater über seine Argumentationsweise beklagte und über sein offensichtliches Bedürfnis, vor allen Dingen im Recht zu sein, lachte er mich aus und sagte, ich sähe das völlig falsch. Es ist ein Duell, erklärte er mir, und auf diese Weise »schärft« man seinen Geist. Daß er sich mit mir duelliere, so sagte er, zeige nur seine grundsätzliche Achtung vor meiner Fähigkeit zu kämpfen.

Die unausgesprochenen Botschaften im Verhalten meines Vaters, sobald ich etwa zwölf Jahre alt war, verwirrten mich. Ich glaubte, er trainiere mich für den Kampf in einer harten, aufreibenden Welt der Erwachsenen und ihrer Ideen (denn das war es doch, was er nach seinen Worten tat?). Trotzdem schien er sehr persönlich an Sieg oder Niederlage interessiert zu sein. Aber selbst damals gab es eine Ebene, auf der ich begriff, daß das Duell wenig mit Einsicht zu tun hatte.

Als ich über zwanzig war, begann ich zu schreiben; mir kam nie in den Sinn, daß ich mich damit auf ein Gebiet begab, das so weit wie möglich von dem meines Vaters entfernt lag. Ich schrieb »kleine Sachen«, wie ich zu mir sagte, persönliche Stimmungsbilder, Subjektives – etwas, das ich für nicht sehr aufregend hielt. Und ganz sicher nichts, was wirkliches Denken erforderte. Dazu glaubte ich nicht fähig zu sein. Wirkliches

Denken war etwas für Männer; wirkliches Denken war etwas für Professoren, Väter und Priester.

Abgesehen von ein paar aufreibenden Scharmützeln mit Collegelehrern, hatte ich wenig Gelegenheit zu lernen, auf irgendeinem Gebiet zu einem rationalen Standpunkt zu gelangen. Auch auf dem College war ich eher eine Turnierkämpferin als eine unabhängige Denkerin. Beinahe noch weitere zwanzig Jahre fürchtete ich, mich auf jene Art geistiger und emotionaler Entwicklung einzulassen, die in der Isolation einsetzt, also wenn man nur sich selbst gegenübersteht. Ich versuchte, Klarheit zu finden, indem ich mich von einem starken und mächtigen Menschen abgrenzte – von jedem Menschen, sei er männlich oder weiblich, auf den ich das internalisierte Bild meines Vaters projizieren konnte. Überflüssig zu sagen, daß die »Klarheit«, die ich gewann, nur von kurzer Dauer war. Wie ein Gummiband löste ich mich von dem anderen, erhaschte einen flüchtigen Blick auf mein abgegrenztes Ich und schnellte wieder zurück, sobald die Spannung der Trennung zu groß wurde, um sie länger ertragen zu können.

## *Imitationen der Hilflosigkeit*

Psychologen wissen seit längerer Zeit, daß die Anlehnungsbedürfnisse von Frauen stärker sind als die von Männern. Aber erst seit kurzem ist es in Untersuchungen von Mädchen gelungen, dem Grund dafür auf die Spur zu kommen: Es ist ein grundlegender, tiefsitzender Zweifel an der eigenen Kompetenz, der in früher Kindheit entsteht. *Die Mädchen kommen deshalb zu der Überzeugung, daß sie beschützt werden müssen, um überleben zu können.* Dieser Glaube wird durch falschverstandene gesellschaftliche Erwartungen und die Angst der Eltern genährt. Wie wir sehen werden, bestimmt eine ungeheure Ignoranz das Denken, das Verhalten und die Einstellung der Eltern zu ihren Töchtern. Im Hinblick auf die Fähigkeit, zu unabhängigen Menschen heranzuwachsen, werden Mädchen durch die Fürsorglichkeit der Eltern ebenso behindert, als würde man ihnen die Füße binden.

Mädchen werden anders erzogen als Jungen. Die Erziehung führt dazu, daß sie als Erwachsene in Berufen hängenbleiben, die weit unter ihren Fähigkeiten liegen.

Sie führt dazu, daß sie sich von den Männern, die sie heiraten, eingeschüchtert fühlen und sich ihnen in der Hoffnung unterordnen, beschützt zu werden.

Sie führt sogar – wie wir sehen werden – zur Verkümmerung der intellektuellen Fähigkeiten der Frau.

Die Lehrer in der Schule haben uns lange dafür gelobt, daß wir folgsam und pflichtbewußt waren. Wir begeben uns ins Berufsleben und bauen darauf, daß Pflichtbewußtsein uns dort weiterhilft. Wir gelten vielleicht als anständig, als *nett* (es ist doch nett von Mary, daß sie diese Lagerbestellungen für uns erledigt!). Aber man behandelt uns wie Kinder, als wären wir noch nicht ganz erwachsen; wir werden nicht ernst genommen und sind (wie die guten Sklaven auf den Plantagen) leicht auszubeuten.

Seit undenklichen Zeiten haben Männer darauf hingewiesen, daß die Frauen im Bereich der großen Dinge dieser Welt nicht sehr viel geleistet haben. Wo sind die großen Naturwissenschaftlerinnen? Wie kommt es, daß es keine weiblichen Bartóks gibt? hört man immer wieder. (Diese Fragen werden üblicherweise mit der Absicht gestellt, den Verdacht erst gar nicht aufkommen zu lassen, daß Frauen ebenso intelligent sind wie Männer.) Neue Forschungen machen deutlicher, daß *Frauen sich selbst in ihrer Entwicklung behindern.* Wir sabotieren unsere Originalität. Wir fahren nur in den unteren Gängen und vermeiden die berauschende Geschwindigkeit der oberen Gänge – als habe man uns auf dieses Verhalten programmiert. Und das ist in der Tat der Fall.

Psychologen beschäftigen sich seit einiger Zeit damit, den Zusammenhang zu untersuchen, der zwischen dem Verhalten und Selbstbild von Frauen und ihrer Erziehung als Kind besteht, die ein bestimmtes Verhalten und Selbstbild förderte.

Schockierenderweise hat sich das Bild in den letzten zwanzig Jahren kaum geändert. Die Sozialisierung der Mädchen programmiert auch heute noch einen lähmenden Konflikt hinsichtlich der seelischen Unabhängigkeit, auf die Frauen nicht verzichten können, wenn es ihnen je gelingen soll, sich zu befreien und ihren Platz in der Sonne einzunehmen.

### *Lernen, sich anzulehnen*

Wir glauben gerne, daß wir als Eltern alles anders machen. Unsere Töchter sollen nicht unter den Auswirkungen der diskriminierenden und überfürsorglichen Erziehung leiden, der wir ausgesetzt waren. Aber die Forschung beweist, daß die meisten Kinder heute in das gleiche künstliche Rollenschema gepreßt werden wie wir in der Kindheit.
Männliche Dominanz – und der weibliche Zusammenstoß mit ihr – ist sehr anschaulich bereits im Kindergarten zu beobachten. »Du bleibst hier bei den Mamis und den Babys, ich geh' angeln«, sagt der kleine Gerald zur kleinen Judith und marschiert los.
»Ich will aber auch mit«, ruft Judith und läuft ihm nach.
Gerald dreht sich um und wiederholt: »Nein, du bleibst bei den Mamis und den Babys!«
»Aber ich möchte angeln gehen!« schluchzt Judith.
»Nein«, erklärt Gerald energisch, »aber wenn ich zurück bin, geh' ich mit dir chinesisch essen.«
Laura Carper hat diese Szene zwischen zwei Vierjährigen im Spielzimmer eines Kindergartens beobachtet, als sie dort Aufsicht führte, und sie vor kurzem in *Harper's* beschrieben.
»Eine andere Szene, die ich hin und wieder beobachte, verläuft etwa so«, schrieb sie, »drei oder vier kleine Jungen setzen sich an den Spieltisch in der Spielküche und geben Bestellungen auf: ›Eine Tasse Kaffee!‹, oder ›Rührei mit Schinken‹, oder ›mehr Toast bitte!‹ Die Mädchen rennen zwischen Tisch und

Herd hin und her, kochen und servieren. Einmal waren die Jungen nicht mehr zu bremsen. Sie wollten unaufhörlich mehr Kaffee, und das Mädchen geriet völlig außer Atem. Schließlich rettete sie sich aus der Situation, indem sie verkündete: ›Kein Kaffee mehr da.‹ Offensichtlich kam es ihr nicht in den Sinn, sich an den Tisch zu setzen und sich von den Jungen bedienen zu lassen.«

Die Mädchen in diesem Kindergarten handeln nach einem uralten Abkommen: Bediene Deinen Herrn und Meister, und Du wirst beschützt. Wissenschaftler, Sozialarbeiter und Personen in anderen Berufen, die mit jungen Frauen zu tun haben oder ihr Verhalten untersuchen, klagen darüber, daß der Cinderella-Komplex im Dasein dieser Frauen noch immer eine große Rolle spielt – sie glauben, daß es immer jemanden geben wird, der für sie sorgt. »*Trotz der intensiven Beschäftigung mit der Rolle der Frau hat bis heute praktisch keine Veränderung in der Vorbereitung der Mädchen auf ihr Leben als Erwachsene stattgefunden«,* erklärte Edith Phelps, die Geschäftsführerin der Girls Clubs of America, kürzlich auf einer Konferenz, »im schlimmsten Fall ist die Vorbereitung destruktiv . . . bestenfalls ist sie konfliktbeladen.«

Die Psychologin Elizabeth Douvan untersuchte Jugendliche an der Universität von Michigan und stellte fest, daß bis zum Alter von achtzehn Jahren Frauen (manchmal sogar noch länger) keinen Drang zur Unabhängigkeit erkennen lassen. Sie haben kein Interesse daran, sich gegen Autorität aufzulehnen und bestehen nicht »auf ihrem Recht, sich eine freie Meinung zu bilden und sie zu vertreten«.[1] In all diesen Punkten unterscheiden sie sich von jungen Männern.

*Die Untersuchungsergebnisse zeigen, daß die Abhängigkeit der Frauen mit zunehmendem Alter wächst.*

Sie beweisen aber auch – sehr überzeugend – daß Mädchen von frühester Jugend an zur Abhängigkeit erzogen werden, während sie den Jungen aberzogen wird.

Mädchen beginnen das Spiel des Lebens mit einem Vorsprung vor den Jungen. Ihr Wahrnehmungsvermögen, ihre verbalen und kognitiven Fähigkeiten sind besser entwickelt. Bei der Geburt sind sie Jungen in der Entwicklung vier bis sechs Wochen voraus. Bis zur Schulreife ist der Vorsprung auf ein Jahr angewachsen.[2] Warum sind sie dann schon als Drei- oder Vierjährige bereit, von Gleichaltrigen Befehle entgegenzunehmen und sie zu bedienen? Eleanor Maccoby, eine Psychologin an der Stanford University, die sich auf psychologische Geschlechtsunterschiede spezialisiert hat, glaubt: »Entscheidend dafür ist, ob und wie früh ein Mädchen dazu ermutigt wird, die Initiative zu ergreifen, Eigenverantwortung zu übernehmen und Probleme selbst zu lösen, statt sich auf andere zu verlassen.«[3]

Die Psychologen sagen, daß das Verhaltensmuster »Unabhängigkeit« geprägt ist, noch ehe das Kind sechs Jahre alt wird. Einige Wissenschaftler glauben inzwischen, daß Mädchen daran gehindert werden, eine bestimmte entscheidende Wendung in ihrer emotionalen Entwicklung zu vollziehen, *weil ihnen das Leben zu leicht gemacht wird* – sie werden *zu sehr* behütet, ihnen wird *zu sehr* geholfen, und ihnen wird beigebracht, sie müßten nur »brav« sein, dann würde ihnen diese Hilfe immer zuteil.

Vieles jedoch von dem, was an einem kleinen Mädchen als »brav« gilt, ist bei dem kleinen Jungen geradezu »unmöglich«. Wenn Mädchen ängstlich, übervorsichtig, ruhig und »anständig« sind und Hilfe und Unterstützung brauchen, ist das ganz natürlich, wenn nicht sogar reizend. Die Jungen jedoch werden sehr energisch darauf hingewiesen, daß sich diese Formen der Abhängigkeit für sie nicht schicken, daß sie »mädchenhaft« sind. Judith Bardwick sagt: »Der Sohn wird allmählich zu unabhängigem Verhalten gedrängt und dafür belohnt . . .«

Wissenschaftlerinnen wie Judith Bardwick und Elizabeth

Douvan untersuchen von neuem Fragen wie: Warum lernen Jungen und *nicht* Mädchen frühzeitig unabhängig zu sein? Warum fürchten sich die Jungen nicht vor Abenteuern (oder genauer, warum suchen sie Abenteuer, *obwohl sie sich fürchten?*), und warum entwickeln sie persönliche Kriterien der Selbstachtung, noch ehe sie den Kinderwagen verlassen haben?[4] Sie haben eine Theorie entwickelt, die auf den konstruktiven Wirkungen von Streß basiert. Sie sagen, der kleine Junge hat keine Wahl; er kann sich dem Streß nicht entziehen, sein mehr instinktives Verhalten (zu dem Verbotenes wie Beißen, Schlagen und öffentliches Onanieren gehört) zu beherrschen. Er wird aus dem abhängigen Verhalten »herausmaskulinisiert«. Sie glauben, daß der unvermeidliche Streß sich schließlich positiv auswirkt: Jungen erleben, wie man sich mit Restriktionen auseinandersetzt und daß man nicht immer die Zustimmung der Erwachsenen hat. Diese Erfahrung hilft dem Jungen, den richtigen Weg einzuschlagen – selbst den Weg zu finden und nach eigenen Erkenntnissen zu leben.

Der Umstellungsprozeß zu unabhängigem Verhalten setzt bei Jungen im Alter von zwei Jahren ein. In den folgenden drei Jahren lösen sie sich allmählich von dem Bedürfnis nach Zustimmung von außen und beginnen, unabhängige Kriterien zu entwickeln, die ihnen eine positive Einstellung zu sich selbst geben. Die meisten Jungen haben diesen lebenswichtigen Schritt im Reifeprozeß vollzogen, noch *ehe sie sechs Jahre alt sind.*

Bei Mädchen dauert das alles viel länger. Jerome Kagan und H. A. Moss stellten in einer vielzitierten Entwicklungsstudie fest, daß *Passivität* und *Abhängigkeit von Erwachsenen* bei Mädchen übereinstimmend bis ins Erwachsenenalter auftraten. Man entdeckte sogar, daß diese beiden Persönlichkeitsfaktoren von allen »weiblichen« Charakterzügen am häufigsten auftraten und mit größter Sicherheit vorausgesagt werden konnten. Ein Mädchen, das sich in den ersten Lebensjahren passiv verhält, wird mit größter Wahrscheinlichkeit bis in die frühe Jugend passiv bleiben; das gilt auch für das Mädchen, das in früher Jugend passiv ist – es ist voraussehbar, daß sie auch noch übermäßig von ihren Eltern abhängig ist, wenn sie erwachsen wird.[5]

Wenn Mädchen älter werden, neigen sie dazu, sich immer mehr auf andere zu verlassen. Das Fatale an der psychischen Geschlechtsentwicklung ist, daß Mädchen ihre weiterentwickelten perzeptiven und kognitiven Fähigkeiten *nicht* dazu benutzen, den Ablösungsprozeß von der Mutter voranzutreiben, auch *nicht* dazu, die Befriedigung einer Leistung um der Leistung willen zu erleben (sie leisten eher etwas um der Zustimmung willen); *nicht,* um größere Unabhängigkeit zu gewinnen, sondern um die Forderungen eines Erwachsenen zu verstehen, zu erraten – und sie zu erfüllen.

Bardwick und Douvan glauben, daß die Probleme der Mädchen zum Teil auf den mangelnden Streß in früher Kindheit zurückzuführen sind. Da das Verhalten von Mädchen für Erwachsene im allgemeinen von Anfang an erfreulich ist (normalerweise beißen, schlagen und masturbieren sie nicht), müssen die Töchter für ihre Entwicklung nicht mehr tun, als weiterhin zu sein, was sie sind – verbal und perzeptiv gewandt, nicht aggressiv und äußerst geschickt darin zu erraten, was die Menschen von denen sie abhängig sind, von ihnen wollen.

Die Erwachsenen ihrerseits beeinflussen oder behindern das instinktive Verhalten der Mädchen nicht – *mit Ausnahme* der tastenden Ansätze in Richtung Unabhängigkeit. Sie werden von ihnen systematisch blockiert – als befände sich ihre Tochter in Lebensgefahr, sobald sie selbständig handelt und Chancen ergreift.

### *Das Mädchen wird mit Hilfe überschüttet und deformiert*

Das Abhängigkeitstraining beginnt im Leben eines Mädchens sehr früh. Weibliche Babys werden weniger häufig und weniger energisch angefaßt oder hochgenommen als männliche.[6]

Trotz ihrer größeren Robustheit und Reife *hält* man Mädchen für zerbrechlicher. Da sie weniger physische Stimulation erhalten, werden sie wahrscheinlich auch nicht das gleiche Maß an Ermutigung erleben, die Jungen bei ihren ersten Erkundungsversuchen spüren. Die Eltern zeigen sich um die Sicherheit des Mädchens besorgt, noch ehe es die Wiege verlassen hat.

Eine 1976 durchgeführte Untersuchung ergab, daß Eltern das Weinen von Babys geschlechtsspezifisch interpretierten. Hielten die Testeltern das Kind für ein Mädchen, *hörten* sie *Angst* aus dem Weinen heraus; glaubten sie, es handle sich um einen Jungen, hörten sie *Zorn*. Aber noch entscheidender: Mütter *reagieren* unterschiedlich auf das Weinen: Weint ihr Töchterchen, unterbricht die Mutter wahrscheinlich sofort jede Beschäftigung und eilt zum Bettchen, um es zu beruhigen (offensichtlich fällt es Eltern weniger schwer, das Weinen ihrer Söhne zu ignorieren.)

Ein anderer bemerkenswerter Unterschied: Die Mutter *verstärkt* den Kontakt zu ihrem schwierigen Töchterchen, *verringert* ihn aber zu ihrem Sohn – selbst wenn er *noch schwieriger* ist.

Lois Hoffman, Psychologin an der *Universität von Michigan,* sagt, eine derart frühe Konditionierung könne sehr wohl »den Beginn eines Interaktionsmusters bedeuten . . . bei dem die Töchter sehr schnell lernen, daß die Mutter eine Quelle des Trosts ist und das Verhalten der Mutter durch das Aufhören des Weinens noch verstärkt wird«.

Mit anderen Worten, das Baby lernt, Hilfe kommt schnell, wenn man danach ruft; die Mutter des Babys lernt, das Weinen hört auf, wenn man zum Bettchen eilt und das Baby tröstet. Die gegenteilige Lektion wird verstärkt, wenn es um die Interaktion von Mutter und Sohn geht. Da man das männliche Baby für härter hält, stolpert die Mutter nicht über den Staubsauger, um möglichst schnell an das Bettchen ihres Sohns zu eilen. Infolgedessen verfestigt sich bei ihm die Erkenntnis: ›Hilfe kommt schneller, wenn ich danach rufe‹

*nicht* so systematisch. Es kommt vor, daß er sich mitunter selbst trösten muß. Schließlich entdeckt er, daß er damit *Erfolg hat.* Er kann sich selbst trösten. Schritt für Schritt lernt er, dies regelmäßiger zu tun. *Schritt für Schritt lernt er, emotional für sich selbst zu sorgen.*

Aus dem Baby wird ein Kleinkind. Es krabbelt, stellt sich zum ersten Mal im Bettchen auf und fängt schließlich an zu laufen. Jetzt wird die elterliche Freude durch elterliche Angst getrübt. In die Begeisterung über die Fortschritte des Kindes mischt sich ein neues Gefühl der Ambivalenz, wenn sich die ersten Risiken zeigen: Das Kind spielt an den Steckdosen, untersucht den Inhalt von Gläsern in den niedrigen Regalen; es läuft zu schnell und fällt. Wie Wahrsager, die gemeinsam in eine Kristallkugel blicken, sind Mütter und Väter in der Lage, diese Gefahren vorauszusagen, wenn das Baby zu krabbeln beginnt.

Ist das Kleinkind ein Junge, sehen die Eltern mögliche Katastrophen nicht so lebendig vor sich. Wie die Forschungen belegen, sind die ambivalenten Gefühle der Eltern angesichts der ersten Schritte in Richtung Unabhängigkeit bei einer Tochter weit stärker. Billy, dieser zähe kleine Bursche, wird es schon schaffen; unsere Nadine kann man nicht aus den Augen lassen, sie braucht viel Hilfe ... Wenn Billy die ersten Schritte macht, strahlen Mama und Papa vor Freude; aber wenn Nadine laufen lernt, mischt sich Besorgnis in das Glück. Unglücklicherweise blickt die kleine Nadine in diesem Moment hoch und sieht die Besorgnis im Gesicht der Mutter.

Die frühen Anzeichen von Angst bei der Mutter – einige Forscher bezeichnen sie als »ängstliche Überfürsorglichkeit« – bringen das Kind dazu, an den eigenen Fähigkeiten zu zweifeln. »Wenn Mama daran zweifelt, daß ich es schaffe, dann muß sie etwas wissen, was ich nicht weiß«, denkt die kleine Nadine.

Aus der größeren Angst um ihre kleine Tochter entsteht die Tendenz der Eltern (man sollte besser sagen der *Zwang*), sie zu beschützen – aufzuspringen und das Baby aufzufangen, noch ehe es fällt; aufzupassen, daß das kleine Mädchen sich nicht verletzt. Verletzt sich der kleine Sohn, ist das Teil seiner Entwicklung. »Ja, ja, Billy, du wirst es schon noch lernen«, gurrt die Mutter liebevoll. Wenn Nadine sich den Kopf angestoßen hat, entstehen Panik – und Schuldgefühle. Mama hätte besser aufpassen sollen; Mama hätte dafür sorgen müssen, daß Nadine sich nicht weh tun kann. Die kleine Nadine ist schließlich »nur ein kleines Mädchen«.

*An diesem Punkt beginnen Eltern, ihren kleinen Töchtern die Idee einzupflanzen, daß Risiken und das Abschätzen ihrer eigenen Sicherheit Dinge sind, die sie besser anderen überlassen.*

Wie wir aber wissen, ist Selbstvertrauen für die Entwicklung von Unabhängigkeit entscheidend.

Die Angstgefühle der kleinen Mädchen entstehen oft durch die Haltung ihrer Mütter. Ängstliche Mütter bringen ihren Kindern bei, alles zu vermeiden, was *sie* – die Mütter – ängstlich machen könnte. Aber indem sie ihre kleine Tochter lehrt, jedes Risiko zu meiden, hindert die ängstliche Mutter das Kind daran zu lernen, wie man einer Gefahr begegnet. Menschen und Tiere haben nur eine Methode zu lernen, wie man in einer neuen Situation auf eine Gefahr reagiert: Man muß sich der gefährlichen Situation immer wieder aussetzen und sich daraus zurückziehen. »Das wiederholte Provozieren der Angstreaktion in kleinen, kontrollierten Dosen führt schließlich zum Schwinden der Angstreaktion«, erklärt Barclay Martin in *Anxiety and Neurotic Disorders*.

Die Mutter möchte nicht einmal, daß Nadine sich einer angsterzeugenden Situation aussetzt. Infolgedessen kann das Kind nicht lernen, seine Reaktion auf die Gefahr zu kontrollieren. Kinder, die nie gelernt haben, mit der Angstreaktion umzugehen, werden wahrscheinlich Erwachsene, deren Leben von Angst beherrscht ist; das heißt, die kleine Nadine wird in der Grundschule, in der High School, auf dem College und in der erschreckend kalten Welt der Erwachsenen anfällig für

Angst sein. Dort kommt sie zurecht, indem sie versucht, mit ihrer »Angst fertigzuwerden«, sie »im Griff zu behalten« und sie nicht aufkommen zu lassen. Die Angst – sie zu ersticken oder noch besser, sie unter allen Umständen zu vermeiden – wird schließlich zu einer Hauptmotivation (oder eine *Demotivation*) in Nadines Leben.

Und das Ergebnis: Natürlich wird Nadine große Schwierigkeiten haben, ein gesundes Selbstvertrauen zu entwickeln. Die Untersuchungen zeigen es – Mädchen, besonders die intelligenteren, haben große Probleme, wenn es um ihr Selbstvertrauen geht. Sie unterschätzen immer wieder ihre Fähigkeiten. Fragt man sie nach der Beurteilung ihrer Fähigkeiten, bestimmte Aufgaben zu lösen – gleichgültig, ob es sich um neue oder bereits vertraute handelt – dann schätzen sie ihr Leistungsvermögen niedriger ein als Jungen und bewerten ihre tatsächlichen Leistungen ebenfalls geringer. Eine Untersuchung ergab sogar: Je intelligenter das Mädchen, desto geringer ihre Erwartung, eine intellektuelle Aufgabe erfolgreich zu bewältigen. Weniger intelligente Mädchen haben höhere Erfolgserwartungen als intelligente.[7]

Mangelndes Selbstvertrauen ist die Krankheit vieler Mädchen und führt zu einer Reihe von Problemen, die damit in Verbindung stehen. Mädchen sind höchst beeinflußbar, und sie neigen dazu, Urteile über das, was sie wahrnehmen, zu ändern, wenn ihnen jemand widerspricht. Sie setzen sich niedrigere Standards. Jungen fühlen sich von schwierigen Aufgaben herausgefordert; Mädchen versuchen sie zu vermeiden. Sogar im Vorschulalter zeigen Jungen *größere* Freude an schwierigen Aufgaben, *größeres* Selbstvertrauen, und es ist wahrscheinlicher, daß ihr IQ in den folgenden Jahren steigt. Im Alter von sechs Jahren sind die Würfel über die *wahrscheinliche* intellektuelle Entwicklung ebenso gefallen, wie über die *wahrscheinliche* Entwicklung der Unabhängigkeit. Bereits in diesem Alter zeichnet sich ein Bild ab, das Prognosen für die Zukunft zuläßt. Das sechsjährige Kind, dessen IQ in den folgenden Jahren steigt, ist bereits wettbewerbsbewußt, selbstbewußt, unabhängig und dominiert über andere Kinder, sagt Eleanor Macoby. Ein sechsjähriges Kind, dessen IQ in den folgenden Jahren *abnimmt*, ist passiv, schüchtern und abhängig. Dr. Maccoby kommt zu der pointierten Schlußfolgerung: »Die Eigenschaften von Kindern, deren IQ steigen wird, wirken nicht sehr feminin.«

Bei Mädchen steht all dies in Zusammenhang mit der Entwicklung der ausgeprägten Neigung »sich anderen anzuschließen«; also vor allem, eine *Beziehung* aufzunehmen. Denkt man an die Empfindung der Inkompetenz, überrascht es nicht, daß das Mädchen schnurstracks zu dem Menschen geht, der ihm am nächsten steht und sich an ihn klammert.

Lois Hoffman beschreibt in dem folgenden Abschnitt die Entwicklungsfolge, die Mädchen zu Erwachsenen werden läßt, die das übermäßige Bedürfnis haben, sich auf andere zu stützen.

*Das kleine Mädchen erfährt a) weniger Ermutigung zur Unabhängigkeit; b) mehr elterliche Fürsorge; c) weniger kognitiven und sozialen Druck, eine von der Mutter losgelöste Identität zu entwickeln; und d) einen schwächeren Kind-Mutter-Konflikt, der den Prozeß der Ablösung begleitet; infolgedessen beschäftigt es sich weniger selbständig mit seiner Umwelt. Infolgedessen entwickelt es keine Fähigkeiten, die ihm helfen, sich in der Umwelt zurechtzufinden, und nicht das Vertrauen, daß ihm das gelingen könnte. Bei der Lösung seiner Probleme bleibt es weiterhin abhängig von den Erwachsenen und braucht deshalb die emotionale Bindung an Erwachsene.*[8]

Wie wir sehen, begleiten die Probleme exzessiver Abhängigkeit die Mädchen bis ins Erwachsenendasein. Und doch sind sich viele Frauen einer restriktiven und allzu behüteten Kindheit nicht bewußt. Sie glauben nicht, als Kinder in ihren Bemühungen um Unabhängigkeit behindert worden zu sein – und wenn in ihrem Leben als Erwachsene Abhängigkeitsprobleme auftauchen, sind sie völlig überrascht. Alle, die sich zu einer Therapie entschließen, beginnen sich wieder an die seltsamen, angstbetonten Vorschriften der Eltern zu erinnern:

Warnungen, Ausgangsverbote, die Bitten, sich nicht zu »überanstrengen« – man behandelte sie wie zarte Schmetterlinge, deren Flügel jeden Augenblick erlahmen könnten.
Ruth Moulton sagt, die großen psychologischen Probleme der meisten ihrer Patientinnen, resultierten aus dem »Unterbinden jeder Form von Selbstbehauptung und manchmal jeder körperlichen Aktivität, die entweder als gefährlich oder als nicht damenhaft angesehen wurde«. Zwei von Dr. Moultons Patientinnen wurden in der Kindheit nachts buchstäblich ans Bett gefesselt. Sie sagt, die Kindheitsgeschichten ihrer Patientinnen enthüllen viele Beispiele »übermäßiger Restriktionen« und »zu großer Fürsorge.« Diese Frauen wurden als Mädchen tatsächlich dazu erzogen, sich schwach zu fühlen – nicht in der Lage zu sein, ihren Körper zu benutzen, nicht in der Lage, sich physisch und verbal zu verteidigen. Dies alles führt schließlich zu dem »Braves-Mädchen-Syndrom«, wie Dr. Moulton es nennt. Als Erwachsene setzen diese Frauen auf absolute Sicherheit. Sie sorgen selbst für ihre Restriktion.
Die letzte Fessel in der Erziehung der Mädchen ist Hilfe im Übermaß – die Tendenz der Eltern, einzuspringen und ihrer Tochter zu helfen, ohne daß es tatsächlich notwendig ist, oder wenn sie lernen müßte, unsicher zu sein und sich selbst zu korrigieren (ein Vorgang, der für die Entwicklung von Vertrauen und Selbstachtung unbedingt erforderlich ist). Kleinen Mädchen gibt man keine *Chance* zur Selbstkorrektur. Man hebt sie auf, klopft ihnen den Staub von den Kleidern, und sie müssen weitertanzen wie diese kleinen Tanzpuppen, die sich je nach Laune ihres Besitzers drehen oder erstarren.
Warum ist übergroße Hilfe so destruktiv? »Die Voraussetzung für Können ist die Fähigkeit, Frustration zu ertragen«, erklärt Lois Hoffman, »Wenn die Eltern zu schnell helfend eingreifen, wird das Kind die Toleranz dafür nicht entwikkeln.«
»Unabhängigkeit entsteht durch den Lernprozeß, daß man selbst etwas erreichen, sich auf seine Fähigkeiten verlassen und dem eigenen Urteil trauen kann«, sagt Judith Bardwick in

dem Buch *The Psychology of Women.* Mädchen werden ständig in der Ansicht bestärkt, daß sie nur mit Unterstützung anderer etwas erreichen können. Schließlich internalisieren sie die Vorstellung, daß sie den Herausforderungen des Lebens nicht selbständig gewachsen sind.

Es gibt bestimmte »Abhängigkeitskrankheiten«, die nur Frauen befallen. Dazu gehört *Anorexia nervosa,* das erschrekkende Hungersyndrom. Jugendliche hungern in dem traurig widersinnigen Versuch, Kontrolle über ihr Leben zu gewinnen. In jedem Jahr wirft sich eine von hundert jungen Frauen auf diese auszehrende Hungerdiät. Etwa zehn Prozent von ihnen hungern sich zu Tode.

»Mädchen mit einer konformistischen Persönlichkeit fühlen sich verpflichtet, etwas zu tun, das ein großes Maß an Unabhängigkeit verlangt, um respektiert und anerkannt zu werden. Wenn ihnen das nicht gelingt, glauben sie, die einzige Unabhängigkeit läge in der Kontrolle über ihren Körper«, sagte Hilde Bruch, eine Spezialistin auf diesem Gebiet.

Die Anorexie befällt meist zwölf- bis einundzwanzigjährige Frauen (*selten* Männer) mit höherer Bildung und starker Motivation, die aus finanziell gesicherten Verhältnissen kommen. Die Therapie, sagt Hilde Bruch, kann sehr mühsam sein und viel Zeit in Anspruch nehmen. »Die Überzeugung, unzulänglich und wertlos zu sein, hat sich über einen langen Zeitraum so tief eingegraben, daß eine solche junge Frau sich hinter die Maske der Überlegenheit zurückzieht, sobald sie das leiseste Anzeichen von Selbstzweifel spürt oder auf Widerspruch stößt. Bevor sie geheilt werden kann, muß man ihr die Sicherheit geben, ein wertvolles, leistungsfähiges Individuum zu sein.«[9]

Andere Opfer einer neurotischen Abhängigkeit sind geprügelte Frauen. Da sie oft von dem Mann, der sie schlägt, finanziell abhängig sind, sitzen sie in einer heimtückischen Falle. Aber es ist die *emotionale* Abhängigkeit, die den doppelten Riegel vor den Ausweg schiebt. »Viele Frauen werden von der panischen Angst beherrscht, daß sie ohne ihre

Ehemänner nicht leben können«, sagte Kenneth MacFarlane aus dem Ministerium für Gesundheit, Bildung und Sozialwesen, »man hat ihnen ihr ganzes Leben lang gesagt, daß sie dazu nicht in der Lage sind. Das ist ein Konditionierungsprozeß.«

Tiere geben in Situationen auf, in denen sie keinen Einfluß auf ihre Umgebung nehmen können. Neue Forschungen zeigen, daß Menschen dies ebenfalls tun. Man muß sich nur lange genug einer Situation aussetzen, die man nicht zu beherrschen glaubt, und man wird einfach aufhören zu reagieren. Dieses Phänomen wird von Martin Seligman *erlernte Hilflosigkeit* genannt. Diane Follingstad von der University of South Carolina berücksichtigte bei der Entwicklung eines Therapieprogramms für geschlagene Frauen einige seiner Erkenntnisse zur erlernten Hilflosigkeit. Diane Follingstad lehrt diese Frauen, in relativ kurzer Zeit zu *verlernen,* was Eltern und Gesellschaft ihnen über Jahre hinweg eingetrichtert haben. »Die Frauen haben das Gefühl, die Dinge nicht zu beherrschen. Sie glauben, daß ihr Leben von Zufall, Glück und Schicksal bestimmt wird. Sie überlegen nicht, ›wenn ich X tue, erhalte ich Y‹«, sagt Dr. Follingstad.[10] Da man ihr eingeprägt hat, daß sie nichts tun kann, um die Situation zu verändern, wird die geschlagene Frau weiterhin geschlagen. Erst nachdem sie sich langsam von dem Glauben an die eigene Hilflosigkeit gelöst hat, kann sie den heimtückischen Kreis der Abhängigkeit durchbrechen und sich damit auch den brutalen Auswirkungen auf ihr Leben entziehen.

Das Konzept der erlernten Hilflosigkeit hat viele Psychologen angeregt, in allen Entwicklungsphasen nach ihren Anzeichen zu suchen. Carol Jacklin vom Psychologischen Institut der Stanford University berichtete mir von neuen Untersuchungen, die darauf hinweisen, daß die Grundschullehrer unsere Töchter Hilflosigkeit lehren. »Die Lehrer loben Jungen für ihre Leistungen und tadeln sie, wenn sie mit Kreide werfen und lärmen. Unglücklicherweise erhalten Mädchen im allgemeinen mehr Lob für *nicht*-schulische Leistungen – man sagt

ihnen, wie ordentlich und sauber sie sind, wie hübsch sie aussehen, etc.«
Dieses Verstärkungsmuster, sagt Carol Jacklin, kann dazu führen, daß sich ein Mädchen in der Schule als Versagerin *empfindet,* selbst wenn ihre Leistungen gut sind. Und Mädchen sind nur selten in der Lage, mit einer Situation fertigzuwerden, in der sie glauben, versagt zu haben oder vielleicht zu versagen. »Wir alle haben Situationen erlebt, die zumindest wie Fehlschläge *wirkten.* Die Frage ist: Hält man durch? Versucht man es energischer? Gibt man auf? Die Antwort – und ich empfinde das als traurig«, sagt Dr. Jacklin, »lautet: Mädchen geben auf.«
Ist die Abhängigkeit des kleinen Mädchens erst einmal entstanden, wird sie im Verlauf der Kindheit systematisch gefördert. Das Mädchen wird mit guten Noten, der Zustimmung von Eltern und Lehrern und der Zuneigung der Gleichaltrigen dafür belohnt, »nett« zu sein – nicht herausfordernd, nicht aggressiv – und sich nicht zu beklagen. Welchen Grund hat sie dann noch für abweichendes oder nonkonformistisches Verhalten? Alles geht gut, und deshalb paßt sie sich an. Sie strukturiert sich zunehmend im Sinn der Erwartungen, die an sie gestellt werden. Sie muß kaum mehr tun als sich gut benehmen und ihr Erinnerungsvermögen trainieren, um gelobt zu werden – und das gelingt ihr. Das Leben ist eigentlich einfach – bis zur Pubertät. An diesem Punkt geraten die Dinge für amerikanische Mädchen aus dem Lot.

## *Jugend: Die Erste Krise der Weiblichkeit*

In der Sprache der Entwicklungspsychologen ist eine »Krise« eine Phase der Spannungen und des Umbruchs, eine Zeit der Unsicherheit, in der sich die Angst im Hinblick auf die eigenen Fähigkeiten oder die Identität verstärkt. Durch den Prozeß der Lösung unserer Entwicklungskrisen werden wir reifer und gewinnen psychologische Gesundheit.

Mädchen erreichen mit der Adoleszenz ein einmaliges Entwicklungsstadium – Bardwick und Douvan sprechen von »der ersten Krise der Weiblichkeit«. Ehe Mädchen zwölf oder dreizehn sind, können sie in ihrem Verhalten mehr oder weniger eigenen Neigungen folgen. In der Pubertät schlägt die Tür der Falle jedoch zu. Jetzt wird von dem Mädchen ein neues, sehr spezifisches Verhalten erwartet. Subtil (oft auch weniger subtil) wird die junge Frau für ihren »Erfolg« bei Jungen gelobt. Die Mutter eines fünfzehnjährigen Mädchens, das sich nicht mit Jungen verabredet, macht sich Sorgen, gleichgültig wieviel ihre Tochter auf anderen Gebieten leistet. Sanft aber nachdrücklich drängt sie ihre Tochter dazu, eine heterosexuelle Partnerin zu werden. Das Mädchen hört – unvermeidlich – die laute und klare Botschaft: Es ist nicht gut, mit Männern zu sehr zu konkurrieren. Gut dagegen ist, den Jungen zu gefallen, sich mit ihnen zu vertragen.

An diesem Punkt stehen die Mädchen vor *dem zentralen Problem der Weiblichkeit in unserer Kultur: Dem Konflikt zwischen Abhängigkeit und Unabhängigkeit.* Wo liegt das Gleichgewicht? Was ist »richtig«? Was ist »angemessen«? Ein zu abhängiges Mädchen ohne eigene Ansichten und ohne Persönlichkeit gilt als uninteressant und reizlos, aber ein zu *unabhängiges* Mädchen ist auch nicht das Wahre. Die Jungen freunden sich mit ihr an, aber sie finden sie erotisch nicht sehr attraktiv.

Keinem Mädchen, das in unserer Gesellschaft aufwächst, muß man dies sagen: Sie *weiß* es. Also beginnt sie, ihre Prioritäten zu verlagern. Sie sieht jetzt ihre wichtigste Aufgabe darin, »erfolgreiche« Beziehungen aufzunehmen. Wie sie es als Kind gelernt hat, ist sie vom Feedback der anderen als Hauptquelle ihrer Selbstachtung abhängig. Am Ende von High School oder College vertauschen viele Frauen plötzlich ihre Werte. An die Stelle von Leistung tritt die Suche nach gesellschaftlicher Anerkennung um jeden Preis.[11] Ist dies der Fall, kommt das Streben nach leistungsbezogenem Können und nach Unabhängigkeit zu einem alarmierenden Halt.

Die Gesellschaft nimmt sie auf, aber in einer bestimmten Art, die dazu führt, daß Frauen nie mehr das *Bedürfnis* nach Unabhängigkeit oder das Streben nach Unabhängigkeit spüren – bis eine Krise im späteren Leben ihre scheinbare Zufriedenheit explosionsartig zerstört und ihnen vor Augen führt, daß sie zugelassen haben, hilflos und unterentwickelt zu leben.

## *Die Behinderung der heranwachsenden Tochter*

Die Familie, in der sie aufwächst, ist ein wichtiger Faktor, der das Leben des Mädchens entscheidend formt. Hier in den vier Wänden von Papas und Mamas Wohnzimmer wird sie ermutigt, einen eigenen Weg zu gehen und ein selbständiger Mensch zu werden, oder sie lernt, auf Sicherheit zu setzen.

Ruth Moulton untersuchte die Kindheitsgeschichte von erfolgreichen Patientinnen in akademischen Berufen und entdeckte dabei bestimmte faszinierende Konstanten. In vielen Fällen greift der Vater ein, blockiert die knospende Unabhängigkeit der Tochter, und die Mutter steht daneben und läßt es zu. Im Spannungsfeld der widersprüchlichen Erwartungen ihrer Eltern entwickelt sich die intelligente, ehrgeizige Frau, die meist zuwenig in ihrem Leben erreicht.

Betrachten wir als erstes die blasse, farblose Mutter. Im Hinblick auf die eigene Entwicklung hat sie dem Mann das Steuer überlassen und sich schon lange aus der Verantwortung für ihr Leben zurückgezogen. Die Pose der Unterordnung verleiht ihr den Nimbus, den eine Tochter als »etwas Farbloses und Unbestimmbares« beschreibt. Eine überraschend hohe Zahl von Frauen, die ich interviewte, erklärten beinahe entschuldigend: »Ich kann Ihnen nicht viel über meine Mutter erzählen. Sie ist so vage, ich weiß nie, woran ich bei ihr bin.«

Eine Frau, die ein Examen in Psychologie abgelegt und große Fortschritte in Richtung auf ihre Unabhängigkeit gemacht hat, ist noch immer verblüfft darüber, wie wenig Substanz ihre Mutter zu haben scheint. »Es ist seltsam, wenn man bedenkt, daß sie noch lebt und ich sie relativ häufig sehe. Mir ist einfach nicht richtig klar, wer meine Mutter ist – oder worum es in unserer Beziehung geht. Ich glaube, das wird sich nie ändern.«

Eine andere Frau beschrieb das »Vakuum«, das sie in ihrer Jugend empfand – eine Lücke in der Beziehung zur eigenen Weiblichkeit. »Mein Vater bestimmte alles in meinem Leben. Inzwischen habe ich selbst Kinder, und wenn ich zurückdenke, frage ich mich oft: ›Wo war meine Mutter damals?‹ Warum ließ sie es einfach zu, daß mein Vater alles an sich riß? War es ihr *gleichgültig,* oder war sie einfach schwach?‹«

»Mein Vater stand an erster Stelle«, sagt eine Malerin aus Missouri, die immer dann ein Arbeitstief erlebt, wenn sie sich verpflichtet hat, eine Ausstellung vorzubereiten. »Meine Mutter war sein Produkt. Wenn sie tat, was er wollte, liebte er sie, kaufte ihr Geschenke und umsorgte sie – sie war seine Königin. Er sorgte für sie. Und sie verhielt sich nach seinen Wünschen. Sie führte den Haushalt. Er kam immer mit Geschenken nach Hause.«

»War sie intelligent?« fragte ich.

»Ich weiß nicht«, antwortete die Frau, »möglicherweise war sie das früher einmal. Sie hatte aufgehört zu denken.«

Ein Grund dafür, daß die Mutter ein Schattendasein führte, liegt darin, daß der starke, vitale Ehemann sie einschüchterte. Die Mutter ist eine Art Halbmensch, die Friedensstifterin, die freiwillig im sicheren Schutz ihres Mannes lebt und von den aufreibenderen Aspekten des Lebens in der Welt verschont bleibt. Heftige Auseinandersetzungen, offene Machtkämpfe waren nicht charakteristisch für die Beziehung des Mädchens zu ihrer farblosen Mutter. Vielleicht herrschte sogar eine Art ereignislose Ruhe, eine täuschende Aura des Friedens, die das lähmende Paradox verhüllte, das allem zugrunde lag. *Mutter war da (oh ja! Sie war unaufhörlich, unaufhörlich da). Aber gleichzeitig war sie auch nicht da.*[12]

Unwissentlich wächst das Mädchen solcher Eltern mit dem zunehmenden Gefühl der Ablösung von ihrem »weiblichen Kern« auf, wie die Psychologen es bezeichnen. »Ich fühlte mich immer schuldig«, sagte mir die Chefbuchhalterin einer New Yorker Werbeagentur, »ich *lebte* mit Schuldgefühlen, weil ich mich nie weiblich fühlte. Mein Vater ermunterte mich, gerade zu stehen, hohe Absätze zu tragen und wie eine ›Dame‹ auszusehen. Aber ich wollte keine Dame sein. Es hatte damit zu tun, daß meine Mutter eine ›Dame‹ war; sie war das beschwichtigende Element in der Familie. Mama sorgt nie für Aufregung. Sie stellt keine Fragen. Sie will nichts wissen.«

Der Riß entsteht durch den grundlegenden Unterschied, den das Mädchen verinnerlicht: Vater ist aktiv; Mutter ist passiv. Vater ist unabhängig; Mutter ist hilflos und abhängig.

Zwischen Tochter und Vater kommt es manchmal zu einer besonderen Bindung. Sie sind wie Kameraden. Er spricht davon, wie sehr sie ihn an sich selbst erinnert. Sie fühlt sich geschmeichelt und bestärkt und hält sich für etwas Besonderes. Pamela Daniels, eine Sozialwissenschaftlerin an der Wellesley University, erinnert sich »an das kleine, wichtige rhetorische Ritual, das mein Vater und ich oft in Gesellschaft vollzogen. ›Wenn dein Papi dir sagt, du sollst etwas tun ... Was tust du dann?‹ fragte er, und ich antwortete: ›Ich tu's!‹ Kein Vater war je stolzer, keine Tochter je gehorsamer.«

Wie schockierend ist dann das abrupte Ende der väterlichen Anteilnahme, wenn ›sein Stolz und seine Freude‹ später versucht, eigene Wege zu gehen.

»Es ist immer wieder zu beobachten, daß der Vater seine Tochter nur so lange ermutigt, bis er fürchten muß, daß sie mehr weiß als er«, stellt Ruth Moulton fest, »oder daß sie für ihn sexuell attraktiv wird. Oft ist es der Vater, der sich gegen seine erwachsene Tochter stellt – derselbe Vater, der ihr jede erdenkliche intellektuelle Unterstützung gab, solange sie jünger war.«[13]

»Seit ich fünf war, sprachen meine Eltern davon, daß ich Konzertpianistin werden sollte«, erzählte mir eine junge Mutter aus Washington D. C., »dann plötzlich, als ich aufs College gehen sollte, fragte mein Vater: ›Was willst du studieren?‹ – ›Musik natürlich!‹ antwortete ich. ›Nein‹, erwiderte er, ›mit Musik kann man nur sehr schwer seinen Lebensunterhalt verdienen. Werde Grundschullehrerin. Dann kannst du wenigstens immer unterrichten.‹«

Die Frau tat, was Papa ihr nahelegte, und machte ihr Examen in Kinderpädagogik. Nach dem College arbeitete sie ein paar Jahre als Lehrerin, dann heiratete sie und bekam Kinder. Sie, die einmal die »vielversprechendste junge Musikerin« im Staat New York war, hat ihre musikalischen Ambitionen schon lange aufgegeben.

Traurig sagte sie: »Ich habe seit zwölf Jahren nicht mehr gespielt.« Sie besitzt nicht einmal mehr ein eigenes Klavier.

Viele junge Frauen, die große intellektuelle und kreative Fortschritte machen, verlieren – plötzlich und ohne Vorwarnung – jede Unterstützung des Vaters. Diese Erfahrung ist ein Schock, der auf einer tiefen Ebene als Verrat empfunden wird. »Ich befolgte seine Wünsche aufs Wort«, schrieb Simone de Beauvoir über ihre Beziehung zum Vater in der Jugend, »und das schien ihn wütend zu machen. Er hatte mich für ein intellektuelles Leben bestimmt, und doch warf er mir vor, ich hätte nichts als Bücher im Sinn. Seiner Mißbilligung nach zu urteilen, hätte man glauben können, ich hätte seinen Wünschen entgegengehandelt, indem ich einen Weg einschlug, den in Wirklichkeit er für mich gewählt hatte.«

Die junge Frau hat nicht genug Einsicht, um zu objektivieren, was mit ihrem Vater geschieht. »Ich frage mich immer wieder, was ich falsch gemacht hatte«, erinnert sich Simone de Beauvoir, »ich fühlte mich nicht wohl, war unglücklich und innerlich grollte ich ihm.«[14]

Der Groll ist nicht zu leugnen, aber die Tochter wird dadurch verwirrt, da sie an den Vater glaubt, an *seine* Darstellung der Situation – daß er sich um sie Sorgen macht; daß er sie erziehen will; daß er sie lieber verheiratet sehen möchte und ihr vorschlägt, sich ihren Talenten nebenbei zu widmen, weil sie sich ohnedies nie selbständig wird ernähren können.

Manchmal stellt sich heraus, daß der Vater mit der Tochter ebenso hart konkurriert, wie er es mit einem Sohn täte. Solange er einen Vorsprung hat, fühlt er sich sicher, und die kameradschaftliche Beziehung ist angenehm. Aber wenn das Mädchen sich anschickt, ihn zu überholen, beginnen die Schwierigkeiten. Der Vater verhält sich vielleicht offen feindselig, kritisiert sie »zu ihrem eigenen Besten« oder (noch heimtückischer) wird mißmutig und bemitleidet sich selbst.

Wir haben viel über die Mutter gehört, die Schuldgefühle fördert, aber nichts über den Vater, der dasselbe tut. Und doch kann es in der hier geschilderten Familienkonstellation durchaus der Vater sein, der versucht, die Anstrengungen seiner Tochter zu untergraben, indem er in ihr Schuldgefühle weckt.

Im Abschlußjahr an der High School vertraute Hortense Calisher ihrem Vater den Wunsch an, Schriftstellerin zu werden – genauer gesagt: Dichterin. Wie reagierte er darauf? Er brachte ein Notizbuch mit eigenen Gedichten zum Vorschein, erzählt sie uns, »über die er noch nie gesprochen hatte. Ich konnte nur einen kurzen Blick auf das Buch werfen, das nach seinem Tod nicht mehr auffindbar war. Er sagte: ›Hier . . . *ich* wollte Dichter werden. Aber vom Gedichteschreiben kann man nicht leben, mein Kind.‹«

Wie konnte sie es *wagen,* auf einem Gebiet Erfolg haben zu wollen, auf dem er versagt hatte? – war die unausgesprochene Implikation. Die junge Hortense nahm die distanzierte Haltung ein, die von allen verlangt wird, die sich selbst aktiv vom ›Behinderte-Tochter-Syndrom‹ befreien müssen, und schnaubte: »Ich will davon nicht leben!« Und dann ging sie daran, genau das zu *tun.*[15]

Wenn Väter spüren, daß die Töchter ihrer Kontrolle entgleiten, können seltsame Dinge geschehen. In den Jahrzehnten ihrer praktischen Arbeit als Psychotherapeutin hat Ruth Moulton eindeutige Beweise dafür gefunden, daß viele Väter rachsüchtig reagieren, wenn ihre Töchter versuchen, eigene Wege zu gehen. Ein Mann, den sie kennt, bestand hartnäckig darauf, daß seine Tochter heiraten sollte, sobald sie das College beendet hatte. »Das Mädchen *wollte* damals nicht heiraten. Sie wollte Jura studieren«, erzählte mir Dr. Moulton, »obwohl sie genau *wußte,* was sie wollte, war es ihr zunächst praktisch unmöglich, ihr Ziel zu verfolgen.«

Die Meinung des Vaters war dieser jungen Frau zu wichtig. Sie konnte nicht riskieren, daß er sie verstieß. Das wäre potentiell vernichtend gewesen. »Sie litt unter schweren Depressionen. Und erst eine lange Therapie ermöglichte ihr schließlich, sich gegen den Vater zu stellen und den eigenen Weg zu gehen«, sagte Dr. Moulton. Aber noch immer tauchte der Vater in allen wichtigen Momenten ihres Lebens auf. Wenn sie gerade glaubte, ihm gegenüber emotional souverän zu sein, geschah etwas und erinnerte sie daran, wie destruktiv ihr Bedürfnis nach seiner Zustimmung war.

»Im Verlauf des Studiums bot man ihr ein Stipendium in Europa an, und wieder geriet der Vater außer sich«, berichtet Dr. Moulton, »er wünschte, daß sie zu Hause blieb und an der heimatlichen Universität studierte. Sie wollte nach Europa gehen und tat es schließlich gegen seinen Willen.«

Danach war ihre Beziehung nie mehr dieselbe. »Als der Vater zehn Jahre später starb, erkannte die Frau, daß sie ihn bereits verloren hatte, als sie sich ihm zum ersten Mal widersetzte.«

Für manche Frauen kommt der Zeitpunkt des Abschieds oder der Trennung vom Vater und seinen Wünschen erst, wenn sie wesentlich älter sind. Meredith, eine Frau, die sich achtzehn Jahre lang in New York behauptet hatte, mußte sich vor kurzem der infantilen Behauptung zu ihrem Vater stellen, als sie ihre Stelle in einem großen Verlag verlor, wo sie mehrere Jahre gearbeitet hatte.

Ihr wurde im Zuge einer neuen Stellenpolitik gekündigt. Meredith, eine »gute Arbeiterin«, hatte nie daran gedacht, »Big Daddy« (wie sie jetzt die patriarchalische Verlagsstruktur beschreibt) zu verlassen; aber als Big Daddy *sie* verließ, sah sie mehrere Alternativen, die alle zur Entfaltung ihrer Persönlichkeit führen konnten. Sie konnte freiberuflich arbeiten, sich um eine Stelle in einem anderen Verlag bemühen oder wieder studieren und einen neuen Beruf ergreifen.

»Ich hatte das Gefühl, es sei der richtige Zeitpunkt, zumindest über einen neuen Beruf nachzudenken«, sagte Meredith. Sie war neununddreißig. Sie glaubte, sie könne das Negative, das ihr widerfahren war, in das Sprungbrett zu einem Wechsel verwandeln. Aber der Vater – der ihr, seit sie vierzehn war (als sie ihrem ersten Freund eine Absage erteilte, weil er nicht »der Richtige« für sie war) gesagt hatte, was sie tun solle – hatte andere Vorstellungen. »Papa war entsetzt, daß man seiner Tochter gekündigt hatte, und wollte ›sofort etwas dagegen unternehmen‹. Er kannte jemanden, der jemanden kannte, der den Verleger kannte – so in diesem Stil.«

Meredith war sich inzwischen der langen Geschichte der Einmischung des Vaters in ihr Leben bewußt geworden. Sie wehrte sich gegen seine Versuche, die Dinge in die Hand zu nehmen und ihr wieder einmal zu helfen. »Wer weiß?« sagte sie zu ihm, »vielleicht studiere ich wieder und werde Psychotherapeutin.«

Gut, wenn sie einen neuen Beruf ergreifen wollte, damit war er einverstanden. Aber *Psychotherapie? Seine* Töchter konnten *nur* Juristinnen werden.

»Ich finanziere dir ein Jurastudium«, sagte er. Wenn sie aber auf einer Ausbildung als Therapeutin beharrte, würde er ihr *nicht* helfen. Psychotherapie war nicht das Richtige für sie.

»Wieder einmal«, sagte Meredith, »hieß es: ›wenn du tust, was ich will, sorge ich für dich.‹ Das ist die Quintessenz der Beziehung zu meinem Vater. Wenn ich daran denke, könnte ich weinen.«

Obwohl dieser Gedanke immer die Wirkung gehabt hatte, daß Meredith sich hilflos oder den Tränen nahe fühlte, war sie schließlich zu einer neuen Einsicht gelangt: Sie würde entweder für den Rest ihres Lebens Papas kleines Mädchen bleiben, oder sie würde den ersten Schritt tun, um ihr Leben selbst in die Hand zu nehmen – wie angsterregend das auch sein mochte.

»Nach all diesen Jahren gestehe ich mir endlich ein, daß ich eine Prinzessin bin«, sagt sie, »meine Eltern sagten mir, was ich denken, was ich tun, welche Kleider ich tragen wollte. In unserer Familie tat man nie etwas ›*allein*‹ oder *anders* als die anderen. Man tat alles zusammen: Wir gingen zusammen einkaufen. Sie wählten meine Kleider, bis ich mit einundzwanzig von zu Hause auszog. Bis heute steht in meinem Führerschein die Adresse der Eltern in Rhode Island. Jedesmal wenn er verlängert werden muß, fahre ich deshalb nach Hause.«

Meredith sieht den Zusammenhang zwischen ihrer Abhängigkeit von den Eltern und dem Schock der Kündigung und sagt: »Ich fürchtete, ohne den Verlag nicht *leben* zu können. Ich hatte kein Geld gespart, ich hatte keine Versicherung, denn die Firma hatte immer die Sozialleistungen übernommen – genau wie Papa. Plötzlich wurde mir schmerzhaft bewußt, welchen Einfluß der Vater auf mein Leben hatte. Ich erkannte, wenn ich wollte, daß sich die Dinge änderten, durfte ich nicht mehr das tun, was *er* wollte. Ich mußte tun, was *ich* wollte.«

Zum ersten Mal in ihrem Leben hat Meredith realistisch und

selbständig gehandelt. Sie entschied, daß ihre finanzielle Situation zu diesem Zeitpunkt zu unsicher war, um einen Berufswechsel zu riskieren. Deshalb gründete sie ein eigenes Redaktionsbüro. Sie mietete ein Büro in der besten Gegend von Manhattan, stellte wenige, aber kompetente Mitarbeiter ein und bemühte sich (erfolgreich!) um erstklassige Kunden. Heute, zwei Jahre später, geht es ihr beruflich und finanziell gut. »Jetzt«, sagt sie, »habe ich das Geld und das Selbstvertrauen, das Fach zu wechseln, wenn ich das will. Zum ersten Mal in meinem Leben *weiß* ich, wozu ich fähig bin, denn ich habe mich tatsächlich befreit und gehandelt.«

### *Der Verrat der Mutter*

Die Töchter führen ihre Probleme oft auf den starken und übermächtigen Vater zurück. Aber in Wirklichkeit tragen beide Eltern zu den Schwierigkeiten der Frau bei, erwachsen und frei zu werden. Die farblose Mutter ist in vielen Fällen von der Tochter beinahe ebenso abhängig wie von ihrem Mann. Sie sündigt durch Unterlassung, indem sie die Anstrengungen der Tochter, Unabhängigkeit zu erreichen, *nicht* unterstützt.

Dr. Moulton berichtet von einer intelligenten Akademikerin, die die Forderungen ihrer abhängigen Mutter in jahrelange Konflikte stürzte. Schließlich gelang es ihr, zu studieren und zu promovieren. Sie heiratete, bekam Kinder und arbeitete halbtags. Obwohl sie sich lange und hart darum bemüht hatte, sich aus der bedrückenden Umklammerung einer abhängigen Mutter zu befreien, und obwohl ihre beiden Aufgaben sie befriedigten, war sie sehr verletzt, als ihre Mutter sich zu rächen suchte. Die Frau überschüttete ihre Tochter geradezu mit Mißbilligung: Sie solle nicht arbeiten, denn ihren Kindern würde Schreckliches geschehen. Ihr Platz sei zu Hause, usw. Schließlich machte die Mutter einen solchen Wirbel, daß der Vater der Tochter ein Gehalt ausbot, damit sie zu Hause bei den Kindern blieb »und sich Ruhe gönnte«. Damit, sagte die

Frau zu Dr. Moulton, die Mutter beruhigt war und dem Vater nicht länger in den Ohren liegen würde.
»Schon als Kind machte ich mir vage Sorgen um meine Mutter«, erzählte mir eine andere junge Frau, »mir schien, mein Vater schenkte ihr weniger Anerkennung als mir. Wenn die Zeitung auf den Frühstückstisch kam, diskutierte er die Leitartikel mit *mir.* Mutter war immer mit dem Geschirr beschäftigt oder stand am Herd in der Küche.«
In solchen Dreiecksbeziehungen bemühen sich die Mütter manchmal unverhohlen um die Aufmerksamkeit des Mannes. Aber meist kommunizieren sie nur die langsam schwindende Hoffnung für ihre Zukunft und unterschwelligen Neid. Sie sind ängstlich und wissen nicht, weshalb. Sie mißbilligen, daß ihre Töchter sich einer größeren Welt zuwenden. Innerlich empfinden sie die Intentionen der Tochter als Zurückweisung.
Aber nicht nur die Passivität der Mutter verletzt die Tochter. Oft sind es die großen Sorgen um das »Wohl« der Tochter, die ihre Bemühungen um Unabhängigkeit unterlaufen. Die Mutter versucht, die Aktivitäten der Tochter einzuschränken, damit sie »es nicht übertreibt«. Sie fordert den Vater auf, die Ausgangsverbote zu verschärfen. Sie spricht sich nachdrücklich für den »richtigen Freund« aus (den Jungen von nebenan), das »richtige« College. Wie Ruth Moulton es formuliert, ist die Mutter »oft eindeutig eifersüchtig auf den Drang der Tochter nach Freiheit und Individuation. Sie fürchtet, von der Tochter als unzulänglich bloßgestellt und übergangen zu werden; sie muß ihre eigene beschränkte Lebensweise rechtfertigen, obwohl sie ihr vielleicht nicht viel Glück und Zufriedenheit gebracht hat.«

Wie ergeht es den erwachsenen Frauen nach dieser Erziehung zur Abhängigkeit? Erwartungsgemäß nicht sehr gut.
In den letzten zehn Jahren haben Psychiater, Psychoanalytiker und Sozialwissenschaftler ungeheure wissenschaftliche Energie auf das Thema Frau verwendet – sie untersuchten frühe Kindheit, Kindheit, Jugend, frühe Erwachsenenjahre und die Mitte des Lebens. Dadurch entsteht ein völlig neues psychosoziales Bild von der Frau. Studien haben zum Beispiel gezeigt, daß Frauen nicht bereit sind, Frauen als Führerpersönlichkeiten anzuerkennen. In einer Untersuchung der University of Delaware führte man einer gemischten Gruppe ein Dia vor, das Männer und Frauen am Konferenztisch zeigte. Am Kopfende des Tisches saß ein Mann. Auf dem nächsten Dia saß eine Frau am Kopfende. Sowohl männliche als auch weibliche Testpersonen neigten dazu, auch auf dem zweiten Dia einen Mann als Konferenzleiter zu identifizieren. (Nur wenn ausschließlich Frauen um den Tisch saßen, wurde die Frau am Kopfende als Konferenzleiterin erkannt.)[16]
Wettbewerb ist für Frauen meist schwieriger als für Männer. Man muß uns nur in eine Wettbewerbssituation stellen, und unser Selbstvertrauen sinkt. Positives Feed-back steigert das Selbstvertrauen der Frauen. Aber man entziehe ihnen die verbale Unterstützung, und schon ist alles wieder beim alten.[17]
Wie sich herausstellt, fühlen sich Frauen selbst im Bereich von Hilfe oder Pflege unzulänglich, wenn sie nicht genau wissen, was zu tun ist. Aus Furcht, etwas Falsches zu tun, reagieren sie zu unbeweglich, um sich auf die Situation einzustellen und eine Lösung zu improvisieren.
Eine Untersuchung sollte feststellen, wie Männer und Frauen in einer Notsituation reagieren; sie sollten jemandem helfen, der einen epileptischen Anfall hatte. Die Frauen berichteten, daß sie sich in dieser Situation weit unsicherer fühlten als Männer. Sie waren damit beschäftigt zu überlegen, ob sie das »Richtige« taten oder nicht. Selbst *in* der Situation kreisten

ihre Gedanken zwanghaft um die Vorstellung, daß sie die Lage nicht beherrschten.[18]
Eine meiner Freundinnen illustrierte dieses Phänomen durch eine Geschichte, die mit dem Tod ihres Mannes zu tun hatte. »Von dem Moment, als er starb, bis zum Ende der Trauerfeier«, erzählte sie, »beschäftigte mich nur der Gedanke, ob ich alles richtig machte ... hatte ich die ›richtigen‹ Leute benachrichtigt und die ›richtigen‹ Psalmen ausgesucht? Ich überlegte zwanghaft immer wieder, ob den Leuten die Trauerfeier ›gefiel‹ ... als könne etwas richtig oder falsch daran sein, wie man einem Mann die letzte Ehre erweist, den man geliebt und mit dem man fünfundzwanzig Jahre zusammengelebt hat.«

Bei Frauen führt echter Erfolg nicht unbedingt zu neuem Erfolg. Untersuchungen zeigen, daß wir dazu neigen, uns um den psychischen Gewinn aus unseren Leistungen zu bringen, weil eine merkwürdige innere Zerrissenheit uns daran hindert, den Erfolg zu *assimilieren*. Wenn eine Frau zum Beispiel ein schwieriges mathematisches Problem löst, hat sie die Möglichkeit, diesen Erfolg ihrer Fähigkeit, dem Glück oder ihrer Anstrengung zuzuschreiben oder zu glauben, die Aufgabe sei leicht gewesen. Nach der »Attributionstheorie«, die danach fragt, welche Auswirkungen es auf das Leben von Menschen hat, ob sie dies oder jenes als Ursache von Ereignissen betrachten, führen Frauen ihren Erfolg meist auf äußere Einflüsse zurück; auf Ursachen, die nichts mit *ihnen* zu tun haben. Das »Glück« steht an erster Stelle.
Einerseits unterlassen Frauen es, Erfolge für sich in Anspruch zu nehmen, andererseits ergreifen sie jede Möglichkeit, sich für Fehlschläge verantwortlich zu fühlen. Männer neigen dazu, die Gründe für ihr Versagen nach außen zu projizieren; sie suchen die Schuld bei etwas oder bei einem anderen. Nicht so Frauen; sie absorbieren Schuld, als seien sie die geborenen Fußabstreifer der Gesellschaft. (Manche Frauen sprechen von ihrer Bereitschaft, Schuld auf sich zu nehmen, als sei sie eine Form von Altruismus. Das ist sie sicher nicht. Frauen beschuldigen

sich, weil sie fürchten, andere mit ihren Fehlern zu konfrontieren.)

Da Frauen zur Abhängigkeit erzogen wurden, sind Sie auch nicht risikofreudig. Wir wehren uns dagegen, in eine Lage zu kommen, die auch nur die Möglichkeit eines Risikos in sich birgt. Deshalb lehnen wir Tests ab – denn sie sind riskant. Wir scheuen uns vor neuen Situationen, vor Stellenwechsel oder Umzügen. Frauen fürchten, »das Falsche« zu tun und für einen Fehler bestraft zu werden.

Frauen mißtrauen ihrem Urteil weit stärker als Männer. In Beziehungen überlassen sie es meist ihrem Partner, die Entscheidungen zu treffen; und dies trägt dazu bei, daß sie im Laufe der Zeit dem eigenen Urteil immer *weniger* trauen.

Aber am erschreckendsten ist, daß Frauen ihr intellektuelles Potential meist weniger ausschöpfen als Männer. Dr. Eleanor Macoby von der Stanford University kam in einer großen Untersuchung geschlechtsspezifischer Unterschiede im intellektuellen Verhalten zu dem Schluß: »Erwachsene Männer erreichen auf nahezu jedem Gebiet intellektueller Tätigkeit, auf dem ein Leistungsvergleich möglich ist, wesentlich mehr als Frauen ... Artikel und Bücher, künstlerische Produktivität und wissenschaftliche Leistungen.« Im Lauf ihres Erwachsenenlebens werden die Werte für »allgemeine Intelligenz« bei Frauen immer niedriger, da sie ihre Intelligenz weniger und weniger *benutzen*, je länger ihre Ausbildung zurückliegt.

Andere Studien zeigen, daß *intellektuelle Fähigkeiten tatsächlich von Abhängigkeitstendenzen in der Persönlichkeitsstruktur beeinträchtigt werden können.* Die abhängige oder konformistische Persönlichkeit verläßt sich weitgehend auf äußere Orientierungshilfen – oder Orientierungshilfen von anderen – und dies kann den inneren Prozeß der folgerichtigen Analyse beeinträchtigen.[19]

Eine vor mehreren Jahren durchgeführte Untersuchung ergab etwas sehr Interessantes über das Verhalten von Frauen bei der Zusammenarbeit mit anderen: Das Selbstvertrauen der Frauen steht im umgekehrten Verhältnis zum Leistungsniveau ihrer Partner. *Je höher das Leistungsniveau des Partners, desto weniger kompetent empfinden sich die Frauen.*[20]

Bei den Leistungsproblemen von Frauen spielen Selbstvertrauen und Selbstachtung eine entscheidende Rolle. Der Mangel an Selbstvertrauen treibt uns in die dunklen Regionen des Neids. Wir erleben, wie die Männer scheinbar ohne Selbstzweifel ihrer Arbeit nachgehen – und beneiden sie wie ältere Brüder um ihre ungehinderte Freiheit. Es fällt uns leichter, an der Vorstellung festzuhalten, wie »glücklich« die Männer und wie »unglücklich« die Frauen sind. Wir ziehen uns auf die Ungerechtigkeit der Situation zurück und brauchen deshalb nichts zu tun, um die Kompetenz und Selbstachtung zu erwerben, die wir an anderen so sehr bewundern.

Aber gleichzeitig wollen wir mit den Männern konkurrieren. Die Psychiaterin Clara Thompson wies vor dreißig Jahren darauf hin, daß Frauen in einer wettbewerbsorientierten Gesellschaft tatsächlich benachteiligt sind – in einer Atmosphäre, die uns den Eindruck vermitteln kann, weniger wert zu sein. Diese Situation führt unvermeidlich zum Konkurrenzverhalten gegenüber Männern. Aber Dr. Thompson erklärte warnend, Neid müsse *erkannt,* richtig *gesehen* und verstanden werden; er kann zu leicht als Tarnung für etwas benutzt werden, das für die Unabhängigkeit der Frauen weit wichtiger ist: das geheime Gefühl der Inkompetenz. Damit müssen wir uns direkt auseinandersetzen, wenn wir Stärke und Selbstvertrauen erreichen wollen.[21]

Als ich die junge Anwältin Vivian Knowlton kennenlernte, befand sie sich im Teufelskreis des Neids, der sie daran hinderte, die inneren Probleme zu erkennen, die sie stagnieren ließen.

»Mich bestürzt, was zur Zeit in meinem Leben vorgeht«, erzählte mir Vivian. Wir saßen im Wohnzimmer ihres hübschen Schindelhauses in Berkeley, Kalifornien. »Ich verdiene gut, und meine Arbeit gefällt mir. Aber trotzdem fühle ich mich nicht gut. Jeden Tag hängt so etwas wie eine Angstwolke über mir, wenn ich ins Büro gehe.

Als ich vor drei Jahren zu arbeiten begann«, erinnert sie sich, »war ich jeden Morgen bester Stimmung. Ich eilte aus dem Haus, schwang die Aktentasche und rannte praktisch zur Bushaltestelle.

Nach etwa einem Jahr verlor ich den Schwung. Ich glaubte, ich sei gut im Beruf, aber im Rückblick weiß ich, daß dies hauptsächlich daran lag, daß ich gut darin war, mir Arbeit zuteilen zu lassen und zuverlässig zu erledigen, was man mir auftrug. Ich wurde zu der vielgelobten Fleißbiene. Immer wenn es Dreckarbeit zu erledigen gab, landete sie am Ende bei mir.«

Vivian setzte sich selten gegen die älteren Kollegen im Anwaltsbüro durch. Sie sagte sich, dies sei eben der Anfang und eine Lernerfahrung. (Wer war sie schon, um sich mit Leuten zu messen, die seit mehr als zwanzig Jahren praktizierten?) Im zweiten Jahr begann sie sich einzugestehen, daß sie ihre Fähigkeiten nicht ausschöpfte. »Auf Konferenzen verstummte ich völlig und war zu schüchtern, um eigene Gedanken zu formulieren. Aber wenn ein anderer Unterstützung brauchte, konnte ich überzeugend reden.«

Drei weitere Jahre vergingen. Man tadelte sie nie, lobte sie aber auch nicht. »Ich war zu einer C geworden, aber ich war es gewöhnt gewesen, eine A zu sein. Das machte mich traurig. Wo war die intelligente, energische Frau geblieben, die auf der Universität in ihrem Jahrgang ganz oben rangiert hatte?«

In der Anwaltskanzlei gab es noch eine weitere Frau, eine Teilhaberin. »Natalie war unglaublich selbstsicher. Ich fühlte mich versucht, sie mir zum Vorbild zu nehmen. Ich ertappte mich sogar dabei, daß ich ihre rauhe, tiefe Stimme imitierte. Es war verrückt. Es schien, als hätte ich jedes Gefühl dafür verloren, wer ich war, und so klammerte ich mich an die kleinen Eigenheiten und Manierismen eines anderen Menschen, nur um mitzuhalten.«

*»Warum ist es für Männer soviel einfacher?«*

Vivian betrachtete zwei junge Männer, die gleichzeitig mit ihr eingestellt worden waren, mit gemischten Gefühlen. »Paul und Hurf schufen sich von Anfang an eigene Plätze. Paul konzentrierte sich auf Schlupflöcher im Steuergesetz ... damit hatte sich die Kanzlei noch nie beschäftigt. Paul ließ sich davon nicht abschrecken. Er sammelte Informationen und Wissen auf diesem Gebiet und überzeugte Hodgkins und Pearl davon, daß dies ein lukrativer Zweig sei.«
Es ärgerte Vivian sehr, daß Paul bereit war, die Initiative zu ergreifen. »Er scheint die Kanzlei als Ausgangsbasis für seine persönlichen Pläne zu betrachten«, sagte sie bitter, »man hat das Gefühl, daß ihn die Firma, oder selbst das *Gesetz* nicht im geringsten interessiert.«
Die Kanzlei Hodgkins und Pearl ist für Vivian das Äquivalent des Erwachsenen geworden. Sie schimpft über ihre Arbeitgeber, beneidet aber gleichzeitig Paul, der nicht schimpfen *muß*. Er ist unabhängig genug, der Kanzlei gegenüber einen eigenen Standpunkt einzunehmen. Paul fürchtet den Chef nicht; er ist einfallsreicher und selbstbewußter als Vivian und deshalb für die Firma wertvoller.
Hurf ist weniger draufgängerisch und aggressiv als Paul, aber auch er nimmt persönliche Risiken auf sich, die Vivian panische Angst einflößen.
»Hurf interessiert sich nur für Gerichtsverfahren«, sagte sie, »normalerweise wird die Kanzlei nicht von einem unerfahrenen Anwalt bei Gericht vertreten. Aber Hurf ließ nicht locker; er bat immer und immer wieder um eine Chance. Nach einer Weile war es mir für ihn peinlich.«

Es ist nicht ungewöhnlich, daß Frauen glauben, ihre Kollegen seien »unsensibel« und »draufgängerisch«. Vivian bemerkte jedoch, daß jeder die Aggressivität der Männer in Kauf zu nehmen schien. »Jedesmal, wenn Hurf mit den Teilhabern sprach, gab es einen besseren Grund, ihm zu geben, was er sich wünschte. Schließlich legte er in einer Konferenz die Karten auf den Tisch.«

Hurf tat, wovor so viele Frauen im Berufsleben zurückschrekken. Auf der zweiwöchigen großen Konferenz von Hodgkins und Pearl stand Hurf vor allen Mitarbeitern auf und verkaufte sich auf das Risiko hin, auf die gegenteilige Meinung oder – Gott behüte! – Ablehnung zu stoßen. »Für den Fall Wilkinson bringe ich einmalige Voraussetzungen mit«, verkündete er und berichtete, sein Schwager sei manisch-depressiv, und die biochemischen Aspekte der Krankheit seien ihm ebenso vertraut wie die zivilrechtlichen Präzedenzfälle, in denen psychotische Anfälle eine Rolle spielten. Nachdem er sein Fachwissen dargelegt hatte, vertrat er die Ansicht, Hodgkins und Pearl könnten Geld sparen, wenn er den Fall Wilkinson bei Gericht vertrat.

»Ich kann Hurf nichts vorwerfen«, sagte Vivian, »er hat sich den Fall selbst erarbeitet und sich den Zugang bei Gericht erobert. Er hat keinen Hehl daraus gemacht, was er tat. Aber wenn so etwas geschieht, frage ich mich, warum ich nichts erreiche. Irgendwie habe ich das Gefühl, daß ich übergangen werde.«

*»Es ist ungerecht!«*

Da Gerechtigkeit – oder besser Ungerechtigkeit – für Frauen ein so zentrales Problem ist, kann das Thema »Fairness« leicht als Verteidigungs- oder Tarnmechanismus für die eigene Unzulänglichkeit benutzt werden. Frauen bedienen sich der Ungerechtigkeit, der sie, historisch gesehen, im Übermaß ausgesetzt waren, um sich vor weiterer schlechter Behandlung zu schützen – wie das jüngste Kind in der Familie, das in der Zwangsvorstellung lebt, von allen ungerecht behandelt zu werden. Frauen isolieren sich selbst durch das Gefühl, Opfer zu sein, und bleiben deshalb in der Falle stecken. Wie bei den geschlagenen Frauen, wirkt auch hier ein Schema negativer Verstärkung. Es entsteht ein leidhafter Kreislauf. Objektiv und wissenschaftlich gesehen, haben Frauen weniger Selbstvertrauen als Männer. Unsere Erziehung hinderte uns daran, den inneren Loslösungsprozeß zu vollziehen, der die Voraussetzung für Selbstvertrauen ist. In unserer Gesellschaft ist dies eine Realität; aber es ist selbstzerstörerisch, wenn die Frauen an diesem Punkt stehenbleiben. Und viele Frauen geben genau an diesem Punkt auf!

»Es ist *unfair:* Ich habe mein Examen mit Auszeichnung bestanden und sitze jetzt hier, arbeite mich durch *ihre* staubigen Akten und sammle Unterlagen für *ihre* Fälle«, sagt Vivian Knowlton, »es ist unfair. In den drei Jahren meines Studiums habe ich buchstäblich auf jedes gesellschaftliche Leben verzichtet, habe mich völlig abgeschlossen, um diese guten Noten zu bekommen, und jetzt sitze ich von morgens bis abends unter einer kalten Neonröhre und schlage in alten Wälzern nach.«

Das Leben verlief nach Regeln, die Vivian noch nicht kannte. Der Beruf forderte ein Maß an Unabhängigkeit, das auf dem College nicht verlangt worden war, um das Examen abzulegen. Sehr spürbar waren die Regeln jetzt andere. »Ich fühle mich betrogen, als hätte man mich auf etwas Großes und Aufregendes vorbereitet – die ganze Welt der Jurisprudenz schien mir offenzustehen – und jetzt diese schreckliche Enttäuschung.«

Vivian glaubt wirklich, daß ihre männlichen Kollegen alles, was sie tun, »mühelos« erreichen. Sie beneidet die Männer und fühlt sich ihnen unterlegen – und auch Natalie, ihrer älteren Kollegin. *Sie* scheinen etwas zu besitzen, das ihr fehlt; etwas, das sie zum Erfolg führt. Vivian benutzt ihr Gefühl gesellschaftlicher Benachteiligung, um vor sich selbst viele der schmerzhaftesten Emotionen zu verbergen – Gefühle, die sie daran hindern, echtes Selbstvertrauen und die Selbstachtung zu erringen, ohne die sie sich nie befreien kann.

Frauen behalten ihre Abhängigkeitsbedürfnisse lange über den Zeitraum hinaus, in dem sie für die menschliche Entwicklung normal und gesund sind. Ohne daß andere, und noch schlimmer, wir selbst etwas davon ahnen, tragen wir diese Abhängigkeit wie eine Krankheit in uns. Wir klammern uns an sie vom Kindergarten bis zur Universität. Wir tragen sie in unsere Berufe und in die angenehmen Arrangements unserer Ehen. Wie der Glassplitter im Herzen der Eiskönigin, sitzt die Abhängigkeit tief im Zentrum der Beziehungen zu unseren Ehemännern, Freunden, ja sogar zu unseren Kindern. Die meiste Zeit – und bei vielen von uns die ganze Zeit über – bleibt unsere fehlende Bereitschaft, auf eigenen Füßen zu stehen unbemerkt, denn es wird *nichts anderes* von uns *erwartet*. Frauen sind Menschen, die auf Beziehungen angewiesen sind. Sie geben und nehmen. Und dies, so hat man uns viele, viele Jahre vorgeredet, sei unsere *Natur*.

Und obwohl uns die Abhängigkeit verkrüppelt, haben wir sie hingenommen, ohne sie in Frage zu stellen.

# V. KAPITEL BLINDE ERGEBENHEIT

*Fünf Jahre Ehe.* Es war von Anfang an mein Ziel gewesen, meinen Mann auf eine Ebene zu bringen, die mir Sicherheit in der Welt geben würde. Sein Können war mein Können; sein Versagen hatte jedoch nichts mit mir zu tun. Es war ein hübsches, aber ungleiches Arrangement. Ich hatte meine Einstellung nie in Frage gestellt, hatte sie noch nicht einmal erkannt.

Im Sommer 1967 erhielt mein Ehrgeiz, ihn erfolgreich zu sehen, unerhörten Auftrieb, als er den ersten, langersehnten Zeitschriftenauftrag bekam. *The Atlantic Monthly* zeigte sich daran interessiert, daß er den Zusammenhang zwischen steigenden Lebensmittelkosten und den Werbeetats der großen Markenartikelunternehmen aufdeckte – eine Rechnung, die der nichtsahnende Konsument bezahlt. Die Zustimmung der Redaktion zu diesem Projekt gab Ed den Schwung, sich an die Arbeit zu machen, obwohl er nicht die Garantie hatte, daß der Artikel tatsächlich veröffentlicht würde.

In diesem Sommer verbrachte er die Abende damit, Material zusammenzustellen und den Artikel zu schreiben. Die Wende versetzte mich in Begeisterung (ich muß mir davon eine große und herrliche Zukunft versprochen haben). Meine neue Rolle als Sekretärin und Beraterin verlieh mir Energie. Der Sommer in New York war entsetzlich heiß, aber der Schweiß, der in unserer kleinen, engen Wohnung floß, wirkte wie eine gesunde Reinigung. Mit ihm verschwanden die Gifte des Versagens und der Frustration. Sobald Ed aus dem Büro nach Hause kam, stellte ich das Abendessen auf den Tisch. Dann setzte ich die Babys in den Kinderwagen, fuhr zum Spielplatz und blieb dort bis zum Dunkelwerden. Dann badete ich sie und brachte sie ins Bett. Zwischen halb neun und neun ging ich ins Eßzimmer, um durchzuarbeiten, was Ed in den vergangenen Stunden geschrieben hatte. Lektorieren hatte ich bei *Mademoiselle* gelernt – die Sätze und Gedanken anderer auf Klarheit zu untersuchen. Ich schrieb inzwischen eigene kleine Artikel über Mütter und Haushalt, aber die größeren Fragen, mit denen Ed sich auseinandersetzte, erweckten Ehrfurcht in mir – die Fragen der Politik, der Wirtschaft und der erwachenden Konsumentenbewegung. Waren Eds Gedanken verschwommen, konnte ich das erkennen und darauf hinweisen, daß an dieser Stelle mehr Klarheit erforderlich sei, aber über das Thema selbst wußte ich nicht viel und glaubte, man müsse etwas Zusätzliches – ein Examen? größere Intelligenz? als Mann geboren zu sein? – aufweisen, um sich mit solch komplizierten Dingen auseinandersetzen zu können.

Natürlich beruhte mein Problem teilweise darauf, daß ich neunundzwanzig Jahre alt war und mir immer noch nicht angewöhnt hatte, täglich Zeitung zu lesen. Jeder Bauarbeiter, der Abend für Abend sein Bier trinkt, während er die Nachrichten im Fernsehen verfolgt, wußte mehr über Wirtschaft und Politik als ich. Diese Dinge schienen für mein Leben irgendwie nicht relevant zu sein. Wer regiert das Land ... und wie ... und warum; was ist Geld, und welchen Gesetzen unterliegt es? – darüber machte sich eine Ehefrau mit drei kleinen Kindern keine Gedanken. Sie verließ sich – was ihr Wohl und das der Familie anging – auf die Anstrengungen eines anderen. Die Frauenbewegung stand damals gerade am Anfang; aber man erkannte dort nicht, daß die Frauen größere Eigenverantwortung übernehmen mußten. Die Frauen vertraten die Ansicht, daß man ihnen bestimmte Dinge *geben* müsse – Dinge, die man ihnen traditionsgemäß vorenthielt: bestimmte Berufe, gleiche Bezahlung, Entscheidungsrecht über ihr Leben und ihre Zukunft. Das Merkwürdige daran war, daß wir zwar diese Dinge forderten, uns aber nach wie vor auf andere – in erster Linie auf Männer – verließen, um sie zu bekommen. Wie es schien, hatte die Frau

das Stadium der Jugend erreicht: Wir wollten Freiheit, aber nicht die Verantwortung, die daraus erwächst.
Natürlich glaubten wir, die Verantwortung zu wollen. Ich glaubte, etwas zur Lösung des Problems beizutragen, daß Ed und ich nie genug Geld hatten. Aber was tat ich? Ich half ihm. Ich ebnete ihm den Weg und stärkte sein Selbstbild, damit *er* mehr Erfolg hatte. Eine neue Laufbahn als freiberuflicher Journalist schien ein Ausweg aus dem zukunftslosen Job des Angestellten einer Fernsehzeitung zu sein, der magere siebentausendfünfhundert Dollar im Jahr verdiente. Dies war eindeutig zuwenig für eine fünfköpfige Familie in Manhattan; aber es schien keine Alternative zu geben – es sei denn natürlich, Ed fand sie.
Es stimmt, die Gesellschaft hat den Frauen die volle Verantwortung für die Kindererziehung aufgebürdet. Wir waren ans Haus gefesselt – mit der Kette des ehrfurchtgebietenden Wissens, daß niemand außer uns für die Babys sorgen könne. Als ich meine Kampagne begann, Ed auf eine höhere, einträglichere Ebene zu bringen, gab es noch keine Kindertagesstätten. Sicher wäre es schwer gewesen, einen Babysitter zu finden, den wir bezahlen konnten. Aber wenn ich heute zurückblicke, weiß ich, ich hätte *etwas* tun können. Ich hätte einen Plan machen und ganz unten beginnen können, um mich allmählich dem Ziel zu nähern (später mußte ich es dann doch tun). Das Fehlen einer Kindertagesstätte war nicht der eigentliche Grund für meine Trägheit. Ich wollte in Wirklichkeit die Eigenverantwortung nicht übernehmen. Deshalb tat ich nichts, um meine Entwicklung in Gang zu bringen. Mit vierundzwanzig war ich vor der Unabhängigkeit davongelaufen; ich sah keinen Grund, mich ihr jetzt zu stellen. Innerlich sehnte ich mich immer noch danach, versorgt zu werden. Als Gegenleistung war ich bereit, sehr sehr hart zu arbeiten und mich mit vielem abzufinden. Ich war bereit, eine Sklavin zu werden.
Natürlich betrachteten wir die Sache nicht in diesem Licht. Ed tat das nicht; ich tat das nicht. Wir hielten uns lieber für

moderne und aufgeklärte Menschen. Ich war keine zimperliche Frau, die während der Schwangerschaft die Hände in den Schoß legte und in Ohnmacht fiel, wenn sie etwas erschreckte. Die Symptome meiner Phobie waren verschwunden. Die Ehe hatte mir Energie und Stärke geschenkt. Ich konnte drei kleine Kinder versorgen, die Wohnung in Ordnung halten, Essen kochen, Wäsche waschen *und* in den Büros der Senatoren anrufen und Termine für Ed machen. Ich hatte genügend Energie, für Ed zu einer Art zweiten Ichs zu werden und ihn mit meiner vorgespiegelten Stärke zu unterstützen.
Es war eine Illusion, daß Ed in diesem Sommer meine Hilfe brauchte, weil er an dem *Atlantic Monthly*-Projekt nur abends arbeiten konnte. In Wirklichkeit fürchtete er sich – er fürchtete den neuen Start (er könnte versagen); er fürchtete sich, Senatoren und Kongreßabgeordnete um ein Interview zu bitten (sie konnten ablehnen); er fürchtete sich, auf einem neuen Gebiet zu arbeiten, das mehr von ihm verlangte und seine Fähigkeiten auf die Probe stellte, was dazu führen konnte, daß er seine schönsten Phantasien für immer begraben mußte. Damals wußte ich das nicht, denn ich hatte mich nie meinen eigenen Dämonen gestellt. Ich hielt Eds Ängste für *unrealistisch*. Gleichzeitig gefiel es mir, daß ich an Ed glaubte. Ich wußte, er würde es »schaffen«. Mit viel Wichtigtuerei gelang es mir, an einem Nachmittag per Telefon einen vollen Terminkalender für Interviews in Washington zusammenzustellen.
»Mein Mann schreibt für *The Atlantic Monthly* einen Artikel über Lebensmittelpreise«, erzählte ich den Sekretärinnen und Assistenten. Ich war ruhig und überlegt. Es machte mich nicht nervös, mich mit der Macht der Presse zu schmücken (die Türen der Senatoren öffneten sich augenblicklich), denn es war nicht Machtanmaßung für mich, sondern für meinen Mann. Ich fühlte mich stark und routiniert, weil ich für meinen Mann handelte. Ich setzte nicht mein Image aufs Spiel und mußte nicht mein Talent auf die Probe stellen. Ich hätte eine glänzende Chefsekretärin abgegeben, die alle Fäden entwirrt,

die plant, organisiert und darauf achtet, daß der andere – der Chef, der Beschützer – stets bekommt, was er will.
Das eigene Leben einem Herrn und Meister in die Hand zu legen, kann sehr frustrierend sein. Aber es ist eine todsichere Strategie, um die Angst zu vermeiden, die mit Autonomie einhergeht. Es kam vor (es kam sehr oft vor), daß Ed seine eigenen Frustrationen auf Sauftouren zu ertränken versuchte. Einmal kam er mit einem Riß in seinem neuen Wollsakko nach Hause, und die Taschen waren von den Glassplittern der Cognacgläser zerschlissen, die er nach einem Presseempfang eingesteckt hatte. Solche Vorfälle stürzten mich in Verzweiflung, denn sie brachten mir meine Hilflosigkeit zu Bewußtsein – ich war so verwundbar. Ich hatte nicht die Fähigkeit, etwas zu *tun;* ich war vollkommen und unrettbar abhängig.
Am Morgen danach mischte sich in den Trübsinn immer ein dumpfes Gefühl der Erleichterung. Ein Tiefpunkt war erreicht worden; und mit ihm die Erkenntnis der Lüge, der Lüge dieses Lebens und der Energie, die damit verschwendet wurde, es aufrechtzuerhalten. Der zerknitterte Bademantel, die Bartstoppeln, der unangenehme Alkoholdunst gaben den Blick auf die schreckliche Wahrheit frei: Die Ehe stimmte nicht. Sicherheit und Schutz waren Trugbilder. Wir benutzten beide dieses Arrangement, um den zentralen Themen unseres Lebens aus dem Weg zu gehen.
Natürlich flüchtete ich in Panik vor dieser Erkenntnis wie vor einem Steinschlag. Ich suchte den festen Boden des vertrauten Lebens, und schon am Nachmittag desselben Tages versanken wir wieder darin: Schuldgeständnisse, Entschuldigungen, Besserungsschwüre und meine Bereitschaft zu vergeben.
Neun Jahre lang führte ich das Leben eines Kindes, das Erwachsensein spielt: Ich ließ die Kinder taufen und impfen; ich bezahlte Rechnungen und bemühte mich bei der Bank um Kredit, wenn die Zeiten schlecht waren; ich putzte die Wohnung, wechselte Windeln und versuchte, es allen Widrigkeiten zum Trotz zu schaffen. Hätte eine Göttin uns beobachtet, sie hätte nur lachen können. Denn dieser Göttin wäre

nicht entgangen, daß alle meine Bemühungen nach rückwärts gerichtet waren. Ich beschäftigte mich nur damit, die Mauern meines Gefängnisses intakt zu halten.

### *Der Ausweg Ehe*

Die Einstellung der Frauen zur Ehe hat sich im Laufe der Jahre nicht wirklich geändert. In einer Untersuchung, die zu ihrem Buch *Husbands and Wives* führte, stellten Anthony Pietropinto und Jaqueline Simanuer fest, daß viele Frauen in der Ehe noch immer die feste Burg sehen. Bei der Suche nach einem Ehemann halten sie nach dem Prinzen Ausschau, nach dem Menschen, der sie aus der Verantwortung befreit. Guter Sex und anregende Partnerschaft stehen erst an zweiter Stelle. Man gebe diesen Frauen einen Sockel, der sie hoch über die Gefahren authentischen Lebens erhebt, und sie werden glücklich sein, dort sitzen zu dürfen.

Die Ausbildung der Frauen hat, wie diese Untersuchung ergab, erstaunlich geringen Einfluß auf ihre Einstellung zu Liebe und Ehe. Eine Hausfrau mit Universitätsabschluß sagte den Autoren, sie habe ihren Mann gewählt, weil ». . . ich der Mittelpunkt seines Lebens war. Er tat alles, um mich glücklich zu machen. Ich glaubte, er würde ein guter Familienvater sein und mir finanzielle Sicherheit bieten.« (Finanzielle Sicherheit stand ganz oben auf der Liste der Forderungen vieler Frauen an einen Ehemann.)

Eine andere Frau – mit Collegebildung – sagte über den Mann, den sie schließlich einfing: »Er ist wirklich mein bester Freund – er war es immer und wird es immer sein. Ich habe ihn so lange umgarnt, bis er sich schließlich in mich verliebte und mich heiraten wollte.«

Eine Frau aus den Südstaaten erklärte, sie habe sich von der Ehe eine »intensive, romantische, erotische und liebevolle Beziehung« erwartet. Aber im nachhinein erkannte sie den romantisch verklärten Irrtum: »Ich suchte Sicherheit und wollte zu Hause bei den Kindern bleiben können. *Er* sollte mir Aufregung, Abenteuer und Liebe vor die Türschwelle bringen.«[1]

Das Auffallendste an den Aussagen ist der unverblümte Egoismus. Die Frauen scheinen geradezu besessen von der Idee, den Beweis zu erhalten, wie sehr sie geliebt werden. Darüber hinaus glauben sie, ein *Anrecht* auf die Sicherheit zu haben, die der Mann ihnen bietet.

Für eine Frau, die solche Ansprüche stellt, ist es typisch, daß sie nach einem Arzt Ausschau hält. Bei den Frauen von Ärzten steht die *Sicherheit,* die sie von der Ehe erwarten, vor allem anderen. Aber später kann man nur fassungslos feststellen, in welch großen Konflikt sie geraten und mit welcher Feindseligkeit sie die Männer behandeln, die ihnen diese Sicherheit geben. Eine Umfrage unter den Ehefrauen von Ärzten (die Ergebnisse wurden in einer Zeitschrift namens *Medical/Mrs.* veröffentlicht) ging der Sache auf den Grund. Hielt das Leben als Frau eines Arztes alles, was es einmal versprochen hatte? Die Zeitschrift stellte diese Frage ihren hunderttausend Subskribentinnen. »Wurden Ihre Erwartungen und das Versprechen der Gesellschaft erfüllt?«

Es ist kaum zu fassen, was diese Frauen zu sagen haben, die in einer beklagenswerten Existenz gefangen sind. »Von der Frau eines Arztes wird sehr viel mehr erwartet als von anderen Ehefrauen, aber sie erhält sehr viel weniger emotionale Unterstützung oder positive Resonanz«, klagte eine Frau, »wir können von unseren Männern nichts erwarten, noch nicht einmal, daß sie einen Nagel in die Wand schlagen.«

Die Frustration einer Arztfrau aus Maryland war unübersehbar und besonders deutlich an ihren Unterstreichungen abzulesen. »Ich *kann ihn nicht* zu der Einsicht bringen, daß Überstunden weder seinen Verdienst noch seinen Status verbessern, sondern der Familie etwas entziehen ... er hat mir keine Zeit gelassen, ein eigenes Leben zu führen, denn *ich führe den Haushalt und bändige die drei Kinder*!«

»Das Traurige ist«, schrieb eine andere Frau nach neunundzwanzigjähriger Ehe mit einem Arzt, »daß ich gezwungen war, mir ein eigenes Leben zu schaffen, das nichts mit ihm zu tun hat.« (Viele ältere und nicht wenige junge Frauen halten es für das Zeichen einer toten Beziehung, zu einem eigenen Leben »gezwungen« zu sein. Die Frau fühlt sich betrogen, wenn der Mann nicht die Zügel ihres Lebens in die Hand nimmt und ihr so einen Grund bietet, den eigenen Entwicklungsproblemen zu entfliehen.)

Die offensichtlich weltweit enttäuschten Arztfrauen entdekken, daß die finanzielle Sicherheit, die ihnen ihre Ehemänner bieten, in umgekehrtem Verhältnis zu dem steht, wonach sie sich noch mehr sehnen: *emotionale Sicherheit.* Feedback, Unterstützung, Freunde, Familienleben – dies sind, wie die Umfrage enthüllt, Bereiche, in denen der Arzt-Familienvater weniger gibt, als er bekommt. Viele Arztfrauen halten ihren Mann für langweilig und beschränkt. Im Gegensatz zu ihnen hat er keine »anderen Interessen«, sein Dasein zu beleben. Eigentlich *tut* er nichts. (Da sie kein Eigenleben führt, kann die Arztfrau nicht oder nur sehr schwer verstehen, daß ihr Mann gerade den Teil seines Lebens *genießt,* an dem sie keinen Anteil hat.) Der Zorn der Ehefrauen wird durch die Tatsache gesteigert, daß die Ärzte sich zu Hause wie kleine Tyrannen benehmen.

»Leiden Sie unter dem ›gottähnlichen‹ Status Ihres Ehemannes?« fragte die Zeitschrift weiter. Und prompt antworteten achtundvierzig Prozent der Leserinnen mit einem ungestümen: »Ja!« Eine Frau schrieb, offensichtlich am Ende ihrer Weisheit: »Mein größtes Problem ist, daß mein Mann nicht begreift, daß in einem gesunden Familienleben andere Erwartungen an ihn gestellt werden als in der Klinik, wo er vielleicht ein Gott und sein Wort Gesetz ist. Er will mir und den Kindern immer wieder Befehle erteilen, und wir lehnen uns dagegen auf ... er ist Neurochirurg, und ich verstehe den Druck, dem er im Operationssaal ausgesetzt ist. Aber ich bin jetzt sechsunddreißig, und die Kinder sind elf und zwölf. Ich habe keine Lust, mich noch weiter herumkommandieren zu

lassen. Ich werde ihn einfach soweit wie möglich ignorieren, bis ich einen besseren Ausweg gefunden habe.«
Welche Bitterkeit spricht aus den Worten dieser Frauen! Sie wollen Sicherheit – ja –, aber Sicherheit bedeutet für sie weit mehr, als einen Mann zu haben, der die Rechnungen bezahlt. Sie suchen den Mann, an den sie sich nachts anschmiegen können; einen Mann, der beim Schulsportfest und bei den Klavierdarbietungen der Tochter neben ihnen sitzt. Sie suchen einen Mann, der ihnen hilft, den Gemüsegarten zu planen, und hin und wieder Golf mit ihnen spielt. Statt dessen sind sie bei einem Ego in Großbuchstaben gelandet. Er trägt nur korrekte dreiteilige Anzüge und fährt den großen Wagen – seine Gesetze und Vorschriften werden *ihr aus großer Höhe erteilt.*
»Er kontrolliert alles . . . das Essen, den Haushalt, das Geld natürlich und meine Zeit«, klagt die Frau des Neurochirurgen.[2] Zweifellos glaubt sich der Arzt in seiner Rolle als Herrscher über die häusliche Szene im Recht. Im tiefsten Innern spürt er, daß er die Sicherheit seiner Frau mit seinem *Leben* bezahlt. Je mehr sie sich über seine Abhängigkeit beklagt, desto mehr Zeit verbringt er im Krankenhaus, um ihr aus dem Weg zu gehen. Er hält sein Leben für richtig und ist sogar stolz darauf. Gefühle, die ihn bedrohen, wie der Zorn seiner kindähnlichen Ehefrau, weist er von sich. Er macht seinem Zorn Luft und frustriert bewußt ihre Bemühungen, ihn zu zähmen und ans Haus zu fesseln. Er sitzt am längeren Hebel, denn schließlich kann seine Frau ohne ihn nichts tun; sie kann noch nicht einmal ohne ihn ausgehen. Um ihre Aktivitäten zu beschneiden, muß er nur ihre Kreditkarten stornieren. Bereits die Drohung finanzieller Entmachtung genügt, um die meist nicht berufstätige Ehefrau wieder zur Ordnung zu rufen. Sie glaubt, mehr als jeder andere Mensch verkraften zu müssen, gibt schließlich tief traurig (verdiente sie eigentlich nicht etwas Besseres?) auf und versucht, »ein eigenes Leben zu führen.«
»Zusammensein« war in den fünfziger Jahren das Synonym

für eine ideale Ehe. Dabei dachte man an die innige, intime Beziehung, in der Mann und Frau alles teilen: Gedanken, Meinungen, Träume, Erkenntnisse. In den sechziger Jahren wurde dem »Zusammensein« der Garaus gemacht; man entlarvte es als ungesunde gegenseitige Abhängigkeit, die es weder Mann noch Frau erlaubte, sich zu entwickeln, sich zu ändern oder zu wachsen. (Besonders den Frauenzeitschriften warf man vor, in der Vergangenheit die Position vertreten zu haben, die Frau solle dieses lähmende Zusammensein wünschen, solle es fordern und fördern.)

Vielleicht liegt es daran, daß in den vergangenen zehn Jahren eine Gegenbewegung stattgefunden hat, vielleicht daran, daß die Frauen im tiefsten Innern niemals aus dem Kokon des »Zusammenseins« ausbrechen wollten: die Ehe scheint noch immer vielen Frauen einen Fluchtweg zu bieten – ein Zurückweichen vor der Autonomie mit Zustimmung der Gesellschaft. Oberflächlich betrachtet, mag ihr Lebensstil nun freier wirken, aber die innere Angst der Frauen drängt sie zu einer verschmolzenen, symbiotischen Existenz, die sich grundsätzlich nicht vom Bild der fünfziger Jahre unterscheidet: Das liebende Paar, das Hand in Hand dem rosigen Horizont seiner Zukunft entgegenschreitet!

Psychologen nennen das Thema, mit dem wir uns hier beschäftigen, Individuation durch Abgrenzung. Es geht dabei um die Frage, ob jemand – Mann oder Frau – in der Lage ist, primär und fundamental allein zu sein; ein Mensch, der auf eigenen Beinen steht, eigene Ideen entwickelt und eine persönliche und einzigartige Sicht des Lebens hat. Mangelnde Abgrenzung ruiniert viele Ehen.[3]

## *In der engen Verbindung liegt Sicherheit*

Die Literatur der Ehepsychologie verwendet das Wort »Fusion«, um eine Beziehung zu beschreiben, in der ein Partner (oder beide) sich fürchtet, vom anderen getrennt oder allein zu sein. Er gibt seine individuelle Identität zugunsten einer angestrebten »verschmolzenen« Identität auf. Aussagen wie »ich kann seine Gedanken lesen«, »wir sind in allem derselben Ansicht«, und »wir spüren, was der andere fühlt«, sprechen nicht von Intimität; sie sprechen von Angst – der Angst zu wachsen und selbständig zu sein.

Der Wunsch nach symbiotischer Verschmelzung mit einem anderen hat seinen Ursprung in der Kindheit. Aus ihm spricht das tiefsitzende Verlangen nach Wiedervereinigung mit der Mutter.[4] Die erste Phase der Trennung ist in der Entwicklung des Kleinkindes psychologisch gesehen eine kritische Zeit. Das Kind ist sich seiner Identität noch nicht sicher, und die Trennung verursacht ihm Angst; es ist versucht, in das frühkindliche Stadium zurückzukehren, als es sich noch keiner getrennten Existenz bewußt und mit der allumfassenden, schützenden Mutter verbunden war. Joan Wexler und John Steidel, die an der Yale University Sozialpsychiatrie lehren, meinen, daß Erwachsene, die versuchen, mit ihrem Partner zu verschmelzen, einen regressiven Impuls ausagieren, der dem eines Kleinkindes gleicht. »Sie stehen Autonomie ambivalent gegenüber; sie fürchten sich vor ihrer Individualität, und sie fühlen sich bedürftig und allein«, sagen Wexler und Steidel, solche Menschen »sehnen sich danach und versuchen mit ihren Partnern den primitiven, ununterbrochenen, empfindsamen Austausch eines noch nicht sprechfähigen Kleinkindes wiederzuerlangen. Dieser Versuch einer Fusion ... ist ein Versuch, in der Verschmelzung zu verharren, nie allein zu sein und Individualität oder Anderssein zu leugnen.«[5]

Ehen, die Jahr um Jahr in einer Fusion verharren, fixieren Mann und Frau in einem psychologisch infantilen Entwicklungsstadium. Wexler und Steidel beschreiben das Phänomen mit dem erschreckenden Bild »zweier grauer Gestalten, die sich in einem unaufhörlichen tödlichen Tanz umklammern«.

Wie geraten Paare auf diesen Weg?

Es geschieht mit Kalkül. Sie unternehmen wohlüberlegte Schritte und achten sorgfältig darauf, der irritierenden Realität nicht ins Auge sehen zu müssen: Die Lage hat sich radikal verändert, und die Ehe ist inzwischen schmerzhaft und enttäuschend.

Natürlich sind die Männer für die Beibehaltung dieser Fessel mitverantwortlich. Aber meist sehen sich die Frauen stärker gefährdet, und sie sind mitunter äußerst geschickt darin, das Gleichgewicht zu wahren. Je abhängiger sie sind, desto stärker bemühen sie sich zum Beispiel darum, ein »ordentliches« Familienleben aufrechtzuerhalten – gemeinsame Mahlzeiten, feste Zeiten für das Aufstehen und das Zubettgehen und im allgemeinen ein eher humorloses Insistieren darauf, daß die Familie das »Richtige« tut, was im Klartext heißt: ›Mach es so wie ich.‹ Der Ehemann soll abhängig und berechenbar sein, und auf Geschäftsreisen bleibt er durch abendliche Kontrollanrufe ständig in Verbindung mit der Ordnung. Die abhängigen Ehefrauen versuchen in unterschiedlich starrer Weise, ein »Familienleben« zu konstruieren – ein kunstvolles gesellschaftliches Gewebe, ein Netz der Kinder, Verwandten und sorgfältig ausgewählten Freunde, in dem der Ehemann wie eine hilflose schillernde Fliege gefangen ist.

Manche Frauen setzen sich durch, indem sie hartnäckig alle Familienmitglieder unter Kontrolle behalten; anderen gelingt es durch blinde Ergebenheit. Sie machen sich dem Ehemann unentbehrlich, von dem sie im Grunde glauben, daß er es ohne sie nicht schafft. Es gibt eine Vielzahl von Methoden, das Hin und Her einer fusionierten Ehe im Gleichgewicht zu halten. Fürsorge und exzessive Identifikation mit dem Wohl des Partners ist eine davon.

Jessie Bernard, eine Soziologin an der Pennsylvania State University, stellt in ihrem Buch *The Future of Marriage* fest, daß »Frauen, die vor der Eheschließung durchaus in der Lage sind, für sich selbst zu sorgen, nach fünfzehn oder zwanzig Ehejahren hilflos werden«. Sie berichtet die Geschichte einer Frau, die vor ihrer Heirat Leiterin eines Reisebüros war. Als fünfundfünfzigjährige Witwe wußte sie nicht mehr, wie man einen Reisepaß beantragt, und mußte Freunde um Rat fragen. Sie war zu lange von den Realitäten des Lebens abgeschirmt worden.

»Mädchen werden dazu erzogen, sich von Natur aus als abhängig zu akzeptieren und sich berechtigterweise auf die größere Stärke der Männer zu verlassen. Und in vollem Vertrauen darauf, daß diese Erwartungen erfüllt werden, gehen sie später in die Ehe«, erklärt Jessie Bernard.

Natürlich gehört zu dieser Phantasie auch die Vorstellung, daß Männer »wie Eltern« sind: stark, unerschütterlich, bereit und in der Lage, die Familie zu schützen und jederzeit zu helfen. Im Märchen sind die Frauen die Nährenden; aber das Märchen berichtet nicht von der Kehrseite der Medaille: Frauen suchen bei Männern den Schutz, die Hilfe und Unterstützung, die Kinder von ihren Eltern erwarten. Sobald sie erst einmal verheiratet sind, gehen ihnen die Augen auf. Sie entdecken, daß ihre Männer alles andere als die Supermänner sind, die um ihre Hand angehalten hatten. Männer sind ebenso verletzlich wie Frauen, und im Versuch, persönliche Erfüllung zu finden, müssen sie mit eigenen Unsicherheiten kämpfen. Wenn sie diese Wahrheit erkennen, sagt Dr. Bernard, reagieren manche Frauen wie Kinder, »die plötzlich sehen, daß ihre Eltern nicht wirklich allwissend sind«.

»Manche Menschen herrschen durch Abhängigkeit«, sagt die Therapeutin Marcia Perlstein, »indem sie dem Mann das Gefühl geben, er sei der Boß.« Dies trifft oft auf Beziehungen zu, in denen der Mann um Selbstachtung ringen muß. »Er kann nur groß in der Welt auftreten, wenn er für jemanden groß ist«, sagt Marcia Perlstein, »indem die Frau sich gerade klein genug macht und diese Balance mit großer Sorgfalt aufrechterhält, kann sie den Mann und sich im Zustand symbiotischer Verschmelzung halten, und sie können ›glücklich‹ bleiben«.

Die Frau, die ihr ganzes Leben opfert, ihren Mann auf der rechten Bahn zu halten und ihre Kinder zu »beschützen«, ist keine Heilige, sondern eine Klette. Sie klammert sich auch angesichts unüberbrückbarer Gegensätze fest, nur um nicht die Ängste der Trennung zu erleben, den Schrecken, ungesichert dahinzutreiben und selbst einen sicheren Ankerplatz finden zu müssen. Wenn sie die Klammertechnik gut beherrscht, scheint sie noch nicht einmal sehr zu leiden. Sie ist die Frau, die »nur die guten Seiten sieht«. Sie ist die Frau, die sich in Situationen als hart und zäh erweist, in denen die meisten anderen zusammenbrechen würden. Sie ist die Frau, die »es phantastisch versteht, mit den Kindern umzugehen«.

Die Gute Ehefrau tut alles, um anderen zu gefallen. Was ihre eigene Entwicklung angeht, steht sie vielleicht gerade eben auf der Stufe eines Schulmädchens. Sie »stellt die Ehe in den Dienst der Regression«, wie Psychologen sagen. Das bedeutet, sie hofft unbewußt, durch die Beziehung zu ihrem Ehemann in eine längst vergangene, sichere Zeit zurückzufinden. Die Ich-Psychologen Rubin und Gertrude Blanck sagen, daß für die Gute Frau die Ehe »zur Möglichkeit wird, versorgt und unterstützt zu werden . . . zur Möglichkeit, ein Heim zu finden, statt selbst eines zu schaffen . . . eine Gelegenheit, den Konflikt abzuschwächen, statt ihn zu meistern.«[6]

Eine solche Beziehung dient als Tarnung neurotischer Tendenzen und muß deshalb dauernd feinfühlig manipuliert werden. »Manche Frauen, die zu mir in die Praxis kommen, haben ein sehr gutes Gespür dafür, was sich in ihrer Ehe verwirklichen läßt«, sagt Marcia Perlstein, Therapeutin in Berkely. »Natürlich funktioniert das Arrangement nicht wirklich, denn sonst kämen sie nicht zur Therapie. Von außen gesehen, scheint der Mechanismus zu funktionieren, aber innerlich sind diese Frauen nicht glücklich. Sie empfinden deutlich die Sinnlosigkeit ihres Lebens. Ihr einziges Kompetenzgefühl entsteht durch die Fähigkeit, Kontrolle auszuüben – durch Abhängigkeit zu erreichen, was sie wollen.«

Es gibt in einer abhängigen Beziehung mehrere Wege, das gewünschte Gleichgewicht aufrechtzuerhalten. Manchmal gibt die Frau vor, der Ehemann sei ihr überlegen. Das durchzuhalten, kann große akrobatische Verrenkungen erfordern. Manche Frauen *tun* so wenig, schränken ihr Leben so gravierend ein, daß sie sich geradezu weniger kompetent *machen.* Sie fühlen sich nur wohl, wenn sie sich kleiner als den Ehemann sehen. Sie beschwichtigen und besänftigen sich und drehen dem eigenen Ich den Rücken zu – den eigenen Bedürfnissen, Talenten und Interessen.

Der Psychiater Leon Salzman sagt, es sei ein ähnliches Verhalten wie die Selbstverleugnung des »Gefangenen, des Sklaven oder des Angehörigen einer Minorität, der seinen unwürdigen Status akzeptiert, *um maximale Sicherheit und Vorteile zu gewinnen.*«[7] In anderen Worten: Es bringt *Vorteile,* in der Knechtschaft zu verharren – so große Vorteile, daß viele Frauen lieber Sklavinnen bleiben, als die Sicherheit der Sklaverei aufzugeben.

Ein anderer Trick besteht darin, genau das Gegenteil zu tun: Die Männer zu verkleinern, indem man feststellt, daß sie wie Kinder sind; »die Männer sind alle gleich«, kann man auf den Spielplätzen, in den Küchen und Wohnzimmern Amerikas hören. »Ich war zu einem Abendessen eingeladen, bei dem Hausfrauen teilnahmen, deren Männer angesehene Astrophysiker waren«, berichtet die Soziologin Barrie Thorne, »die Männer saßen alle in einer Ecke des Zimmers und sprachen über Schwarze Löcher, ihre Ehefrauen unterhielten sich in der anderen Ecke des Zimmers darüber, was ihre Männer doch für Babys seien.«

Wenn Frauen dies tun, ist es ein sicheres Zeichen, daß sie leiden. Wenn sie sich auf das »alle Männer sind Babys«-Klischee einigen, können sie etwas von ihrer schmerzlichen, mädchenhaften Enttäuschung loswerden, ohne das Risiko einer Veränderung einzugehen. Sie müssen an ihrem Leben nichts verändern; sie beklagen sich einfach und trösten sich damit. (Wenn sie Gute Frauen sind, beklagen sie sich natürlich nicht.)

Die abhängige Ehefrau schwankt meist zwischen dem Wunsch, ihren Mann aufzubauen und ihn zu demontieren. »Mein Mann, das Genie«, ist ein verführerisches Spiel. So können wir uns weiterhin auf diese »Genies« stützen, selbst wenn es ausgemachte Dummköpfe sind.

In der Rolle der »zuverlässigen Pflegerin« kann die Frau, deren Selbstvertrauen auf unsicheren Füßen steht, eine scheinbare Macht gewinnen.

»Sieh, wie gut ich damit fertig werde«, spricht aus jeder ihrer Handlungen, »*Vertraue* auf mich! *Verlaß* dich auf mich!« (Und innerlich: *»Verlaß mich nie!«)*

Unter dem Vorwand, dem Ehemann zu helfen, mobilisieren viele Ehefrauen ihre Emotionen, um den Mann schwach zu halten. Schwache Männer brauchen ihre Frauen immer. Schwache Männer verlassen ihre Frauen nie. (Dies ist ein typisches Verhalten für die Frau eines Alkoholikers: Nach außen ist sie kompetent und souverän – aber innerlich fürchtet sie, allein gelassen, dahinzuschmelzen wie Butter in der Sonne.)

Die Gute Ehefrau hat natürlich dieselbe Charakterstruktur wie das Gute Mädchen – mit dem einzigen Unterschied, daß sie älter ist. Inzwischen beginnt man einzusehen, wie nachteilig es sich auf allen Gebieten des Lebens einer Frau auswirkt, daß sie zu Gehorsam, Fügsamkeit und Liebenswürdigkeit erzogen wurde. Eine der neuen Untersuchungen stellt fest, daß ein Zusammenhang zwischen dem »Braves-Mädchen«-Syndrom und Orgasmusschwierigkeiten besteht.[8] Dagmar O'Connor, eine New Yorker Psychologin, die im Rahmen eines Sextherapieprogramms am Roosevelt Hospital mehr als sechshundert Frauen behandelt hat, verglich Frauen, die keinen Orgasmus erlebten, mit Frauen, die einen Orgasmus hatten. Achtundachtzig Prozent der Frauen mit Orgasmusproblemen berichteten, sie seien als Mädchen und Teenager

»Brave Kinder« gewesen. Sie waren gehorsam, fleißig und erfolgreich in der Schule und hatten nie Auseinandersetzungen mit den Eltern. Interessanterweise fielen nur dreißig Prozent der zum Orgasmus fähigen Frauen in diese Kategorie. Die Untersuchung deutet zumindest auf einen vagen Zusammenhang zwischen psychologischer Unabhängigkeit und der Fähigkeit zum Orgasmus hin. Psychologisch abhängige Frauen können den Moment der Verschmelzung mit dem anderen erschreckend finden, wenn die Grenzen der Persönlichkeit und Identität verschwimmen. Da sie sich ihrer Identität nicht sicher, da sie abhängig, verwundbar und hilflos sind, ist der Moment leidenschaftlicher Hingabe für sie unerträglich, und deshalb wollen sie sich ihm nicht überlassen.

*Der zweite Versuch:*
*Auf der Jagd nach dem Mythos der Sicherheit.*

Frauen sind bereit, viel für die Ehe aufzugeben, aber trotzdem entdecken sie oft, daß sie ihnen keine wirkliche Sicherheit bringt. Eine Frau, die ich Jessica nennen will, sagte mir: »Es dauert nicht lange, bis man anfängt, sich zu fragen: ›Wie kann dieser Mensch, der so viele Fehler hat, für mich entscheiden?‹«
Vor ihrer zweiten Ehe hatte Jessica mit ihren Kindern fünf Jahre allein gelebt und in dieser Zeit eine Ausbildung als zahnmedizinische Assistentin abgeschlossen. Bald nachdem sie ihre erste Stelle in der kleinen Gemeinde in Massachusetts antrat, in der sie lebt, tauschte Jessica die neugewonnene Unabhängigkeit gegen einen gutaussehenden Ehemann ein. Wie sich schnell herausstellte, wünschte sich Ben ein Baby. Jessica hatte bereits drei Kinder aus erster Ehe. Aber sie dachte, wenn sie Bens Wunsch überhaupt erfüllen wolle, dann besser gleich, denn sie war bereits vierunddreißig. Ben hatte keine Kinder. Wie konnte sie ihm ein Baby versagen, wenn er das wollte?

Aber ein Baby war nicht alles, was Jessica Ben »schenkte«. Sie gab ihm ihre Ersparnisse – (die aus dem Verkauf ihres Hauses stammten), damit der neue Ehemann seine Schulden bezahlen konnte. Jetzt hat sie ein eineinhalbjähriges Kind, ein zweites ist unterwegs, und sie ist nicht mehr so glücklich darüber, daß sie alles aufgegeben hat. »Ich wollte Bens Schulden tilgen, damit er und ich einen neuen Anfang machen konnten. Aber wenn ich jetzt daran denke, daß ich mein Haus nicht mehr besitze, daß ich die dreizehntausend Dollar nicht mehr habe und auch keinen Beruf mehr ausübe, dann glaube ich, in einer Sackgasse zu sein. Ich denke daran: ›Wenn etwas schiefgeht, wenn ich aus irgendeinem Grund die Beziehung lösen möchte, dann wird es wirklich schwer werden.‹«

Jessicas Haltung illustriert deutlich den neuen Konflikt der Frauen. Emotional wünschen sie sich den Luxus, versorgt zu sein, aber sie sind intelligent genug, zu wissen, daß sie einen hohen Preis »für die Falle zu großer Sicherheit« bezahlen, wie Jessie Bernard es nennt. Jessica spricht mit einer Passivität über ihre Situation, als sei sie an ihren Entscheidungen nicht beteiligt. »Plötzlich bin ich finanziell nicht mehr unabhängig. Ich bin beruflich nicht mehr unabhängig. Irgendwann werde ich mich gegen diesen Zustand auflehnen und explodieren. Und der Grund: Ich kann mein Leben nicht mehr bestimmen. Ich habe die Kontrolle darüber verloren.«[9]

Soziologen haben festgestellt, daß Frauen in dem Versuch, die Ehe intakt zu halten, weit größere persönliche Anpassungsleistungen vollbringen als Männer. Die meisten Männer haben bei der Eheschließung nicht die Absicht, ihr Leben einschneidend zu verändern. Sie rechnen sich aus, daß für sie im wesentlichen alles beim alten bleibt. Sie werden nichts anderes *denken* und mehr oder weniger derselbe Mensch bleiben – nur sind sie jetzt verheiratet und nicht mehr ledig.

Frauen sehen das anders. Wir *werden* Ehefrauen, wie wir Mütter *werden*. Wir erwarten, uns zu verändern und weicher zu werden, und hoffen, daß jede Trennungslinie zwischen

»mir« und »ihm« verblaßt. Kurz gesagt, wir wollen mit dem anderen verschmelzen. Und obwohl wir diesem Konzept bewußt vielleicht nicht zustimmen, stellen wir das Arrangement kaum in Frage, auch wenn das Ergebnis der Verschmelzung mehr von *seinen* Ideen und Einstellungen geformt wird als von unseren eigenen. »Das Schrumpfen zur Ehefrau«, sagte Jessie Bernard, »bringt eine Neudefinition des Ich mit sich – eine aktive Umformung der Persönlichkeit, um den Wünschen, Bedürfnissen oder Forderungen des Ehemanns zu entsprechen.«[10]

»Das Schrumpfen zur Ehefrau« erfordert auch das Aufgeben von Können. Viele verheiratete Frauen müssen erkennen, daß sie sich nun selbst nicht mehr ernähren könnten, weil die Fähigkeiten, die sie vor ihrer Ehe entwickelt hatten, längst verkümmert sind. Frauen, die das erlebt haben, wissen, daß es eine traurige Täuschung ist zu glauben, man könne sechs oder sieben Jahre – solange die Kinder klein sind – »aussteigen« und dann wieder in den Beruf zurückkehren, als sei nichts geschehen. Man braucht vielleicht eine neue Ausbildung, eine Zeit der Neubesinnung. Man ist nicht mehr derselbe Mensch wie damals bei der Eheschließung. »Es ist ein kaum wahrnehmbarer Vorgang«, sagte die Frau, die ihren Beruf *und* die gesparten dreizehntausend Dollar aufgab, »als ich geschieden war, allein und ohne Mann lebte, glaubte ich, beinahe alles tun zu können. Ich trug die *Verantwortung*. Sobald ich wieder verheiratet war, erwartete ich sofort, daß der Mann alle möglichen Dinge für mich tat. Und wenn er mich enttäuschte, dachte ich: ›Das ist nicht fair!‹«

KM8P

Abhängigkeit schafft unvermeidlich Selbstzweifel; und Selbstzweifel können nur zu schnell zu Selbsthaß führen. Vergleichsstudien zeigen, daß Ehefrauen sich in einem weit negativeren Licht sehen, als es die Ehemänner tun. Frauen machen sich ständig um ihre Attraktivität, ihr Aussehen und ähnliches Sorgen. Wenn sie Schwierigkeiten haben, sich auf einem Gebiet der Ehe anzupassen, geben Frauen sich sehr schnell die Schuld und neigen dazu, eigene Fehler für das

Problem verantwortlich zu machen. Auch wenn der Mann die Schwierigkeiten in der Ehe verursacht, haben die Frauen das Gefühl, sie seien schuld.

Mir fiel auf, daß von allen Frauen, mit denen ich mich während der Arbeit an diesem Buch unterhielt, geschiedene und wiederverheiratete Frauen über Dreißig am resigniertesten waren, *denn sie hatten zwischen Ehemann Nr. eins und Ehemann Nr. zwei keine Unabhängigkeit entwickelt.* »Als ich geschieden war, hatte ich das Gefühl, im luftleeren Raum zu schweben, bis der nächste Mann kam«, sagte eine Frau aus Little Rock, »ich wartete einfach untätig auf den nächsten Ehemann.«

»Ich habe keine Berufsausbildung«, sagte eine Frau mit einem Magistergrad, die bis heute noch nie Geld verdient hat, »ich mußte nie daran denken, mich und meine Familie zu ernähren. Und es fällt mir sehr schwer, mich an diesen Gedanken zu gewöhnen.«

»Irgendwann kommt der Tag«, sagte eine andere Frau, »an dem man sich sagt: ›Moment mal, da ist etwas an diesem Menschen, das mir nicht gefällt, etwas, dessen ich mir nicht bewußt war, bevor ich mich gebunden habe . . . etwas, das ich eigentlich nicht mehr akzeptieren kann, denn ich bin inzwischen gewachsen und habe mich verändert.‹ Dann heißt es: ›Nun gut . . . was kann ich tun?‹ Man denkt an Scheidung, man denkt an Trennung . . . aber das zweite Mal ist das nicht mehr so einfach.«

Die Frau, die ihre Ersparnisse aufgab, sagte: »Man kommt an einen Punkt, an dem man erkennt, daß es bestimmte Dinge gibt, die man gerne ändern möchte, die man vermutlich aber nicht ändert . . . Das deprimiert mich manchmal, und dann denke ich: ›Aber es muß doch einen *Ansatzpunkt* geben!‹ Anfangs dachte ich immer wieder, daß ich verschiedenes ändern wollte, aber heute glaube ich, man muß sich einfach damit abfinden.«

Frauen, die sich nicht beklagen, Frauen, die in Ehesituationen, die ihnen nicht behagen, stoisch und ›stark‹ bleiben, sind meist Frauen mit einem ungesunden Ausmaß an Abhängigkeit. Als Ehefrauen sind sie unfähig, sich mit ihren Ehemännern auseinanderzusetzen. Um das wirkungsvoll zu können, müßten sie sich ihrem Zorn und ihrer Feindseligkeit stellen – und das wäre viel zu gefährlich. Die Liebe dieser Frauen basiert nicht auf einer freien Entscheidung, die aus innerer Stärke erwächst – eine Zärtlichkeit und Großzügigkeit, die sie sich leisten können, da sie sich als erwachsene und liebenswerte Menschen begreifen. Sie »lieben«, weil sie sich davor fürchten, allein zu stehen.

*Heraus aus der Unterlegenheit*

Abhängigkeit verstärkt sich selbst. Am Ende befindet sich die abhängige Frau im Zustand echter Versklavung. Gedemütigt blickt sie auf den »Unterdrücker«, auf den Mann, von dem sie abhängig ist. In diesem Stadium fällt es ihr schwer (wenn es nicht überhaupt unmöglich ist), nach innen zu blicken. »*Er* ist daran schuld, daß ich kein eigenes Leben habe«, sagt sie sich vor.

Marcia Goldstein, eine Psychotherapeutin in Berkeley, Californien, hat sich darauf spezialisiert, Paaren bei der Aufarbeitung ihrer symbiotischen, fusionierten Beziehungen zu helfen. Manchmal bleiben ihre Patienten nach der Therapie zusammen und sind in der Lage, als Individuen ein befriedigenderes Leben zu führen, den anderen mehr zu lieben und ihm weniger Zorn entgegenzubringen. Manchmal trennen sie sich. Aber wie die folgende Fallgeschichte zeigt, muß die Auflösung einer Beziehung, für das wenig mehr spricht als gegenseitige Abhängigkeit beider Partner, nicht destruktiv sein. Die Trennung kann einen Ausweg in die Freiheit bringen.

Der Mann in dieser Geschichte (nennen wir ihn Al) hatte immer wieder Beziehungen aufgenommen, ehe er wirklich dazu bereit war. »Er ist ein passiv-aggressiver Typ, der sich anfangs auf etwas einläßt, was er später ablehnt«, berichtet mir die Therapeutin.

Die Frau, die ich Lyn nennen will, war ein aktiver, extravertierter Mensch, Lehrerin und Leiterin ihrer Schule. Im Verlauf der beinahe vierjährigen Beziehung zu Al waren ihre Leistungen und ihr Selbstvertrauen immer weiter gesunken. Wie ihre Freunde feststellten, wirkte sie wie ein anderer Mensch. Al zog sich immer weiter von ihr zurück, je näher sie ihm kommen wollte. Er beklagte sich darüber, daß sie sich in sein Leben drängte. Sie zog sich zurück, aber ihre Selbstachtung war dahin.

Al war ein frustrierter Künstler und versuchte, sich als Gebrauchsgraphiker durchzusetzen. Lyn ermutigte ihn, abends in seinem Atelier zu arbeiten, während sie auf ihn wartete, »für den Fall, daß er spätabends noch etwas essen wollte.« Al *spürte,* daß sie auf ihn wartete und fühlte sich bedrängt. Die Umklammerung – »zwei graue Gestalten in einem tödlichen Tanz«, wie die Fusionstherapeuten Wexler und Steidl es bezeichnen – bestand seit langem. Der emotionale Streß, der aus dem Versuch entstand, Zorn und Haß zu bändigen, zehrte an den Kräften beider. Al rang verzweifelt um einen ›Platz‹ für sich, um die Einsamkeit, die ihm freie und spontane Arbeit ermöglichen würde. Aber in Wahrheit fürchtete er sich davor, sich zu befreien, denn er wollte dem Alleinsein entgehen. Deshalb externalisierte er sein Problem und machte Lyn dafür verantwortlich.

Lyn wiederum erschreckten Als Distanzierungsversuche. Wenn er sich von ihr absonderte – ein eigenständiges Individuum war –, empfand sie das als Ende ihres Zusammenseins. »Die Fusion eines Paares führt dazu, daß der Partner die ganze Welt bedeutet, daß er für das Wohl und Wehe des anderen voll verantwortlich ist«, stellen Wexler und Steidl fest, »wenn die Partner in ihren gegenseitigen Bedürfnissen übereinstimmen, geht alles gut. Wenn jedoch ein Partner nicht wie erwartet reagiert, treten Spannungen auf . . .«

Um eine fusionierte Beziehung im Gleichgewicht zu halten,

müssen beide Partner so bleiben, wie sie sind. In einer solch starren Beziehung bleibt kein Platz für Wachstum oder Veränderung. Vermutlich wird irgendwann einer der Partner die Beziehung sprengen, indem er mehr will, Enttäuschung zeigt oder sich bedroht fühlt. Dies geschah in der Beziehung von Lyn und Al. Obwohl Lyn sich für vernünftig und reif hielt, verstörte es sie, daß Al abends allein im Atelier arbeitete. »Wenn der andere nicht anwesend ist«, erklären Wexler und Steidl, »hält der Partner die Beziehung für verloren, und das ist für ihn gleichbedeutend mit dem Verlust des eigenen Ichs. Völlige Abhängigkeit wird da positiv als Zusammengehörigkeit verstanden.«

Wie kann man sich aus einer solchen Situation befreien?

»Lyn und Al trennten sich versuchsweise für drei Monate«, berichtete Marcia Goldstein, »ich habe das mit anderen Paaren bereits erprobt. Es ist ein Experiment, um die Umklammerung zu lösen, damit beide wieder frei atmen und vielleicht eine neue Perspektive entwickeln können. Im ersten Monat leben sie getrennt, aber monogam und beschäftigen sich hauptsächlich mit der Entfaltung des eigenen Lebens. Im zweiten Monat müssen sie nicht mehr monogam leben. Sie können diese Zeit dazu verwenden, um mit einer anderen Beziehung zu experimentieren. Im dritten Monat sind sie wieder monogam. Es ist die Zeit der Neueinschätzung und der Definition dessen, was ihnen die Beziehung gibt und was nicht.«

Nach Ablauf der drei Monate wurden Lyn und Al aufgefordert, unabhängig voneinander zu entscheiden, was sie tun wollten – sich trennen oder zusammenbleiben.

Lyn zeigte in der ersten Sitzung nach der probeweisen Trennung, was ihre Therapeutin als »die klassische abhängige Reaktion« bezeichnet. »Sie begann mit den Worten: ›Ich weiß, daß es lange dauern wird, aber ich liebe Al wirklich, und ich weiß, daß er mich wirklich liebt . . . und obwohl er sich von mir zurückgezogen hat, bin ich bereit, es wieder zu versuchen, wenn er ebenfalls dazu bereit ist.‹ – blah, blah, blah . . . das

klingt alles sehr vernünftig und ausgeglichen, aber dahinter steht die Überzeugung, daß sie es ohne Al unmöglich schafft.«
Lyn hatte zu diesem Zeitpunkt überhaupt noch keine Entscheidung getroffen. Sie klammerte sich verzweifelt an »die Beziehung.«
Die Therapeutin hatte in der Zwischenzeit Al bereits gesehen und wußte, daß er beschlossen hatte, sich von Lyn zu trennen. Wie würde Lyn mit ihrer Abhängigkeit darauf reagieren?
»Neben ihrer Beschäftigung mit Al hatte sich in Lyns Leben viel ereignet«, sagte Marcia Goldstein, »sie hatte inzwischen eine bessere Stellung, und – dies war sehr wichtig – sie hatte während der Trennung von Al viel mehr Kontakt mit Freunden und Freundinnen. Sie waren zusammen spazierengegangen, hatten sich zu Picknicks verabredet und gute Gespräche geführt. Wie so viele abhängige Frauen, hatte Lyn sich mit ihrem ein und alles abgesondert. Sie war an einem Punkt angelangt, an dem sie sich nicht mehr auf andere Menschen *beziehen* konnte.«
Lyn glaubte, sie sei zwar noch immer sehr abhängig von Al, aber diese Überzeugung beruhte auf den alten Vorstellungen, und nicht auf den neuen Gegebenheiten ihres Lebens. »Ich wußte, daß Lyn begonnen hatte, ein solides Fundament zu legen. Ich fragte sie deshalb, ob sie bereit sei, die Beziehung zu Al um jeden Preis aufrechtzuhalten. Sie dachte eine Weile nach und antwortete:
›Nein. Wenn er mich weiterhin ablehnt und in mir den Grund sieht, daß er nicht kreativ arbeitet, wenn er das Gefühl hat, mir einen Gefallen zu tun, wenn er die Beziehung nicht abbricht, dann . . . nein. Dazu wäre ich nicht bereit.‹«
Bei der folgenden Sitzung mit Al war Lyn in einem emotionalen Zustand, den Marcia Goldstein als »mutig-verletzbar« beschreibt: Sie erklärte Al: »Ich werde dich nicht anlügen. Wir haben zuviel zusammen durchgemacht, und ich will dir nichts vorspielen . . . Die Beziehung bedeutet mir sehr viel, teils aus Gewohnheit, teils wegen allem, was geschehen ist, aber hauptsächlich, weil mir wirklich viel an dir liegt. Wenn

ich erreichen könnte, daß du die Beziehung *möchtest,* wenn ich dich wirklich *ganz* haben könnte und wenn wir uns das Versprechen geben könnten, daß wir trotzdem versuchen, unser eigenes Leben zu leben – wenn du zu alldem bereit wärst, dann würde ich die Beziehung wollen. Aber wenn du auch nur im geringsten zögerst, bin ich dafür, daß wir uns trennen, obwohl es für mich sehr schmerzhaft wäre.«

Marcia berichtete: »Al sagte Lyn, er könne ihr nicht geben, was sie wolle. Und die beiden trennten sich hier in meinem Büro. Ich fand es unglaublich schön. Es war Lyns Reifeprüfung der Unabhängigkeit.«

Seit der Trennung ist Lyn »zärtlicher, verletzlicher und liebevoller zu ihren Freunden«, berichtet ihre Therapeutin. »Und sie bereitet eine Reise nach Europa vor. Das ist sehr wichtig: Wenn Menschen sich wirklich aus der Abhängigkeit befreien, tun sie das auf positive Weise. Sie erleben den Aspekt der *Freiheit* in der Unabhängigkeit, und nicht den Aspekt der Isolation. Wenn sie noch immer anhängig denken, erleben sie die Isolation, das Selbstmitleid – unabhängig davon, was sie auch tun mögen. ›Ich stehe ganz allein auf der Welt, und es ist mein Schicksal, nie wieder eine enge Beziehung zu haben ... nie wieder glücklich zu sein‹, klagen sie. Lyn sagt sich: ›Ich brauche mir keine Sorgen mehr darum zu machen, ob er mich liebt oder nicht. Ich kann für drei Monate nach Europa gehen, dann komme ich zurück, suche mir eine Wohnung und widme mich meinem Beruf.‹ Dies ist das Barometer dafür, ob man sich wirklich aus der Abhängigkeit befreit hat: Wenn man nicht diese Energie aufbringt, dieses Vertrauen, dann hat man sich nicht wirklich befreit.«

# VI. KAPITEL DIE PANIK DER FRAUEN

Wie geschieht es, daß man plötzlich etwas wagt, wenn man noch nie im Leben etwas gewagt hat? Was gibt einem den Anstoß, den Drang, an den Rand des Vertrauten zu gehen und den Schritt ins Unbekannte zu tun?
Bei vielen Frauen ist es ein Gefühl der Verzweiflung.
Als ich schließlich zu schreiben begann, war das nicht in der Schule, auch nicht bei *Mademoiselle,* sondern in der winzigen Fünfzimmerwohnung an der Nordgrenze von Greenwich Village; mein zweites Kind war gerade einen Monat alt. Ich erinnere mich sehr deutlich an diesen Abend, denn ich war nicht gefaßt auf das, was geschehen sollte. Der Drang war aus dem Nichts gekommen (so wenigstens schien es rückblikkend), er war eine plötzliche, heftige Anwandlung zu schreiben, Worte zu Papier zu bringen. Diese Worte waren ein Anfang, denn sie kamen mir in den Sinn, und ich schrieb sie nieder, ohne daß ein anderer sich einmischte. Es war herrlich und klar. Es war die erste unabhängige Erfahrung seit meiner Eheschließung. Die Wohnung war ruhig und stellte keine Anforderungen an mich. Mein Mann schlief auf dem Sofa im Wohnzimmer. Mein Sohn bekam seine mitternächtliche Mahlzeit. Ich erinnere mich daran, daß ich ihn mit der linken Hand an die Brust legte und mit der rechten begann, fieberhaft zu schreiben. Während das Baby trank, formte sich etwas ungestüm in meinem Kopf, das ich anderen mitteilen wollte. Ich schrieb ohne Unterbrechung und wie im Fieber. Ich nahm mir kaum die Zeit, das Baby wieder ins Bettchen zu legen. In den frühen Morgenstunden saß ich allein zwischen den rauchenden Schornsteinen der Nachbardächer.
Ich wollte nicht länger allein sein; das trieb mich dazu, mit

dem Schreiben zu beginnen. Es war ein altes Alleinsein, viel älter als das Alleinsein, das ich aus meiner Ehe kannte. Es stammte aus der Zeit der kleinen Konfessionsschule in Valley Stream, Long Island, aus der Zeit der ärgerlichen Nonnen, meines mageren Körpers, der auseinanderstehenden Zähne, der Vorstellung, daß ich immer zu jung, zu mager und nie im Einklang mit der Welt stand, die mich umgab: den Eltern, den Mitschülerinnen und den Freundinnen. Jahrelang war ich Außenseiterin und Anführerin gewesen, hatte dazugehört und war ausgestoßen. Ich hatte existiert, aber immer etwas rechts von dem Bild, das ich von mir hatte; und es war ein einsames selbstentfremdetes Leben. Als ich schließlich ausbrach, lag dahinter die Motivation zu sagen: »Seht mich an! Ich habe etwas mit euch gemein! Ich habe Gefühle, die ihr sicher wiedererkennen werdet.« Ich glaube, daß ich damals wie heute besonders für andere Frauen schrieb.

Am Anfang waren die Gefühle, über die ich schrieb, ungefährlich genug – die Frustrationen einer jungen Frau und Mutter, die versuchte in einer großen, lärmerfüllten, schmutzigen Stadt zurechtzukommen. In meiner Einsamkeit stellte ich mir vor, daß die Frauen, die meine Artikel lasen, tatsächlich *sehen* konnten, wie ich in einem Wohnzimmer mit einer Feuerleiter vor dem Fenster saß und das Kleid nach dem Schnittmuster von *Vogue* nähte, während überall auf dem Fußboden zerbrochenes Spielzeug lag. Ich stellte mir vor, daß sie wußten, daß ich manchmal nicht mehr wollte, als in der Lage zu sein, den Eyeliner glatt und sauber aufzutragen, aus dem Haus zu gehen und zu vergessen, daß ich noch nicht dreißig war und mich verbraucht fühlte – ein Mädchen, das irgendwie alt und müde geworden war, ohne je zur Frau erblüht zu sein.

Im Lauf der Zeit wurden die Frustrationen stärker; und das Risiko, über sie zu schreiben, nahm zu. Sieben Jahre nachdem mein erster Artikel erschienen war, fühlte ich mich bereit zu sprechen. Es war kein Zufall, daß ich auch bereit war, meine

Ehe zu lösen. Es schien ein Zufall zu sein, daß beides zusammenfiel – das Bedürfnis, die falsche Sicherheit der Beziehung zu meinem Mann abzuwerfen, und das Bedürfnis, mein Schreiben als Akt der Selbstdefinition zu benutzen. Ich hatte begonnen, selbst zu denken. Die Ansichten meines Mannes, an die ich mich anfangs aus einer Art kindlicher Faszination geklammert hatte und an denen ich später festhielt, weil ich meinem Denken völlig entfremdet war, kamen mir mittelmäßig vor. Ich erkannte, daß ich die meisten Dinge anders sah als er. Vieles von dem, was er als wichtig betrachtete, berührte mich nicht im mindesten.

Um aufrichtig zu sein, ich sah auch, daß dieser Mann mich nicht beschützen konnte. Ich war an einen Punkt gelangt, an dem es weniger gefährlich schien, allein zu leben, als weiterhin eine Ehe zu führen, die uns beide in Täuschungen gefangenhielt. Seltsamerweise kam mir diese Erkenntnis am Ende eines Jahres, in dem Ed nicht getrunken hatte. Wir waren gewöhnliche Alltagsmenschen, die kein Anrecht darauf erhoben, etwas Besonderes zu sein. Ohne Krisen schien unser Zusammenleben geistig und emotional auszutrocknen.

Durch das Schreiben, *mit* dem Schreiben hatte ich begonnen, mich zu entfalten. Das Schreiben verlangt einzig den Einsatz des Verstandes und der eigenen Emotionen. Es ist niemand da, der einen lobt, während man einen Absatz nach dem anderen schreibt; es ist niemand da, der einem sagt: »Braves Mädchen – du bist auf dem richtigen Weg.« Man entscheidet allein, und die Entscheidungen nehmen kein Ende. Es gibt viele Wege, auf denen man sich kennenlernen – und akzeptieren – kann. Es gibt viele Wege, auf denen man sich direkt mit dem Leben auseinandersetzen kann. Bei mir kam dieser Prozeß durch das Schreiben in Gang.

In unserem Jubel über die große Zahl der Frauen, die wieder berufstätig werden, übersehen wir die Tatsache, daß die Hälfte aller verheirateten Frauen *nicht* arbeitet. Darunter sind viele Ehefrauen der Mittel- und Oberschicht – intelligente, gebildete und (zumindest zu einem Zeitpunkt in ihrem Leben) ehrgeizige Frauen. Jetzt sind sie eine Dunkelziffer in der Statistik – ein riesiges Reservoir ungenutzten Talents.

»Man sagte mir immer wieder, ich sei kreativ«, schrieb mir eine Frau aus dem eleganten Vorort Bedford Village in Westchester County, New York, »einige meiner Freunde vertrauen mit unglaublicher Geduld noch immer darauf, daß ich in der Kunstszene wie ein strahlender Komet auftauchen werde, während *sie* jeden Tag von neun bis fünf EKG-Berichte schreiben und das auch immer getan haben. Ich saß währenddessen wie betäubt da und versuchte zu entscheiden, was ich *tun soll,* wenn ich erwachsen bin. Helfen Sie mir! Ich werde mich jetzt wieder ans Klavier setzen, oder in den Garten gehen und Kohlraupen ablesen.«

Die Frau, die diesen Brief schrieb, ist siebenunddreißig Jahre alt.

Ende der sechziger Jahre kam aus Ann Arbor, Michigan, eine mögliche Antwort auf die Frage, warum Frauen solche Hemmungen haben, ihr Talent zu entfalten. Auf ihrem langen, mühsamen Weg zu einem Doktorat in Psychologie hatte Matina Horner an sich eine besondere Art Panik erlebt. Ihr kam der Verdacht, daß Erfolg – der *Gedanke* an Erfolg – für Frauen etwas völlig anderes bedeutet als für Männer. Frauen scheinen sich nicht so um Erfolg zu bemühen wie Männer. Sie wollen nichts riskieren. Wenn alles gutgeht, sind sie ebenso ängstlich, wie wenn ein Fehlschlag oder eine Absage bevorzustehen scheint. Etwas zu können – etwas wirklich gut zu können, *Erfolg* zu haben – scheint ungeahnt viele Frauen, die die Fähigkeiten besitzen, in ihrem Leben etwas Substantielles zu leisten, in panische Angst zu versetzen.

Matina Horner beschloß, dieses Phänomen zu untersuchen. Sie begann mit Forschungen, die sie schließlich in die vorderste Reihe eines neuen Gebiets – die weibliche Psychologie – katapultierten. Sie testete neunzig Studentinnen und achtundachtzig Studenten an der University of Michigan. Sie entdeckte einen Zusammenhang, den bis zu diesem Zeitpunkt kein Wissenschaftler auch nur geahnt hatte: Frauen haben die

Tendenz, sich bereits bei der Aussicht auf einen möglichen Erfolg so zu verkrampfen, daß dadurch der Wille zum Erfolg erlischt. Sie nannte dieses Phänomen *Erfolgsangst.*

Bereits bei der Auswertung der Testergebnisse wurde deutlich, daß ein hoher Prozentsatz der Frauen unter dieser Angst litt. Wie sich herausstellte, waren es soviel mehr Frauen als Männer, daß man das Problem in gewisser Weise als ein Problem der weiblichen Psyche betrachten konnte. Es handelte sich dabei nicht einfach um die Frage der Unsicherheit, ob die Frauen die Voraussetzungen besaßen, eine Aufgabe zu lösen. *Je besser ihre Voraussetzungen, desto ängstlicher waren sie.* »Frauen, die wirklich etwas leisten wollen und tatsächlich dazu in der Lage sind«, sagt Dr. Horner, »leiden am stärksten unter Erfolgsangst.«[1]

Dr. Horners Ergebnisse haben vielleicht in der wissenschaftlichen Welt zu Meinungsverschiedenheiten geführt, aber die Frauen, die durch die Medien von der Erfolgsangst erfuhren, begriffen spontan, worum es sich handelte. Konnte es wirklich sein, daß die Frauen sich um den Erfolg brachten? Konnte es wirklich sein, daß unsere Ängste um Liebe, Männer und emotionale Sicherheit – alles in dem sehr überfrachteten Begriff »Weiblichkeit« eingebettet – ein signifikanter, wenn nicht sogar wesentlicher Faktor dafür war, daß wir nicht von der Stelle kamen?

### *Die Krise durch Erfolg*

Die Methode, mit deren Hilfe sich diese seltsame, bis dahin unbekannte Angst aufdecken ließ, nennt man »projektive Ergänzungsgeschichte«. Dr. Horner war dadurch in der Lage, etwas über die unbewußten Haltungen von Studentinnen und Studenten zu erfahren; sie fand heraus, was sie fühlten, und weniger, was sie zu fühlen glaubten oder gerne gefühlt hätten. Die Testpersonen wurden aufgefordert, zu einem Thema oder einem Kernsatz eine erfundene Geschichte zu schreiben. Das

Thema war so gestellt, daß man über Gedanken und Gefühle der Testpersonen gewisse Aufschlüsse erhielt. Für die Studentinnen lautete es: Anne stellt nach den Prüfungen des ersten Studienjahres fest, daß sie die beste Medizinstudentin ihres Jahrgangs ist. (Die Studenten erhielten den gleichen Satz; allerdings war *John* der Erfolgreichste.)

Das Forscherteam wertete die Geschichten der Studenten aus. Man erwartet bei dieser Methode, daß die Testperson ihre wahren Einstellungen und Gefühle in die Handlung der Geschichte einfließen läßt.

Dr. Horner nahm es für ein Zeichen von Erfolgsangst, wenn die Studenten in ihren Aussagen zu erkennen gaben, daß sie mit dem herausragenden Studienerfolg negative Konsequenzen verbanden. Zu den negativen Konsequenzen zählte die Angst, gesellschaftlich abgelehnt zu werden, die Attraktivität als Freund(in) oder Ehepartner(in) einzubüßen und die Angst vor Isolation, Einsamkeit oder Niedergeschlagenheit.

Matina Horners Untersuchungsergebnisse verbreiteten sich wie ein Lauffeuer von Universität zu Universität. Sie entdeckte, daß es in der Reaktion von Männern und Frauen bei der Aussicht auf Erfolg wesentliche Unterschiede gab. Die Studenten beschäftigten sich begeistert mit der Möglichkeit einer glänzenden Karriere. Den Studentinnen bereitete dieser Gedanke lähmende Angst. Neunzig Prozent der Männer empfanden den Berufserfolg nicht nur als wohltuend, sie glaubten auch, er würde ihre Chancen bei Frauen vergrößern. Bei fünfundsechzig Prozent der von Dr. Horner getesteten Frauen, rief der Gedanke an Erfolg Gefühle zwischen Verwirrung und absolutem Erschrecken hervor. Gemäß Matina Horner ist der Hauptgrund dafür dieser: *Die Frauen glaubten, der Erfolg im Beruf gefährde ihre Beziehungen zu Männern.* So einfach war es! Frauen, die einen Freund hatten, fürchteten, ihn zu verlieren; Frauen, die keinen Freund hatten, glaubten, nie einen zu finden.

Um nicht zu riskieren, ein Leben ohne Liebe führen zu müssen, sind Frauen offensichtlich bereit, viel aufzugeben –

sie brechen ihre Ausbildung ab; sie geben ihre Ambitionen auf und fliehen ängstlich in die Anonymität der großen Mehrheit. Sie wollen dem Schicksal entgehen, einsam und ungeliebt auf dem kalten Thron des Berufserfolgs alt zu werden. *Mehr als alles andere wünschen sich Frauen die Beziehung zu einem Mann.* Dieser Wunsch steht an erster Stelle, und ihm muß sich alles unterordnen.

*Das Unglück bricht über »Anne« herein*

Wir wollen uns näher ansehen, wie die Studentinnen an der *University of Michigan* die Situation beurteilten, in der Anne sich plötzlich während ihres Medizinstudiums befand.
Ein Großteil der Frauen schrieb Geschichten, in denen sie die Vorstellung vertraten, Anne würde wegen ihrer glänzenden Leistungen zwangsläufig in eine Isolation geraten, als sei sie aussätzig. Sie argumentierten Annes Intelligenz würde ihr soviele Schwierigkeiten bereiten, daß es sich nicht lohne, sie zu zeigen. Eine Frau schrieb, Anne müsse ihre Stellung als Nummer Eins sofort aufgeben. Wenn sie ihr Studium nicht mehr so ernsthaft betreiben und statt dessen ihrem Freund Carl helfen würde, könne sie bald heiraten, das Medizinstudium aufgeben und »sich darauf konzentrieren, (Carls) Kinder großzuziehen.«
Immer wieder taucht in den Geschichten der Frauen die Ansicht auf, Anne könne wohl kaum die Liebe eines Mannes erwarten, wenn sie ihre brillanten Leistungen so ostentativ zur Schau stelle. In den Worten der Studentinnen klang eine Art ängstliche Verärgerung über Anne mit. Sie sagten, Anne sei nicht »glücklich«. Oder sie hielten sie für unangenehm aggressiv. Sie sprachen davon, Anne habe keine Hemmungen, sich über andere hinwegzusetzen, über Familie, Ehemann und Freunde; sie denke nur fanatisch an die Erfüllung ihrer Ambitionen.
Am meisten Sorge schien den Frauen die Vorstellung zu

machen, gesellschaftlich abgelehnt zu werden. »Anne ist ein pickliger Bücherwurm«, schrieb eine Studentin, »sie geht zur Anschlagtafel und sieht, daß sie die Beste ist. ›Wie üblich‹ verkündet sie, und ein kollektives Stöhnen ist die Antwort ihrer Kommilitonen.«
Wieder eine andere Studentin fragte sich, ob eine so intelligente und ehrgeizige Frau nicht leicht abnormal sei. Sie riet Anne, schleunigst den Rückzug anzutreten. »Unglücklicherweise ist sich Anne gar nicht mehr so sicher, ob sie Ärztin werden will«, schrieb diese Frau, »sie macht sich Gedanken über sich selbst und fragt sich, ob sie vielleicht nicht normal ist . . . Anne beschließt, das Medizinstudium aufzugeben und Fächer zu belegen, die für sie persönlich wichtiger sind.«
Manche Geschichten waren geradezu grotesk. Eine Frau hielt die Vorstellung, daß Anne sich über ihren Erfolg freuen könne, für so abstoßend, daß sie Anne mit bemerkenswerter Brutalität bestrafte. »Anne zeigt vor den anderen ihre Überraschung und ihre Freude«, schrieb diese Studentin, »ihre Kommilitonen finden dieses Verhalten so widerwärtig, daß sie sich auf Anne stürzen und sie verprügeln. Jetzt ist sie für ihr Leben entstellt.«
Wie extrem die Angst dieser Frauen auch sein mag, daß Erfolg ihr gesellschaftliches Leben beeinträchtigen könne – sie entbehrt nicht jeder Grundlage. Nach wie vor sind die alten Vorstellungen von einer begehrenswerten Frau unter den Studenten der renommierten Ivy-League-Universitäten sehr lebendig. Durch eine neue Untersuchung an sechs Colleges und Universitäten im Nordosten der USA wurde überraschend deutlich, daß *die überwältigende Mehrheit der Studenten Frauen heiraten möchte, die zu Hause bleiben und nicht berufstätig sind.* Sie betrachten sich als Ernährer der Familie, und ihre Frauen sollen zu Hause bei den Kindern bleiben.[2] »Vielleicht, wenn die Kinder zur Schule gehen«, sagen sie. *Vielleicht.*
In ihrem Buch *The Future of Marriage* berichtet Jessie Bernard, Durchsetzungsvermögen, Ehrgeiz und der Wille zum

Erfolg – Eigenschaften, die in unserer Gesellschaft erforderlich sind, um in hochdotierte Berufe zu gelangen – seien »Eigenschaften, die die meisten Männer bei ihren Ehefrauen *nicht* wünschen.« Die kommenden Männer in den Spitzenpositionen – zumindest die Ivy-League-Studenten von heute – suchen in der Ehefrau noch immer die Mutter ihrer Kinder. Sie wollen *keine* berufstätige Frau, die sich mit gleicher Gewandtheit und Unabhängigkeit wie sie in der Welt bewegt.

Es wird immer deutlicher, daß der Konflikt um den Beruf der Frau in enger Beziehung zur Klassenzugehörigkeit steht. In Matina Horners Untersuchung kamen die Frauen, die von der Möglichkeit künftigen Erfolgs am stärksten verwirrt waren, meist aus Familien der Mittel- und Oberschicht mit erfolgreichen Vätern – Väter, die sich ähnlich wie die heutigen Ivy-League-Studenten keine ambitionierten Ehefrauen wünschten. Die Mütter in diesen Familien waren entweder nicht berufstätig oder arbeiteten nur in anspruchslosen Teilzeitjobs.

Die Frauen, die den Erfolg nicht so negativ beurteilten, kamen aus der Unterschicht. Ihre Mütter besaßen oft eine bessere Ausbildung als die Väter, und meist waren sie ihr ganzes Leben lang berufstätig gewesen. Die Töchter dieser Frauen erlebten den Konflikt zwischen Leistung und Weiblichkeit nicht, denn sie hatten als Kinder bei ihren Müttern beides in positivem Nebeneinander erlebt.

In späteren Untersuchungen wurde die Beziehung zwischen der Klassenzugehörigkeit und dem Konflikt der Frauen noch deutlicher, als Dr. Horner eine faszinierende Parallele zwischen weißen Frauen und schwarzen Männern entdeckte. Es stellte sich heraus, daß sie deutlich größere Angst vor dem Erfolg hatten als weiße Männer und schwarze Frauen. Dagegen hatten nur zehn Prozent der weißen Männer und nur neunundzwanzig Prozent der schwarzen Frauen Erfolgsangst.

Die Ergebnisse der Erfolgsangst-Untersuchungen von Matina

Horner waren so provokativ, daß sie sich entschloß, einen Schritt weiter zu gehen. Sie wollte herausfinden, ob die Einstellungen der Frauen, die in den Ergänzungsgeschichten zum Ausdruck gekommen waren, ihrem tatsächlichen Verhalten im Leben widersprachen. Verringert Erfolgsangst tatsächlich die Wahrscheinlichkeit des Erfolgs? Werden Frauen, die Angst vor dem Erfolg haben, in Wirklichkeit weniger wahrscheinlich Erfolg haben?

Man stellte den Studenten der früheren Untersuchung Testaufgaben, die teils wettbewerbsorientiert und teils nicht wettbewerbsorientiert waren. Dr. Horner berichtet, die Ergebnisse zeigten deutlich, daß Frauen, wenn sie Erfolg fürchten, alles tun, um ihn zu vermeiden.

Die Voraussage erfüllt sich von selbst:

| Erwartung negativer Konsequenzen | führt zu | Entstehen von Erfolgsangst |
|---|---|---|
| Erfolgsangst | führt zu | weniger Erfolg |

Ist die Erfolgsangst bei Frauen geweckt, sinkt ihr Ehrgeiz wie die Quecksilbersäule des Thermometers bei einem Kälteeinbruch. Die Frauen liebäugeln nicht mit dem Mißerfolg; sie vermeiden den Erfolg. Ein Beispiel: Obwohl ihre Examensleistungen im allgemeinen weit über dem Durchschnitt lagen, strebten Frauen mit großer Erfolgsangst weniger herausfordernde, sogenannte »weibliche« Berufe an – Hausfrau, Mutter, Krankenschwester, Lehrerin. Es schien, als versuchten sie, sich zu beweisen, daß sie noch immer richtige Frauen seien, indem sie die aufreibenderen Berufe vermieden. Die einzelne Frau, die den Erfolg vermeidet, verhält sich vielleicht nicht so eindeutig selbstdestruktiv, daß sie den Mißerfolg geradezu herbeiführt; aber die Auswirkung dieses Phänomens auf die Frauen im allgemeinen darf man keineswegs unterschätzen. *Die Tendenz, sich zu verkleinern, hinter die eigenen Fähigkeiten zurückzugehen, um nicht den Verlust der Liebe zu riskieren, ist eine Konsequenz der »Panik der Frau«. Es ist das neue Problem der Verwirrung über die weibliche Identität. Wir wollen die Angst vermeiden, etwas zu tun (und uns möglicherweise dabei als unweiblich empfinden), und tun deshalb nichts.*

Frauen spielen das traurige Spiel der Selbstverleugnung. Dr. Horner stellte fest, daß Studentinnen mit starker Erfolgsangst ihre Berufserwartungen im Verlauf des Studiums immer mehr senken. Julia beginnt das Studium in der Hoffnung zu promovieren, aber im letzten Jahr auf dem College hat sie sich wahrscheinlich entschieden, Arzthelferin sei auch ein schöner Beruf. Die Collegestudentin, die ihr erstes Examen in Geschichte ablegen will und anschließend an ein Jurastudium denkt, hat vielleicht im Herbst des Abschlußjahres beschlossen, daß sie gern Mittelschullehrerin sein würde. Sie macht ihre Scheine in Pädagogik, damit sie ihre Zulassung als Lehrer bekommt. Die Mutter hält diese Entscheidung für sehr vernünftig, und der Vater pflichtet ihr bei.

Ihr Freund Jim ebenfalls: »Als Lehrerin kannst du später immer wieder in deinen Beruf zurückgehen«, versichert er ihr, »wenn die Kinder erst groß genug sind.«

Wie sieht das Leben der Frauen aus, die wenig Angst vor dem Erfolg haben? Ihre Zukunft schien bei weitem rosiger. Obwohl sie durchschnittlich *weniger begabt* waren als die Frauen mit großer Erfolgsangst, strebten sie erstaunlicherweise wissenschaftliche Berufe und Examen in harten Disziplinen wie Mathematik, Physik und Chemie an. In dieser Hinsicht gleichen Frauen mit geringer Erfolgsangst den Männern. Bei Männern kommt es häufig vor, daß die Ziele, die sie sich stecken, ihre Fähigkeiten übersteigen. Aber das bringt sie im Leben weiter.

Männer sind Streber. Sie schaffen sich vielleicht ihre eigene Angst, wenn sie sich auf das dünne Eis wagen, über ihre gottgegebenen Fähigkeiten hinaus. Aber so gelangen sie zumindest bis zur Mitte des Teichs. Frauen sind scheu. Sie schrecken vor den eigenen Möglichkeiten zurück und bleiben bereitwillig weit unter ihrem natürlichen Leistungsniveau. Sie verlassen nie das sichere Ufer.

Als Matina Horner 1968 ihre ersten Ergebnisse veröffentlichte, glaubten viele, daß die Frauen solch traurigen Ängste inzwischen sicher entwachsen seien – wenn sie überhaupt je solche Ängste hatten. Welchen Sinn hätte schließlich die Frauenbewegung gehabt, wenn es ihr nicht gelungen wäre, die kulturbedingten Grenzen der Weiblichkeit zu erweitern und in Frage zu stellen? Dr. Horners Untersuchungen waren im dunklen Mittelalter des Jahres 1964 durchgeführt worden; die Studentinnen heute waren entschlossen, sich zu befreien und sich durchzusetzen ... oder etwa nicht?
Dr. Horner setzte ihre Arbeit fort – mit dem Unterschied, daß sie jetzt die »befreiten« jungen Frauen am Ende der sechziger und Anfang der siebziger Jahre befragte. Die Ergebnisse widersprachen in allem unseren von den Medien beeinflußten Vorstellungen von der Neuen Frau: der Prozentsatz der Frauen mit Erfolgsangst lag nun sogar noch höher.
Sie versagten in Konkurrenzsituationen.
Und ihr Ehrgeiz beschränkte sich auf Berufe, die »feminin« sind und weniger Anforderungen stellen.
Dr. Horner berichtete 1970: *»Die negativen Einstellungen getesteter weißer Frauen von fünfundsechzig Prozent im Jahre 1964 ist nach den Ergebnissen einer neuen Untersuchung auf 88,2 Prozent gestiegen.«*[3]

*Ein hoher Preis für unterdrückte Ambitionen*

Man erinnere sich daran, wie sehr junge Mädchen ermutigt werden, alles zu vermeiden, was ihnen angst machen könnte, und man beginnt zu begreifen, warum diese ehrgeizigen, wissenschaftlich talentierten Frauen sich so bereitwillig aufgeben. Sie wollen sich der Panik der Frau entziehen. Der potentielle Verlust ihres weiblichen Werts, den sie riskieren, wenn sie tun, wozu sie fähig sind, ängstigt sie so sehr, daß sie nach weniger bedrohlichen Möglichkeiten Ausschau halten. Sie wollen FRAUEN aus sich machen. Aber dieser Versuch rächt sich bitter. Frauen mit Erfolgsangst gelingt es vielleicht, sich mehr oder weniger durchschnittlich zu machen, sich mehr oder weniger dem Image des Mädchens von nebenan anzunähern. Aber bald sind sie Opfer einer ganzen Reihe neuer Probleme. »Aggression, Verbitterung und Verwirrung«, sagt Dr. Horner, »warten auf die Frauen, die ihr Potential unterdrücken.«

Eine junge Frau aus Washington gab ihre Stellung im Kongreß bald nach der Heirat auf. Es dauerte nicht lange, bis sie unter Langeweile und Unzufriedenheit zu leiden begann. Aber sie erkannte nicht, daß das Problem bei ihr lag und daß sie sich damit auseinandersetzen mußte; sie fand es einfacher, auf ihren Mann wütend zu sein: »Wenn mein Mann auf eine Geschäftsreise ging, ärgerte ich mich. Warum konnte er und nicht ich an fremde Orte reisen und neue Menschen kennenlernen? Er kam von diesen Reisen begeistert und angeregt zurück, und ich zwang mich, Interesse zu zeigen. Aber innerlich war ich zornig und verärgert.«

»Ich habe immer meine Freundinnen beneidet, die keine Kinder hatten«, sagte eine andere Frau. Sie war Schauspielerin gewesen und hatte beinahe vom ersten Tag ihrer Ehe das Gefühl, daß man ihr etwas genommen habe – obwohl sie ihren Beruf freiwillig aufgab: »Mir fehlte das Theaterleben, und ich glaubte, daß mich das Schicksal der braven Ehefrau zu früh ereilt habe.« (Da die Frauen nicht erkennen, daß sie vor ihren Träumen davonlaufen, glauben sie oft, es geschehe etwas mit ihnen, und sie fühlen sich als Opfer: *Wie konnte mir das geschehen?*)

Diese Schauspielerin beneidete ihre Freundin (von der sie annahm, sie habe größere Freiheiten als sie selbst) einige Jahre lang, bis sie schließlich frustriert beschloß, etwas an ihrem Leben zu ändern. »Ich versuchte, mit einer ledigen Freundin an einem Theaterstück zu arbeiten. Diese Frau führte ein so freies Leben; sie konnte Material sammeln und in die Stadt gehen, wann immer sie wollte. Im Vergleich zu ihr kam ich mir dumm und unbeweglich vor.«

Der Vergleich erstreckte sich schließlich auch auf andere Bereiche der Freundschaft: »Ich beneidete sie um ihre gute Figur, um die Kleider, die sie sich leisten konnte, weil sie verdiente, während ich immer warten mußte, bis genügend Geld in der Haushaltskasse war, wenn ich mir ein Paar neue Schuhe kaufen wollte. Die Beziehung wurde schlechter und schlechter. Neben dieser Frau kam ich mir plump und schwerfällig vor. Als Mutter mußte ich mich unaufhörlich um die Kinder kümmern, ihnen die Nase putzen; sie wichen uns nicht von der Seite, wenn wir an unserem Stück arbeiten wollten. Schließlich ging ich meiner Freundin aus dem Weg. Sie kam ausgeruht und voll Begeisterung in meine Wohnung gestürmt, wo sich Windeln und Spielzeug türmten; ihre Gedanken überschlugen sich, und sie redete ununterbrochen. Ich konnte nur daran denken, daß die Kinder bald Mittagessen haben mußten. Heute bin ich traurig darüber, aber schließlich gab ich das Projekt auf. Es kam so weit, daß ich den Anblick dieser freien, ungebundenen jungen Frau nicht mehr ertragen konnte.«

In den neuen »Anne«-Geschichten der Studentinnen mit der bereits aus dem ersten Text bekannten großen Erfolgsangst kam die Feindseligkeit gegenüber der erfolgreichen Frau deutlich zum Vorschein. In dieser Phase des Projekts stellte man ihnen die Aufgabe, eine Geschichte zu dem Thema: »Anne sitzt lächelnd auf einem Stuhl« zu erfinden.

Diese einfache Aussage über eine Frau, die das beste Examen abgelegt hatte, schien die Studentinnen maßlos zu empören. Warum sollte Anne, kühl und gelassen lächelnd, auf einem Stuhl sitzen, während sie sich mit dem Konflikt der eigenen Intelligenz und der eigenen Ambitionen herumschlugen? Auf diese Frau projizierten sie ihren inneren Zorn, ihre Frustration und ihr ganzes Konkurrenzdenken. Manche Antworten waren sehr extrem.

Eine Studentin schrieb: »Anne ist auf der Beerdigung ihres Vaters. Über zweihundert Menschen sind anwesend. Sie weiß, es ist unschicklich zu lächeln, aber sie kann sich nicht dagegen wehren.«

Die Frauen bezahlen einen hohen Preis für ihre Angst vor dem Erfolg. Matina Horner und ihr Forschungsteam kamen zu dem Schluß, daß talentierte junge Frauen es sich oft nicht einmal erlauben, nach Erfolg zu *streben.* In Situationen, in denen sie mit Männern konkurrieren müssen, schneiden sie oft schlechter ab, als es ihren Fähigkeiten entspricht, und viele, die trotz ihrer Angst schließlich erfolgreich sind, versuchen im nachhinein ihre Leistungen zu schmälern. Diese Frauen können ihre Macht und hervorragenden Leistungen nicht genießen. Verwirrt und ängstlich ändern sie ihre Berufsziele, um diesem Unbehagen zu entgehen.
Manche meiden alles, was auch nur entfernt nach Konkurrenz aussieht, und sabotieren damit ihre Zukunft. Das Schlimmste: Sie wissen nicht, daß ihr Leben von der Panik der Frau beherrscht wird.

### *Das »gute Leben« der berufstätigen Ehefrau*

Betrachten wir uns zum Beispiel die Geschichte einer Frau, die ich Adrienne Holzer nennen will. Adrienne ist eine intelligente, energiegeladene Frau, die beinahe immer berufstätig war. Die Ambitionen ihrer Jugend hatte sie schon lange auf den Abfallberg ihrer kindlichen Träume gelegt. Aus irgendeinem Grund machten sie sich jetzt wieder bemerkbar und belasteten ihr Gewissen wie unbeantwortete Briefe. Es war ein unangenehmes Erlebnis. Etwas schien an ihrem Leben nicht zu stimmen; es schien, als habe sie irgendwann den falschen Weg eingeschlagen. Und sie hatte geglaubt, daß sich alles so glatt und angenehm entwickle. Plötzlich tauchte etwas Unerwartetes in ihr auf, das ihr inneres Leben veränderte.
An einem Nachmittag im Winter unterhielten wir uns bei einer Flasche Wein; Adrienne sprach von ihren alten Träumen – und entdeckte, daß neue Ängste in ihr aufgetaucht waren: »Nachdem meine Kinder drei bis vier Jahre alt waren, begann ich

wieder zu arbeiten – aber das Leben schien irgendwie anders zu sein als vorher. Mir fehlte das Gefühl einer ›Zukunft‹, meiner Zukunft.

Wissen Sie, das Leben von einem Tag zum anderen ist etwas, das nur Mütter kennen. Ich brachte diese Tag-für-Tag-Mentalität mit zurück zu meiner Arbeit. Zwei Jahre vergingen, ehe ich auch nur daran dachte zu fragen: ›Wie wäre es mit einer Beförderung?‹, und dann ärgerte ich mich maßlos darüber, daß ich überhaupt darum bitten mußte.«

Mit vierunddreißig hatte Adrienne wieder begonnen zu arbeiten. Sie fand eine Stellung in der PR-Abteilung der Ford Foundation. Sie sagte, es sei ein Prestige-Job mit einem Prestige-Image. »Ich verdiene genug, wenn man berücksichtigt, daß ich davon nicht leben muß. Aber ich habe das Gefühl, daß ich irgendwie abgeschnitten bin. Um ehrlich zu sein, mir liegt herzlich wenig an den Zielen der Foundation. Ich war immer damit zufrieden, eine berufstätige Ehefrau mit einem guten Job und eleganten Lederstiefeln zu sein. Wenn ich nur mit Freundinnen zum Mittagessen ausgehen konnte, ein bißchen Taschengeld für mich hatte . . . mehr Freiheit brauchte ich nicht.«

»Vier Jahre sind vorbei!« rief sie plötzlich und füllte ihr Glas, »vier Jahre, die man nicht mal bemerkt, aber man wird trotzdem darüber achtunddreißig . . .«

Adriennes Erkenntnis in der Mitte des Lebens war typisch für die Frau, die mit zwanzig die Augen schließt und sie erst wieder öffnet, wenn sie beinahe vierzig ist. Plötzlich waren die Mittagessen langweilig, die Arbeit war langweilig. »Es ist verrückt. Auf dem College glaubte jeder, ich würde auf die Universität gehen. Ich hatte wirklich gute Noten. Es gab eine Zeit, da wollte ich in den diplomatischen Dienst.«

Was tat sie statt dessen? Wie so viele andere Frauen ließ sie sich auf den entscheidenden Handel ein: »Ich wurde Ehefrau. Dann wurde ich eine berufstätige Ehefrau. Wenn Gerry morgen sterben würde, wüßte ich nicht, was ich tun sollte. Wenn ich darüber nachdenke . . . wenn ich heute allein stünde . . . ein schrecklicher Gedanke ... verwitwet und noch immer in der PR-Abteilung eines großen, netten gemeinnützigen Daddy?« Erschrocken blickt sie auf: »Ich glaube, ich könnte mir diesen Job nicht mal *leisten,* wenn ich nicht verheiratet wäre.«

Dieser Gedanke rüttelt sie auf. In welche Situation hatte sie sich gebracht, wenn sie als alleinstehende Frau von ihrem Gehalt noch nicht einmal leben könnte? Das Bild wurde klarer. »Mein Mann sorgt für mich, und die Kinder winken mir jeden Morgen fröhlich nach, damit ich in mein Büro fahren und in meinem Modellkleid Pressemitteilungen verfassen kann«, sagte sie.

Die Selbsterkenntnis traf Adrienne Holzer unvermittelt, und sie mußte sich einer Frage stellen, der sie zwei Jahrzehnte ausgewichen war: »Warum tue ich, was ich tue?«

Diese Frage führte sofort zu einem noch beunruhigenderen Gedanken: »*Wenn nicht diese Arbeit, welche dann?*«

Noch nie hatte sie sich diese Frage stellen müssen. Frauen *sind*; sie *tun* nicht. Wenn sie sich zu einem Beruf entschließen, rangiert er an zweiter Stelle. Sie sind in erster Linie Ehefrau und Mutter. So hatten Adrienne und ihre Freundinnen es zumindest bisher immer erlebt. Aber der bevorstehende vierzigste Geburtstag hatte die Lage verändert. Adrienne hatte das Gefühl, etwas übersehen zu haben, etwas verpaßt zu haben. Spät am Abend (eigentlich immer wieder, auch in den unerwartetsten Momenten) mußte Adrienne an die junge zwanzigjährige Frau denken, an dieses begeisterungsfähige Wesen voller Hoffnungen. Adrienne hatte die schlanke Frau mit den glatten blonden Haaren und den großen Idealen jahrelang aus den Augen verloren, aber plötzlich war sie wieder da, und mit ihrem Auftauchen wurden all die kleinen Mittagessen, Dinner Parties und die wöchentlichen Einkaufsbummel zu leeren, sinnlosen Ritualen. Mein Gott, der dreiundvierzigjährige Mann einer Freundin hatte bereits einen Herzanfall gehabt! Das Leben war nicht länger zeitlos und unbeschwert.

Auch zu Hause war nicht mehr alles beim alten. Die Kinder wurden größer, und Gerry verbrachte viel mehr Zeit in Washington als früher. Man schien sie nicht mehr so sehr zu brauchen. Sie war häufiger allein. Und so tauchten neue Fragen auf: »*Was werde ich in fünf Jahren tun? In zehn Jahren?*«

Zehn Jahre! Nein, das konnte man sich nicht vorstellen. Mit achtundvierzig konnte man die Freundinnen nicht mehr zu einer Haschparty einladen oder sich *Saturday Night Live* im Fernsehen ansehen. Würde sie mit achtundvierzig noch immer pflichtbewußt dreimal in der Woche in die Sauna gehen, um sich mit dem Nautilusgerät die Zellulitis wegzumassieren, und inbrünstig hoffen, daß sie im nächsten Jahr nicht viermal gehen mußte? Es langweilte sie, Weihnachten auf den Bermudas zu verbringen; es langweilte sie, jeden August ihre Familie für zwei Wochen auf Martha's Vineyard zu besuchen; die ganze einförmige Routine ihres Lebens langweilte sie. Aber am meisten langweilte sie dieses wattige, zweidimensionale Zeug, das sich Tag für Tag in den leeren Räumen ihres Gehirns abspielte. Gedanken, die sie nicht losließen; tiefsitzende, mißmutige Klagen. Adrienne sagte sich: ›Ich habe unzufriedene Frauen nie gemocht, aber plötzlich bin ich selbst eine.«

Natürlich hatte das alles eine Vorgeschichte. Hätte Adrienne nicht am Smith College, sondern an der Universität von Michigan studiert, hätte sie sehr wohl unter den ersten Testpersonen von Matina Horner sein können. Vor vielen Jahren waren ihre Ambitionen beschnitten worden. 1964, ungefähr ein halbes Jahr vor ihrem Examen, erreichte sie den Wendepunkt; aber sie bemerkte damals nicht, was sich ereignete.

Adrienne hatte ihrem damaligen Freund gesagt, sie plane, auf die Georgetown University zu gehen, um sich auf eine Laufbahn im Auswärtigen Dienst vorzubereiten. »Auswärtiger Dienst!« rief er entsetzt, »das ist doch nicht dein Ernst!«

Dann versuchte er, witzig zu sein: »Bleib bei mir, Kleine, dann brauchst du nie Spionin zu werden.«
Adrienne hatte seinen Worten deutlich entnommen: »Ich kann nicht warten, bis du alle deine Universitätsexamen abgelegt hast.« Schließlich gab sie nach. Aber eigentlich gab sie nach, weil sie sich ihrer Sache selbst nicht sicher war. Sie sprach mit ihrem Freund nie wieder über dieses Thema. Er ging mit Glanz und Gloria auf die Filmhochschule, und sie folgte ihm nach New York. Nachdem sie ein Jahr lang in der Werbeagentur J. Walter Thompson in einem bescheidenen Job gearbeitet hatte, trennte sie sich von ihm. Inzwischen war Gerry in ihr Leben getreten. Der liebe Gerry hatte gesagt: »Du kannst alles tun, was du willst. Ich verdiene genug für uns beide.« Und Adrienne hörte auf, sich Gedanken darüber zu machen, was sie mit ihrem *Leben* tun solle. Ehe, Kinder, Gerry – das alles erhielt allmählich den Vorrang vor der persönlichen Entwicklung. Adrienne war nicht mehr der wachsende, lernende, sich verändernde Mensch; sie war eine Ehefrau.

Es ist bemerkenswert, wie leicht es Frauen fällt, Motivationen und Ambitionen aufzugeben. Nach einer Weile spüren wir den Verlust nicht mehr. Wir entscheiden uns für Bequemlichkeit und Sicherheit und stellen sie über Motivationen und die Angst, die oft damit einhergeht. Adriennes Problem basiert teilweise darauf, daß ihr Leben zu leicht war – so leicht, daß sie in der wohlgeordneten Begrenztheit wenig Gefahren witterte. Selbst heute hat ihre Angst nur die Stärke vager Besorgnis. Noch spürt sie nicht das erschreckende Diktat des inneren Ich, das verlangt: *»Paß auf, sonst bist du bald die Verliererin!«* Adriennes Leben verläuft noch immer so, sie ist darauf angewiesen, daß Gerry handelt oder nicht handelt. Sollte er plötzlich sterben (oder, was Gott verhüte, noch *mehr* Zeit in Washington verbringen), dann würde sie in eine echte Krise stürzen. Da diese Krise noch nicht eingetreten ist, wird Adrienne vermutlich so weiterleben. Sie wird nicht spüren, wie unsicher sie in Wirklichkeit ist, bis irgendwelche äußeren Kräfte sie zu dieser Erkenntnis zwingen.

Es ist traurig, daß Frauen, die am Rand der Selbsterkenntnis stehen, oft eine Katastrophe brauchen, die ihnen erbarmungslos die Wahrheit über sie selbst vor Augen führt. Nach dem Nachmittag, an dem Adrienne soviel über sich enthüllt hatte – aber natürlich nicht genug – mußte ich immer wieder daran denken, daß es an diesem Punkt ihres Lebens für sie wichtig wäre, jemanden wie Sulka Bliss kennenzulernen.

### *Mutter und sonst nichts*

Ich lernte Sulka im Zentrum für abgeschobene Hausfrauen in Oakland kennen. Dieses Zentrum hat optisch – und akustisch – etwas von einem Arbeitslager an sich. *Center für Displaced Homemakers*. Es konnte auch die Zentrale einer kleinen Partei sein, die ohne Aussicht auf Erfolg versucht, die Wahl zu gewinnen. Tauchsieder und Pulverkaffee fallen ins Auge; Styroporbecher und grüne metallene Papierkörbe. Die Frauen, die hier arbeiten, sind Freiwillige, auch sie abgeschobene Hausfrauen, die hoffen, daß »die Partei« sie wieder auf die Beine bringen wird. Diese Frauen sind keine Drückebergerinnen. Als sie noch verheiratet waren, führten viele von ihnen ein bequemes – viel zu bequemes – Leben. Als ihre Ehe in die Brüche ging, fiel auch ihre Welt in Trümmer, aber zumindest im Zentrum hier herrscht Ordnung – ein Schreibtisch, hinter dem man sitzt, ein Telefon und Stimmen, um die Leere zu füllen. Hier gibt es Arbeit: anderen zu helfen, die noch unglücklicher sind als man selbst; Frauen, die gerade ihren Tritt bekommen haben und die nicht wissen, wie ihnen geschehen ist; Frauen mit geröteten und verweinten Augen und abgebissenen Fingernägeln; Frauen, die ihren Tag mit Kaffee beginnen und mit Valium und Wodka beenden.

Sulka Bliss war noch nicht auf dem Tabletten- und Alkohol-Trip, aber als ich sie kennenlernte, litt sie eindeutig unter

Depressionen. »Ich kann nichts anderes mehr als mich u
Kinder kümmern«, erzählte sie, »ich glaube, ich kann
nicht einmal mehr dreißig Anschläge in der Minut
pen.«

Ohne Können (und sicher auch ohne Selbstachtung) besaß Sulka trotzdem etwas, das für sie sprach. Aber die meisten potentiellen Arbeitgeber würden nie etwas davon erfahren, denn nur wenige sind an dem *Potential* eines Menschen interessiert: In der High School hatte Sulka Bliss einen IQ-Wert von 135.

»Als wir in der neunten oder zehnten Klasse die Werte erfuhren, war ich völlig überrascht«, erzählte sie, »›vielleicht werde ich Wissenschaftlerin‹, sagte ich zu mir. Ich war immer gut in Mathematik gewesen, aber damals wurde man nicht Wissenschaftlerin, und mein Bruder machte sich über mich lustig. Auch meine Mutter dachte, ich wolle nur angeben, als ich verkündete, ich wolle Wissenschaftlerin werden.«

Nach der High School ging Sulka zwei Jahre auf ein College, und dann heiratete sie. Die Zeit hatte Sulkas Ambitionen die Flügel gestutzt. Das lag alles weit zurück, und sie konnte sich kaum noch daran erinnern. Damals war sie eine schlanke, ehrgeizige und vitale junge Frau gewesen. Als die Babys kamen, wurde sie dick. Jetzt hüllt sie sich in bequeme weite Baumwollkleider, die sie selbst gebatikt und gefärbt hat. Ihre Körperfülle ist ihr peinlich, und sie verwendet deshalb größte Sorgfalt auf ihr Aussehen. Aber sonst vernachlässigt sie beinahe alles. Die Geranien im Innenhof sind verdorrt; der Innenhof ist ungepflegt; die Steine müßten neu gefugt werden; und die Farbe unter den Dachrinnen blättert ab. *Wie erstaunlich,* denkt Sulka, *daß ein Haus in kaum einem Jahr so herunterkommen kann.*

Seit beinahe einem Jahr hat Dick sie verlassen; er hat sie nicht verlassen, weil sie so rundlich geworden ist (manchmal versucht sie, sich das einzureden), nein, seit ihr Mann in Molekularbiologie promoviert hatte, war er mit einem Fuß bereits aus der Tür. In gewisser Weise hatte er seinen Doktor

Sulka zu verdanken. Sie arbeitete, damit er das Studium mit großartigen Leistungen beenden konnte. Sie hatte ganztags als Sekretärin gearbeitet und daneben an den Wochenenden mit Schreibmaschineschreiben zusätzlich Geld verdient. Sie hatte ihren Wunsch nach Kindern unterdrückt, damit Dick erst einmal im Beruf Fuß fassen konnte. »Jetzt kannst du kündigen«, sagte er, als er den Doktor hatte und im selben Monat ein Angebot vom California Institut of Technology erhielt. Bald saß Dick in seinem Büro am CIT: große Fenster, ein alter eichener Schreibtisch, eine Schiefertafel, Studenten und ein Labor, das mit staatlichen Geldern finanziert wurde.

Sulka hatte mit einem tiefen, zufriedenen Seufzer der Erleichterung gekündigt. Jetzt konnte sie sich ihren Begonien widmen, und jetzt konnten sie ein Kind haben.

Ein Jahr lang wischte Sulka Staub, polierte das Messing und sang. Sie backte eigenes Brot, und im Frühjahr 1965 kam ihr erstes Kind auf die Welt. Es war ein Mädchen. Sie und Elsie lebten in dem sonnigen Haus in Kalifornien so eng zusammen, als wären sie eins. In Dicks Leben traten Veränderungen ein, aber inzwischen war sein Leben ihr entrückt, und auch er nahm immer weniger Anteil an ihrem Leben. Sie hatten mehrmals im Jahr Gäste, von Zeit zu Zeit gingen sie gemeinsam auf die Institutsparties, aber all das interessierte Sulka wenig. Ihr Herz gehörte dem Zuhause, dem Nest.

Sie bekam weitere Kinder; mit jeder Schwangerschaft nahm sie ein paar Pfund zu, die sie später nicht mehr zu verlieren schien. 1970 war sie rund und glücklich und hatte drei fröhliche kleine Kinder, die wie Kletten an ihr hingen. Sulka war zufrieden. Sie nähte sich ihre Kleider selbst (die Kleider in den Geschäften paßten ihr nicht mehr) und flocht sich die langen glänzenden Haare zu Zöpfen.

Wo man sie auch sah – im Supermarkt, in der Bibliothek, abends im Kino – die Kinder hingen an ihr. Aber Dick war nie dabei. Sulka schien das nicht sonderlich zu stören. Wissenschaftler sind Fanatiker, und Dick unterschied sich darin nicht.

Sulka hatte alles, was sie sich wünschte. Um Dick machte sie sich keine Sorgen.
Anfang der siebziger Jahre gerieten die Dinge in Dicks Leben plötzlich in Bewegung. Er und seine Forschungsgruppe standen vor einem großen technologischen Durchbruch. Sie übernachteten oft im Laboratorium, schliefen ein paar Stunden und gingen wieder an die Arbeit. Sulka sah ihn nur noch selten. Sein Gesicht glühte, und seine Augen waren verschleiert, als wolle er die Welt ausschließen, damit sie nicht seine Gedanken störe. Sulka stellte sich manchmal vor, daß sein Gehirn wie eine sehr komplizierte Slapstick-Maschine arbeitete – viele Einzelteile, aber im Grunde genommen albern. Dick war ein Mensch der Tat. Er arbeitete und arbeitete, aber Sulka fragte sich manchmal, wohin ihn diese ganze Aktivität führte.
Sie führte ihn (sehr plötzlich, wie ihr später schien) zu einem neuen, mysteriösen Projekt, in das alle möglichen großen Konzerne viel Geld investierten. »Es wird die Rettung aus der Energiekrise sein«, hatte Dick eines Abends mit leuchtenden Augen verkündet, nachdem ihn der Wein in Hochstimmung versetzt hatte, »ja, es wird die Rettung unserer Zukunft sein!«
Sulka erinnerte sich an das Wort »Rettung«, denn in der Verkürzung des Rückblicks kam es ihr so vor, als habe er sie am Morgen nach seiner Prophezeiung verlassen. Identifizierte sich Dick vielleicht so sehr mit seiner Arbeit, daß *er* sich für den Retter hielt?
Wie viele Frauen, deren Ehemänner kurz davorstehen, sie zu verlassen, begann auch Sulka fieberhaft, Dick zu analysieren. Sie versuchte, seine Motivationen zu erkennen und ihn in einem kühlen »objektiven« Licht zu sehen. Sie versuchte, die Kontrolle wiederzuerlangen. Natürlich war es zu spät. Die emotionale Entfremdung – sogar Gleichgültigkeit – hatte vor langer Zeit eingesetzt. Es dauerte nicht lange, und Dick war gegangen, um neue Welten zu erobern: mehr Geld, eine neue Stellung, und unvermeidlich eine neue Frau.

»Stellen Sie sich das vor«, sagte Sulka unter Tränen, als sie sich aufgerafft hatte und zum ersten Mal ins Zentrum kam – der Name »abgeschobene Hausfrau« gefiel ihr nicht, aber sie sah sich am Ende ihrer Weisheit und brauchte Hilfe, »kaum hat er Erfolg, läßt er mich mit drei Kindern sitzen, und ich habe kaum genug Geld, um die Hypotheken zu bezahlen.«

Erst nach einigen Stunden psychologischer Beratung begann Sulka einzusehen, daß ihr Leben nicht ausschließlich von ihrem Mann bestimmt worden war. Sie begriff endlich, welch entscheidende Rolle sie selbst gespielt hatte. Langsam dämmerte ihr, daß sie sich vor vielen Jahren selbst aufgegeben hatte – noch ehe sie die High School verließ. Natürlich hatten viele sie dabei unterstützt – von den Eltern bis zu den Freundinnen; sogar die Berufsberaterin in der Schule, die ihr angesichts ihres IQ-Wertes von 135 eine ›Laufbahn‹ im Büro empfahl. Aber wie auch immer, Sulka hatte sich mit dem ganzen Programm einverstanden erklärt. Sie hatte zugestimmt. Es gab Gründe dafür, daß sie sich so schwach, so hilflos, so unerprobt fühlte; und sie begann einzusehen, daß einiges auch an ihr lag.

Für die einundzwanzigjährige Sulka war es eine sichere Angelegenheit gewesen, die ihr Ich stärkte, zu heiraten und ihrem Mann zu einem Doktor zu verhelfen. »Ist sie nicht wunderbar?« sagte damals jeder, wenn sie den wöchentlichen Gehaltsscheck nach Hause brachte, »er kann so froh sein, daß er sie hat.« Ja, die Aufgabe, sie beide zu ernähren, war stimulierend gewesen, auch wenn die Arbeit sie langweilte. Sulka erkannte nicht, daß die Herausforderung nur oberflächlich war. In Wirklichkeit ging es nicht darum, ihr eigenes Potential zu entwickeln; wenn sie zur Arbeit ging, sagte sie sich täglich unbewußt: »Das ist bald vorbei.«

Und es *war* bald vorbei. Mit dem Aufgeben der Stellung und der Heimkehr ins Nest waren alle Spuren von Sulkas Unabhängigkeit beseitigt. Die Herausforderung, die das Wachstum stimuliert, bestand nicht mehr, und Sulka hörte auf, sich zu

entwickeln. Heute, zehn Jahre später, bezahlte sie den Preis dafür – sie bezahlte mit verlorener Selbstachtung, und was noch schlimmer war, mit Mutlosigkeit! Sulka würde sehr viel schneller ihre alten Schreibmaschinenkenntnisse wiederbeleben als ihr Selbstvertrauen und ihre Stärke.
Hätte Sulka Bliss Adrienne Holzer gekannt, die komfortabel und noch immer sicher auf der anderen Seite des Landes lebte, hätte sie sicher aus ihrem Elend aufgeblickt und zu ihr gesagt: »Nehmen Sie Ihr Leben selbst in die Hand. Warten Sie keine Minute länger. Der Weg des geringsten Widerstandes ist keineswegs sicher. Das ist eine Illusion.«

### *Gefangen zwischen zwei Welten*

Ernste psychosomatische Symptome bei Frauen bringt man mit intensiv empfundenen und ungelösten Ambivalenzgefühlen im Hinblick auf Rolle und Erfolg in Zusammenhang. Früher stellten gelangweilte Hausfrauen, die zu Hause bleiben mußten, um Tag für Tag den Kühlschrank auszuwischen und abzustauben, den größten Anteil der Alkoholikerinnen. Heute hat sich diese Krankheit auch in den Reihen der Aktiven breitgemacht. Es sind die Frauen, die sich jeden Morgen von Johnny verabschieden und sich beeilen, den Bus um 8.05 Uhr in die Stadt zu erreichen. Paula Johnson von der University of California in Los Angeles sagt: »Berufstätige verheiratete Frauen stellen einen weit höheren Anteil der Alkoholabhängigen und Problemtrinkerinnen als die alleinstehenden berufstätigen Frauen oder die Hausfrauen. Da verheiratete berufstätige Männer, prozentual gesehen, weit weniger Probleme mit dem Alkohol haben, kommt sie zu dem Schluß: »Es besteht eine hohe Wahrscheinlichkeit, daß diese (für Frauen nicht traditionelle) Rolle für den steigenden Alkoholismus verantwortlich ist.«
Ich bin der Ansicht, es ist nicht die Rolle – die Kombination von Beruf und Ehe – die die Frauen zum Alkohol greifen läßt,

sondern die Verwirrung, die sie bei der *Wahl* der Rolle empfindet. Diese Unterscheidung ist wichtig:
Zu wählen bedeutet, frei zu handeln, mit voller Einsicht und der Erkenntnis, daß aus der Entscheidung Konsequenzen erwachsen; man beschließt, die Konsequenzen zu akzeptieren, wie immer sie auch aussehen mögen.
Das ist für niemanden eine leichte Sache. Aber es ist besonders schwer für Frauen, die es gewöhnt sind, Risiko und Angst zu vermeiden.
Da die Frauen die Folgen ihrer neuen Wahl nicht kennen, fürchten sie sich. Wir gehen nicht mit ganzem Herzen an unsere neuen Aufgaben heran; wir halten uns zurück; wir wagen nichts. Wir versuchen, uns in der wettbewerbsorientierten Welt zurechtzufinden, ohne unsere veralteten »weiblichen« Methoden aufzugeben – wenn man so will, sind wir nicht bereit, auf unser Parfüm und Make-up zu verzichten. Wir lassen es zu, daß der Mann uns die Wagentür öffnet oder uns Feuer für die Zigarette gibt. Wir reden uns ein: »Was ist schon dabei?« Diese Gesten an sich schaden nicht, wohl aber die Gefühle, die sie in uns auslösen – Gefühle wie: »Wie schön ist es doch, von einem Mann umsorgt zu werden.«
Frauen beweisen in kleinen Dingen, daß sie verwöhnt und bedient werden wollen – besonders von Männern. Sie behaupten, dies verschaffe ihnen das Gefühl, zerbrechlich und feminin zu sein. Ihnen gefallen die kleinen Gesten der Fürsorglichkeit, und innerlich rezitieren sie das Credo von *Cosmopolitan:* Ich kann sexy und erfolgreich sein!
Aber diese Frauen täuschen sich selbst. Versorgt und unabhängig sein zu wollen ist das gleiche, wie mit angezogener Handbremse zu fahren. Um etwas zu erreichen, müssen wir durchsetzungsfähig sein, wenn die Situation es erfordert. Wir müssen in der Lage sein, unsere Einstellung zu vertreten und wenn nötig, für sie zu kämpfen.
Man muß auch Reibungen ertragen können. Frauen sind nur allzuleicht bereit, Aussagen zu vermeiden, die als feindselig interpretiert werden können. Sie glauben, *dieses* Verhalten

könne sie isolieren. Wenn Frauen die Isolation fürchten, entwickeln sie keine Techniken und Talente, die für eine Karriere erforderlich sind. Lois Hoffman von der Universität von Michigan hat dazu festgestellt: »Einen Standpunkt vertreten, sich durchsetzen, Konkurrenten überflügeln und tun, was zu tun ist, ohne sich von dem Gedanken der Übereinstimmung mit anderen ablenken zu lassen – das alles sind Hürden, die Frauen nur mit Schwierigkeiten überspringen, gleichgültig wie intelligent sie auch sein mögen.«[4]

Frauen drängen nach vorn und halten sich gleichzeitig zurück. Die Unfähigkeit, ein positives, abgerundetes Bild von uns als *weibliche Arbeitskräfte* aufrechtzuerhalten, macht unsere besten Absichten zunichte. Unsere Beziehung zum Beruf ist *reaktiv*. Frauen sind berufstätig, wenn Männer ihnen »erlauben«, berufstätig zu sein (was natürlich heißt, sie erlauben es nur, wenn sie darauf angewiesen sind). In der augenblicklichen wirtschaftlichen Lage sind die Männer darauf angewiesen, daß wir berufstätig sind. Die berufstätige Frau ist plötzlich gesellschaftlich akzeptiert. Die Frauen spüren, daß die neue Freiheit, als Ehefrau berufstätig zu sein, nicht von ihnen erobert worden ist, sondern von außen kommt. Man hat ihnen die Erlaubnis dazu gegeben. »Mein Mann ist froh, daß wir noch immer jede Woche einmal im Restaurant essen können, weil *mein* Gehalt auch noch da ist«, beklagte sich eine Lehrerin, die das egoistische Interesse in der Einstellung ihres Mannes spürte, »aber ehe wir unter dieser schrecklichen Inflation zu leiden hatten, machte er immer wieder abfällige Bemerkungen über die Unordnung im Haus und behauptete, durch meinen Beruf kämen die Kinder zu kurz.

Wenn die wirtschaftliche Lage sich bessert, wird er seine Einstellung zweifellos wieder ändern.«

Zweifellos – die Einstellung des ganzen Landes »änderte sich wieder« nach dem Zweiten Weltkrieg, als man die Frauen, die nicht mehr in den Fabriken gebraucht wurden, aufforderte, an den häuslichen Herd zurückzukehren. Und das taten wir auch!

Anscheinend haben wir aus dieser Erfahrung nichts gelernt.[5]

*Frauen reagieren. Wir stehen nicht auf und setzen uns selbst in Bewegung. Wir treffen unsere wichtigsten Entscheidungen noch immer in Übereinstimmung mit dem, was »er« will, was »er« erlaubt, da wir »ihn« im tiefsten Innern noch immer als den Beschützer ansehen.*

Es ist aufschlußreich zu beobachten, wie sich eine Frau verändert, wenn ihre Ehe scheitert. Plötzlich beginnt sie aufzuleben. »Aha!«, denkt sie, »so ist das also, erwachsen zu sein.« Jetzt muß sie gezwungenermaßen die finanzielle Verantwortung tragen; jetzt muß *sie* die Miete bezahlen und den Kindern Schuhe kaufen – und ihre Ambivalenz schwindet. Wie groß ist die Erleichterung, nicht mehr mit der inneren Panik der Frau kämpfen, sich keine Sorgen mehr darüber machen zu müssen, ob man das »Richtige« tut, oder zu fürchten, daß andere einen möglicherweise für hart, unverletzlich – *unweiblich* – halten. Der Verdienst erhöht sich; Erfolg stellt sich ein. Zwischen Arbeit und Geld entsteht ein neuer, gesunder Zusammenhang. Ihr ist es *erlaubt,* professionell zu sein. Die Frau hat offensichtlich ihren Weg gefunden!

Aber ist ihr ganzes Tun nicht noch immer nur reaktiv? Folgt sie nicht einfach einem anderen Diktat – das so alt ist wie das Tierreich? Sie ist zur Tigerin geworden, die für ihre Jungen sorgt. Und wer könne ihr daraus einen Vorwurf machen?

Man beobachte dieselbe Frau, wenn sie wieder heiratet oder mit einem Mann zusammenzieht, und man sieht, den Film rückwärts laufen – *sehr schnell!* Jetzt ist die Frau »wieder zu Hause«. Sie fühlt sich wieder in Sicherheit.

Und die gefährliche Bereitschaft zur Unterordnung setzt wieder ein. »Ich begann, ihn mit kleinen Dingen zu verwöhnen«, sagte eine dreiunddreißigjährige Frau, die mit einunddreißig zum zweiten Mal geheiratet hatte, »jedes Mal, wenn ich mir in der Küche einen Kaffee machte, brachte ich *ihm* auch eine Tasse. Als mir zum ersten Mal bewußt wurde, daß ich ihn bediente, dachte ich: ›Das ist doch nett. Ich liebe ihn, also kann das nicht falsch sein.‹ ›Möchtest du ein Sandwich? Ein Bier?‹ Natürlich wurde bald eine Einbahnstraße daraus. Ich brachte ihm alles, und er saß herum und tat nichts. Da ich dies alles schon einmal erlebt hatte, *wußte* ich, daß diese Dinge wichtig sind. Sie sind nicht ›unbedeutend‹. Sie beweisen, daß ein *Vertrag* erfüllt wird: ›*Du* sorgst für mich in der Welt, und ich sorge für dich *im Haus.*‹ Plötzlich stellt *er* sich darauf ein, *du* stellst dich darauf ein, und ehe du dich versiehst, bist du wieder da, wo du angefangen hast.«

Eine Frau, die nach dem Scheitern ihrer Ehe mehrere Jahre allein gelebt hatte, stellte fest, daß sich ihre Einstellung zu ihrem Freund beinahe in dem Augenblick zu verändern begann, als sie mit ihm in eine Wohnung zog. »Meine Arbeit wurde ein kleines bißchen *weniger* wichtig, seine ein kleines bißchen wichtiger. Es dauerte noch nicht einmal sechs Monate, und ich sah *seine* Zukunft als *unsere* Zukunft. *Meine* Zukunft war irgendwie aus dem Blickfeld verschwunden.«

Als sie in getrennten Wohnungen lebten, waren sie zwei Menschen mit unterschiedlichen Berufen gewesen, und weder der eine noch der andere war wichtiger. »Durch das Zusammenleben in einer Wohnung spürte ich, wie ich wieder zur Ehefrau wurde.« Verschmolzen, undifferenziert, die Hälfte eines Ganzen – und noch nicht einmal die »bessere Hälfte«.

Wie damals in der Schule verändern sich die Prioritäten, und uns wird kaum bewußt, was geschieht. Die Partnerschaft gewinnt Vorrang vor der Unabhängigkeit. Wir beginnen, alles zu teilen – unsere Pläne, unsere Ideen, unsere innersten Unsicherheiten –, damit wir mit alldem nicht mehr so allein sein müssen. Es ist so leicht, plötzlich, sich an *ihn* zu wenden, um für alles, was wir tun und denken, Unterstützung und Bestätigung zu erhalten. Eine der jungen Patientinnen von Dr. Moulton drückte das freimütig so aus: »Ich brauche einen Mann, der dem Bedeutung verleiht, was ich für bedeutend halte.«

Sobald ein Mann da ist, neigt die Frau dazu, ihren Ansichten nicht mehr zu trauen. Nach einer Weile »ahnt« sie sie bestenfalls noch. Langsam dankt sie ab und wendet ihrer Authentizität den Rücken. Es geschieht etwas Seltsames – das alte Spiel setzt wieder ein. Unbewußt tut sie alles, damit das Leben so aussieht – und so wirkt – wie das von Mama und Papa: Papa steht im Brennpunkt des Familienlebens, und Mama ist das zufriedene Anhängsel. »Ich heiratete einen Mann, der meinem Vater so unähnlich war, wie ich meiner Mutter«, erinnert sich Celia Gilbert, eine Schriftstellerin, die in Cambridge lebt, »und doch bemühte ich mich sehr darum, daß unsere Ehe der meiner Eltern ähnele«, fügte sie erstaunt hinzu.

Warum tun wir das? Wir *sagen,* wir hassen dies alles. Wir *sagen,* wir wollen nicht so mit einem Mann zusammenleben wie unsere Mutter mit dem Vater – folgsam, geduldig und ohne je zu haben, was für eine unabhängige Position wichtig ist: genügend eigenes Geld. Aber das ist ein Lippenbekenntnis. Emotional, wenn auch nicht rational, ist die Entscheidung *gegen* die Mutter (so stellt es sich uns oft dar) erschreckend. Mutter hatte es vielleicht nicht so gut, aber zumindest wissen wir, *was* sie hatte.

Das Mädchen gewinnt seine Definition der Weiblichkeit durch die Beobachtung der Frauen, die sie umgeben. Dann *weiß* sie für den Rest ihres Lebens, was von ihr erwartet wird. Wenn sie sich dagegen auflehnt, trifft sie, wie der Psychiater Robert Seidenberg sagt, eine Entscheidung, die sie so grundsätzlich verwirrt, daß sie in eine *moralische Krise* gerät. »Das kleine Mädchen erlebt, daß Mütter, Tanten und Großmütter völlig im Haushalt aufgehen und Frauen verachten, die in der Welt eine aktive Rolle spielen«, schreibt Dr. Seidenberg, »sie kommt tatsächlich zu der Überzeugung, daß jede andere Rolle für Frauen unnatürlich und unmoralisch ist.«

Was geschieht, wenn die Frau von dem Modell abweicht, das die Mutter ihr liefert? Innerlich fühlt die Frau sich wie ein Kind, das glaubte, etwas Schreckliches werde geschehen, wenn sie den Schritt in Richtung Unabhängigkeit macht – sich von der Mutter trennt und eigene Wege geht. Und sie fragt sich, wo sie im Leben Zufriedenheit finden wird, wenn sie den Weg ihrer Mutter ablehnt.

*Die Frau ohne ein adäquates Rollenmodell gerät in ein tiefes psychologisches Dilemma. Sie will nicht »wie ihre Mutter« sein und auch nicht »wie ihr Vater«. Aber wer bleibt dann als Vorbild?*

Diese Verwirrung in Hinblick auf die Geschlechtsidentität ist im wesentlichen für die Panik der Frau verantwortlich.

### *Die hektische Ehefrau/Mutter/Berufstätige*

Das Zurückschrecken vor den eigenen Ambitionen – wie im Fall der Frauen der Horner-Studien – ist eine »Lösung«, um mit der *Panik der Frau* fertigzuwerden. Eine andere besteht darin, an der alten häuslichen Rolle festzuhalten und gleichzeitig Berufe zu ergreifen, die hohe Anforderungen an uns stellen. Die negativen Auswirkungen dieser »Multi-Rollen-Lösung« – Müdigkeit, Angst und der Ärger darüber, daß man soviel zu tun hat – sind das Gesprächsthema vieler Frauen heute. Bücher und Zeitschriftenartikel sind zu diesem Thema erschienen. Aber niemand spricht über den *Grund.* Warum provozieren Frauen diese Hektik durch Überlastung? Ich glaube, sie steht im Zusammenhang mit unserem unbewußten Konflikt, der verborgen bleibt.

»Der Arbeitsplatz ist ein Ort geworden, zu dem man morgens geht, wo man den ganzen Tag über bleibt und den man jeden Tag verlassen muß, um zu Hause den Job Nr. 2 antreten zu können – Köchin, Dienstmädchen, Haushälterin und Kindermädchen.«

»Ich bin die ganze Zeit über so müde, daß ich mir immer öfter wünsche, ich würde nur ein paar Stunden in der Woche arbeiten . . . aber es wäre sehr schön, wenn ich dabei ebensoviel verdienen könnte wie jetzt in der Vierzigstundenwoche.«

»Wenn ich nur im Lauf des Tages eine Stunde Zeit hätte, um ganz allein zu Hause zu sitzen, ohne daß mein Kind, mein Mann, mein Hund, meine Katze, mein Chef etwas von mir wollen ... einfach Zeit, um mich allein hinzusetzen ...«
So antworteten Frauen auf eine Umfrage der *National Commission on Working Women.* Die vielzitierte »Doppelbelastung« der Frau – Geldverdienen und Haushaltführung – gehörte zu den Punkten, die von den Frauen am meisten beklagt wurden.
Völlige Erschöpfung ist ein Symptom, das heutzutage für viele Frauen charakteristisch ist. Natalie Gittelson fand, daß sich der Satz: ›Ich bin so müde‹ wie ein roter Faden durch die vielen tausend Briefe zog, mit denen Frauen auf eine neuere Umfrage von *McCall's* reagierten. »Natürlich freuen sich viele Frauen über das selbstverdiente Geld«, schreibt Natalie Gittelson, »aber sehr viel mehr Frauen berichten, daß ihre Männer sich noch mehr darüber freuen. Aber durchweg kommt eine ungeheuere Erschöpfung infolge der manchmal unmenschlichen Anforderungen des Doppellebens – Haushalt und Beruf – zum Ausdruck, das viele berufstätige Frauen führen müssen.«[6]
Die Frauen, die einst so sehr darauf drängten, das Haus zu verlassen und in die Welt hinauszugehen, beginnen inzwischen, um Hilfe zu rufen. Es ist ihr Problem, daß sie zwar in die Welt hinausgegangen sind, aber das Haus nicht wirklich verlassen haben.
»Meine Kräfte sind so zersplittert«, schrieb eine der berufstätigen Frauen an *McCall's,* »ich arbeite den ganzen Tag, komme nach Hause, und dort warten eine unordentliche Wohnung, schmutzige Wäsche auf mich, und das Abendessen muß gekocht werden. Die Wochenenden verwende ich meist darauf, im Haushalt aufzuarbeiten, was liegengeblieben ist. Wie stumpfsinnig das ist!«
»Sex ist für uns ein großes Problem«, schrieb eine andere über sich und ihren Mann, »ich arbeite zehn Stunden am Tag im Beruf und abends vier Stunden zu Hause. Ich bin immer müde.«

Eine dritte Frau schrieb: »Ich bin sehr nützlich für ihn. Ich verdiene das notwendige zweite Gehalt. Ich erziehe seine Kinder. Ich kümmere mich um seine Wohnung, und ich bin ein attraktives Ausstellungsstück. Aber ich empfinde es als große Belastung, berufstätig zu sein, um die Rechnungen zu bezahlen. Anfangs wollte ich das. Aber jetzt habe ich das Gefühl, die Kinder zu vernachlässigen.«

Ende der fünfziger und Anfang der sechziger Jahre erzählte man, die Russinnen seien Arbeitspferde. Wir hatten den Verdacht, daß ihr Leben trotz der vielgerühmten Gleichheit unvorstellbar trostlos war. Die Vorstellung der russischen Frau vom Glück bestand darin, tagsüber Straßen zu fegen und abends nach Hause zu kommen, um zu kochen und die Wohnung zu putzen. Ich erinnere mich, daß Amerikanerinnen darüber lachten. Damals waren wir noch mehr antirussisch als pro Frau. Wir glaubten, die Russinnen würden betrogen, ohne es zu merken.

Jetzt, zwanzig Jahre später, tun wir hier das gleiche. Die Frauen in Amerika sind die neuen Arbeitspferde – überanstrengt, übermüdet und emotional ausgehungert. Die meisten verheirateten, berufstätigen Amerikanerinnen arbeiten zwischen achtzig und hundert Stunden in der Woche, wenn man den Haushalt dazuzählt. In unserer inflationären Wirtschaft verdienen die Ehemänner nicht mehr genug, um ihre Familien zu ernähren. Deshalb ermutigen sie die Frauen, ihren Anteil beizusteuern. Aber für die meisten Männer ist das Heim noch immer der sichere Hafen, wo sie ausruhen und sich bedienen lassen können. »Nur wenige Ehemänner sind bereit, im Haushalt tatkräftig mitzuhelfen«, verkündet *The Wall Street Journal* in einer Artikelserie über die Prüfungen und Leiden der »neuen berufstätigen Frau«.

Im Herbst 1980 veröffentlichten drei große Werbeagenturen die Ergebnisse von Untersuchungen, die sie durchgeführt hatten. Sie wollten herausfinden, wie »die neue Frau« den »amerikanischen Ehemann« beeinflußt. Batten, Barten, Dursting und Osborne berichteten knapp: »Der Mann von heute

erwartet von seiner Frau, daß sie zwei Jobs erfüllt – den einen zu Hause, den anderen in ihrer Firma . . . die Mehrheit (der heutigen Männer) ist nicht bereit, die Frau von den traditionellen Pflichten des Haushalts zu befreien.«
Mehr als fünfundsiebzig Prozent der befragten Männer gaben an, daß ihre Frauen für das Kochen zuständig seien; achtundsiebzig Prozent bezeichneten die Sauberhaltung des Badezimmers als Aufgabe ihrer Frau. Barbara Michael, eine stellvertretende Direktorin bei Doyle Dane Bernbach, kam in dem Bericht dieser Agentur zu dem Schluß: »Der typische Ehemann der berufstätigen Frau sieht den größten Nachteil nicht für die Kinder, sondern für sich selbst. Denn der Mann muß mehr Zeit für den Haushalt aufwenden – und das gefällt ihm nicht. Mit Ausnahme von Rasenmähen und kleineren Reparaturen im Haus interessieren ihn die Arbeiten im Haushalt nicht.«
Die Agentur Cunigham und Walsh kam nach der Befragung von eintausend Männern zu dem Schluß: »Der Status der berufstätigen Ehefrau hatte keine tiefgreifende Wirkung auf die traditionelle Rolle des Ehemanns im Haus.«[7]
Diese Art Untersuchungsergebnisse mögen für Fabrikanten, die für ihre Produkte werben, nützlich sein. Aber sie sagen den Frauen nichts, was sie nicht bereits wissen. Ich habe keine einzige Frau getroffen, die sich die Hausarbeit mit dem Ehemann oder dem Mann, mit dem sie zusammenlebt, gerecht teilt. *Gleichgültig, ob sie berufstätig ist, oder Kinder hat, oder mehr verdient als der Mann, im Haushalt und bei der Verantwortung für die Kinder leistet die Frau immer mehr.* Sie beklagt sich immer wieder: »Ich kann ihn nicht dazu bringen, dies zu tun . . . ich kann ihn nicht dazu bringen, das zu tun.«
Warum gelingt Frauen das nicht?
Sobald wir dieser Frage nachgehen, stellen wir fest, daß dieses Problem ebensoviel mit den Bedürfnissen der Frauen wie mit den Bedürfnissen der Männer zu tun hat.
In einer landesweiten Untersuchung, die erst vor wenigen

Jahren durchgeführt wurde, wollte man von berufstätigen Frauen wissen, was für sie persönlich befriedigender sei, Hausarbeit oder Beruf. »Hausarbeit!« erklang es im Chor.[8]

»Ich verstehe es nicht«, sagte der Cheflektor eines großen Verlags, der über die verwirrende Haltung seiner Frau nachgrübelte, »vor ein paar Tagen kam ihre Mutter zum Abendessen. Wir kochten zu dritt. Nach dem Essen zog ich die Schürze an und begann, Geschirr abzuwaschen, worauf beide wie siamesische Zwillinge Einspruch erhoben: ›Nein, nein laß doch . . . wir erledigen das schon!‹ ›Schon in Ordnung‹, erwiderte ich, ›ich wasche das Geschirr ab.‹«

»Seltsam«, fuhr der Mann fort, »irgendwie glaubten die Frauen, ich täte mehr als meinen Anteil, wenn ich auch noch Geschirr abwusch, nachdem ich bereits beim Kochen geholfen hatte, und das machte sie sehr nervös. Sie wollten nicht, daß ich mehr als meinen Teil tat. Aber es ist ihnen nicht aufgegangen, daß sie mehr als *ihren* Teil geleistet hätten, wenn sie den Abwasch übernommen hätten.«

Die Frau dieses Mannes ist eine erfolgreiche, hochdotierte Geschäftsfrau. Sie und ihre Freundinnen verbringen viel Zeit damit, über die noch immer fehlende Gleichberechtigung der Frau in der Welt zu diskutieren. Sie will im Beruf und im Privatleben faire Behandlung. Aber wenn es darum geht, die alten häuslichen Rollen aufzugeben, bringt sie das aus dem Konzept. »Es schien, als würde ich ihr etwas wegnehmen, wenn ich das Geschirr spülte«, sagte der Mann nachdenklich, »nein, ihnen«, korrigierte er sich lächelnd, denn er erinnerte sich plötzlich wieder daran, daß die Anwesenheit der Mutter den Verlauf dieser Episode wahrscheinlich entscheidend beeinflußt hatte. Sobald die Mutter die Szene betritt, stolpern viele Frauen über ihre neu gefundene Freiheit.

Die Last der Hausarbeit hat nichts damit zu tun, wieviel wir verdienen. »Millionärin bügelt« hätte am 18. September 1979 eine Schlagzeile lauten können. Bei der Millionärin handelt es sich um die Schriftstellerin Judith Krantz, deren erster Roman

*Scruples* ein überraschender Bestseller war. Ihr zweiter Roman *Prinzessin Daisy* wurde an diesem Tag den Taschenbuchverlagen zum Kauf angeboten. Was tat Judith Krantz, die in Kalifornien lebt, zu der Zeit, als die Gebote der New Yorker Verlage in die Höhe schnellten?

»Mein Mann und ich sind gestern erst aus Europa zurückgekommen«, sagte sie einem Journalisten, »und deshalb habe ich seit heute morgen um sieben gebügelt.«

Bügeln! Das stand auf der ersten Seite der *New York Times* in der Nachrichtenspalte neben der Information, daß die Taschenbuchrechte des Romans von Judith Krantz für 3,2 Millionen Dollar verkauft worden waren – eine Million Dollar mehr als je für ein Buch in der Geschichte des Verlagswesens bezahlt wurde. Judith Krantz mußte natürlich über sich selbst lachen und ergänzte, daß das Bügeln »eine Therapie gegen das Warten« sei.

In den sechziger Jahren war das Toilettenreinigen für viele Frauen ein heißes Thema. »Soviel er auch sonst im Haushalt hilft, *eins wird er nie tun*«; berichteten Frauen über ihre Männer und sahen sich bedeutungsvoll an, »die Toilette scheint für ihn nicht zu existieren. Toilettenreinigen ist Frauensache.«

Die Herausforderung für die Frauen heute liegt nicht darin, den Mann dazu zu bringen, mehr zu tun, sondern soviel zu verdienen wie er, ohne all die kleinen häuslichen Rituale aufzugeben, die uns davon überzeugen, daß wir noch immer »weiblich« sind.

»Ich hatte es mir selbst zuzuschreiben, daß er auch bei den einfachsten Hausarbeiten immer ungeschickter wurde«, erinnert sich Cynthia Sears, eine Absolventin des Bryn Mawr College, die sich schließlich von ihrem Mann trennte und inzwischen mit ihren beiden Töchtern in Los Angeles lebt. Cynthia berichtet von ihren Eheerfahrungen in dem Buch *Working It Out* und beschreibt ein Familienleben, das uns allen vertraut ist. »Wenn ich Freundinnen mit einem gewissen Stolz (getarnt als Verzweiflung) verkündete, daß er noch nie auch nur eine Windel gewechselt, nie nachts bei einem kranken Kind gewacht und noch nie den Mädchen ein Essen gekocht hatte, begriff ich nicht, daß meine ›Toleranz‹ ihm in Wirklichkeit die Möglichkeit nahm, sich an der Erziehung unserer Kinder beteiligt zu fühlen. Ich sah nur den augenblicklichen Nutzen, jede Kritik und jede Beschwerde zu vermeiden.«

Cynthia erzählt weiter: »Mit einunddreißig ging ich zur Therapie. Damals spürte ich meinem Groll physisch ... Beklemmungen in der Brust und Herzklopfen.«[9]

Wenn wir an unserer alten Rolle hängen und das Zepter im Haus nicht aus der Hand geben, hilft uns das, die Angst vor Ambitionen und Erfolg zu unterdrücken und eine Reihe anderer Themen zu ignorieren. Eine Geschäftigkeit, die uns erschöpft und ermüdet, kann vieles verschleiern.[10] Wir alle kennen Frauen – manche von uns gehören zu diesen Frauen – die sich eine Haushaltshilfe leisten könnten, es aber nicht tun. Warum tun wir das nicht? Mit einer Haushaltshilfe wären wir gefährlich frei.

*Frauen entdecken allmählich, daß nichts gefährlicher ist als die Flucht in die Freiheit!*

Die Tatsache, daß diese Furcht meist wie eine Bombe explodiert, sobald die Grundbedürfnisse des Überlebens erfüllt sind, macht sie nicht weniger bedrohlich. Je geringer der finanzielle Druck ist, der einer Frau gestattet, ehrgeizig zu sein, desto mehr fürchtet sie sich, und desto größer wird die Notwendigkeit, ihre Weiblichkeit unter Beweis zu stellen, indem sie die Rolle der unersetzlichen Hausfrau spielt.

## *Sklavenarbeit verschleiert den Konflikt*

Evelyn und ihr Mann sind mit ihren Berufen unzufrieden, aber sie verdienen weit mehr als die meisten von uns. Richard hat als Art Direktor einer Werbeagentur ein Einkommen von siebzigtausend Dollar im Jahr, Evelyn ist Modell, verdient nicht viel weniger. Zusammen können sie über mehr als hunderttausend Dollar im Jahr verfügen. Sie haben eine Reihe Fehlentscheidungen getroffen und sich dabei finanziell übernommen (sie haben mehr Besitz, als sie unterhalten können – teilweise um die Frustrationen zu kompensieren, die ihnen der Beruf schafft, dem sie längst entwachsen sind). Deshalb sagen Richard und Evelyn, es sei kein Geld da, um eine Haushaltshilfe einzustellen, und Evelyn führt den Haushalt. Das bedeutet – wie üblich – nicht nur Böden und Toiletten zu putzen, sondern alle Arbeiten zu erledigen, die mit Haus und Kindern zusammenhängen. Drei- oder viermal in der Woche fährt sie nach Manhattan zu Modeaufnahmen, außerdem putzt und kocht sie, kauft ein und wäscht. Sie trifft die Verabredungen für alle in der Familie und achtet auch darauf, daß sie eingehalten werden. Sie fährt die Kinder nach der Schule zu Freunden oder zu den Freizeitaktivitäten. »Nur noch ein paar Jahre«, sagt sie sich vor – immerhin fünf oder sechs Jahre. Das Jüngste ist in der vierten Klasse (beide sind zum zweiten Mal verheiratet).

Und was tut Richard? Ja Richard hat furchtbar viel zu tun: Mit Gewichtheben und dem Tauchlehrgang, ganz zu schweigen von den Stunden, die er abends mit Fotografieren und dem Entwickeln der Fotos in seiner Dunkelkammer verbringt, hat der Tag zuwenig Stunden. Man muß zu Richards Gunsten sagen, daß er kein Dillettant ist. Er bereitet sich auf eine große Veränderung vor: Er plant, aus seiner Leidenschaft – der Fotografie – einen Beruf zu machen, sobald er es finanziell für vertretbar hält. – Vor Richards Konflikt tritt alles andere in den Hintergrund – er arbeitet vierzig Stunden in der Woche in einem Beruf, den er haßt, und sehnt sich danach, etwas zu tun, das er wirklich liebt. Mit sechsundvierzig wirkt Richard Melton wie ein Mann, dem der Tod auf den Fersen ist. Nun hat er so viele Jahre mit der langweiligen und sinnlosen Arbeit in der Agentur verschwendet und entdeckt mit beinahe fünfzig seine wahre Liebe: das Fotografieren! Richard kann sich unmöglich vorstellen, auch nur eine Sekunde seiner kostbaren Zeit mit *Hausarbeit* zu verlieren. Jeder Funke Energie geht in seine »wirkliche Arbeit«, wie er es nennt. Das Gewichtheben und die Konzentration, die er beim Fotografieren aufbringen muß, zehren an ihm, und seine Augen glühen vor Intensität. Er ist ein Mann, der ein Geheimnis in seiner Brust birgt – *er hat eine zweite Chance erhalten.*

Evelyn ist seit zwei Jahren mit Richard verheiratet, und aus der bewundernden Ehefrau ist jemand geworden, der vor Ärger und Zorn manchmal nicht mehr aus noch ein weiß. Richard überläßt alles, was mit dem Haus zu tun hat, ihr, und sie scheint ihn mit ihren Problemen nicht erreichen zu können. In der ganzen Zeit ist es ihr trotz vieler Bemühungen nur gelungen, ihm beizubringen, wie man Salat anmacht. Hin und wieder gibt er nach und zerpflückt ein paar Salatblätter – aber meist nur, wenn sie nicht da ist, um es für ihn zu tun. Richard *sieht* einfach nicht – ihm scheint es nicht ins Bewußtsein zu dringen –, daß sie die Hausarbeit allein macht – Besorgungen, Organisieren, Einkäufe im Supermarkt, Putzen und Kochen, wenn seine Freunde und seine Familie zum Essen kommen. Sie kümmert sich um seinen Sohn, wenn er zu Besuch da ist, und natürlich um ihre Kinder.

»Du mußt es nicht tun«, sagt Richard, wenn sie sich beklagt.

»Aber *irgend jemand* muß es tun«, antwortet sie.

Er zuckt die Schultern. Warum? fragt er sich, wie nur jemand fragen kann, der sich noch nie um häusliche Pflichten Gedanken machen mußte. Es ist ihre Sache, entscheidet er. Es ist etwas, worüber sie sich selbst klarwerden muß (intuitiv denkt er das Richtige – sie muß ihre Position selbst abstecken –, aber er weiß nicht, wie er seine Verärgerung erklären kann, das Gefühl ungerecht behandelt zu werden, und deshalb schiebt er das Problem beiseite).

Inzwischen ist die Situation für beide ziemlich unerfreulich geworden. Richard ist zutiefst verwirrt. Er versteht nicht, warum seine Frau so reizbar und nervös ist; Evelyn glaubt, es sei alles so klar wie der Wackelpudding, den sie ihren Kindern als Dessert hinstellt. Aber irgend etwas versteht auch sie nicht. Unbewußt *erlaubt* sie sich nicht, Richard das Thema Haushalt so zu erklären, daß er es versteht. Es ist seltsam, sie kann ihre Wünsche und ihre Abneigungen, ihre Ängste und ihren Ärger auf allen anderen Gebieten verbalisieren. Sie kann sehr gut für sich selbst sorgen, aber offenbar kann sie die qualvolle und lähmende Gefangenschaft in der Hausfrauenrolle nicht erkennen und sich daraus befreien.

Weshalb nicht?

Weil es ihr wichtig ist, die Hausarbeit nicht aufzugeben. In Evelyns Leben gibt es nichts, was sich mit Richards Fotografie vergleichen ließe – keine Arbeit, die sie liebt, kein echtes Engagement –, was bleibt, sind Mann und Kinder. Zwar verdient sie beinahe soviel wie ihr Mann; aber sie hat das Gefühl, daß Richard in Hinblick auf seine Kreativität in einer anderen Welt lebt. Deshalb fühlt sie sich von ihm getrennt und allein. In Evelyns Vorstellung ist die Dunkelkammer zu Richards Geliebter geworden. Sie empfindet beinahe sexuelle Eifersucht: Wenn er in die Dunkelkammer geht, hat er sich auf dem Absatz umgedreht und sie verlassen. Er könnte ebensogut in das Schlafzimmer einer anderen Frau gehen.

In Zeiten, in denen wir unsicher und ungefestigt sind, gewinnt die Eifersucht die Oberhand. Während Evelyn zusah, wie ihr liebevoller Mann seine ganze Leidenschaft und Intensität auf die Kunst verlagerte, brach die Krise in ihrem Leben auf – was sollte sie mit dem Leben *anfangen?* Eine Arbeit, die nur einen Bruchteil ihrer Talente beanspruchte und sie schon lange nicht mehr herausgefordert hatte, führte dazu, daß sie sich in Aktivitäten verlor, die mit dem Haus und den Kindern zu tun hatten. Es gab eine Zeit, in der sie zumindest das Gefühl gehabt hatte, wenigstens *nützlich* zu sein, wenn sie als vollkommene Hausfrau den ganzen Tag über beschäftigt war. Aber jetzt ist das nicht mehr so, und teilweise fühlt sie sich deshalb deplaziert.

Vor zehn Jahren führte Evelyn ein Leben, um das sie viele beneideten. Sie hatte eine glänzende Karriere und war finanziell unabhängig. Die Leute bewunderten, wie reibungslos sie ihren Beruf mit dem Haushalt vereinbarte. Sie kochte ausgezeichnet. Sie hatte das Haus mit schönen Antiquitäten eingerichtet, die sie auf Auktionen und auf dem Flohmarkt entdeckt hatte. Sie gab jedes Jahr aufwendige Geburtstagsparties für die Kinder und an Feiertagen große Essen. An Weihnachten war es nicht ungewöhnlich, daß an der großen Tafel, die mit weißem Damast und Silber gedeckt war, neunundzwanzig Gäste saßen.

Aber die Zeiten hatten sich geändert. Jetzt schien es darum zu gehen, etwas Sinnvolles zu tun, das ihre Fähigkeiten herausforderte. Das Engagement der Frauen an den Problemen der Welt war im Niveau gestiegen.

Und das ist teilweise der Grund dafür, daß für Evelyn die alte *Multi-Rollen-Lösung* (die hektische Berufstätige/Ehefrau/Mutter) keinen Ausweg mehr bietet. Aber trotzdem klammert sie sich daran, denn im Grunde genommen fürchtet sie, sich auf etwas Neues einzulassen. Im vergangenen Jahr beschäftigte sie sich mit einer Reihe von Möglichkeiten. Sie dachte daran, an einem nahegelegenen College Seminare über kreatives Schreiben zu belegen, dann wollte sie alles hinwerfen und Medizin studieren, aber wenn sie vor der Entscheidung steht, ist sie wie gelähmt. Sie hat sich so lange auf eingefahrenen Gleisen bewegt, daß sie über nichts mehr *nachdenken muß*. Sie hat alles Notwendige getan, um als Modell an der Spitze zu bleiben, seit sie mit achtzehn nach New York kam. Sie war *gut* – daran gab es keinen Zweifel. Sie wußte, worauf es ankam. Warum sollte sie jetzt alles über Bord werfen? Nicht jede Frau über dreißig ist noch in der Lage, als Modell viel Geld zu verdienen.

Aber eine innere Stimme widerspricht ihr leise: Sie muß einen neuen Weg einschlagen. Sie kann dem Konflikt nicht länger ausweichen. Der Konflikt brodelt gefährlich explosiv unter der Oberfläche – der Zorn, der Groll, das Gefühl, verletzt und mißbraucht zu werden. Sie verlagert ihre inneren Konflikte nach außen und macht Richard dafür verantwortlich, daß sie nicht in der Lage ist, die Rolle der Hausfrau abzuwerfen – etwas zu *tun:* das Haus auf dem Land verkaufen, eine Haushälterin einstellen und alles so umorganisieren, daß sie wieder studieren oder einen neuen Beruf ergreifen und eine Aufgabe finden kann, die sie befreien und ihr neue Energie schenken würde.

Frauen geben die Herrschaft als Hausfrau nicht ab, gleichgültig, ob sie einen Beruf haben oder nicht, denn sie fühlen sich von ihrem Ehemann abhängig und brauchen etwas – eine Dienstleistung –, um das Arrangement im Gleichgewicht zu halten. Aus diesem Grund investieren Frauen mehr in die Familie als Männer – gleich wie viele Stunden sie im Büro auch arbeiten, sie kochen weiterhin das Essen für die Familie, backen ihr eigenes Brot und nähen Quilts, die zur Tapete im Kinderzimmer passen.

Die Sicherheit der Ehe – geliebt und gebraucht zu werden – kann für die Frau, die es drängt, etwas selbständig zu tun, sich aber auch davor fürchtet, ein sehr fragwürdiger Segen sein. Jeder negative Druck von »seiner« Seite läßt sich hübsch in eine äußere Ablenkung von den eigenen inneren Ängsten verwandeln. Der Beruf, besonders wenn er als Möglichkeit der persönlichen Entwicklung betrachtet wird, und nicht unter dem Aspekt, »die Rechnungen zu bezahlen«, kann eine Basis für die eigene Individuation und Abgrenzung sein. Deshalb kann er als »Trennung vom Partner« erlebt werden – ein gefährliches Unterfangen. Dann bleibt man besser in der Ehe hängen. »Mir liegt wirklich etwas an meiner Familie« – dieses Bekenntnis wird zur rationalen Erklärung eines entscheidenden Rückzugs.

Die Erschöpfung, von der Frauen im Zusammenhang mit ihrer »Doppelbelastung« sprechen, ist das Ergebnis eines Konflikts – der Zusammenstoß zwischen dem Wunsch, die häusliche Sicherheit nicht aufzugeben, die Hausfrauen immer genossen haben – und dem Drang, frei zu sein und sich selbst zu verwirklichen. Dieser ungelöste und deshalb lähmende Konflikt bewirkt die Panik der Frauen, hält die Frauen in uninteressanten Berufen fest oder in Positionen, denen sie entwachsen sind, und er führt dazu, daß sie sich zu Hause weiterhin verausgaben. Die meisten von uns haben noch keine echte Entscheidung über ihr Leben getroffen. Der Versuch, eine Situation aufrechtzuerhalten, in der wir weder unsere Unabhängigkeit *noch* unsere Abhängigkeit aufgeben, entzieht uns Energie. Wir beschuldigen die Männer, weil sie sich nicht verändern, aber unbewußt sind wir bereit, sie hinzunehmen, wie sie sind.

# VII. KAPITEL DURCHBRUCH ZUR FREIHEIT

Nach der Trennung von meinem Mann lebte ich wieder allein, und es dauerte nicht lange, bis seltsame, beunruhigende Anzeichen einer Verwirrung an die Oberfläche drangen. Ich fühlte mich entsetzlich abgespannt, ich hatte Weinkrämpfe, und manchmal konnte ich nicht schlafen. Aber diesen Symptomen der Depression standen Aufwallungen unerklärlicher Freude und Energie gegenüber, Momente des Hochgefühls, die beinahe manisch waren, denn es schien so wenig Grund dafür zu geben.

Am schönsten waren die Augenblicke, in denen ich mir vorstellte, daß ich mich eines Tages tatsächlich durchsetzen würde. Ich wußte zwar nicht wie, ich wußte nur, daß es eine Art Rettung bedeuten würde. »Man« würde mich entdecken, »man« würde meinen eigentlichen Charakter entdecken, meine verborgenen Talente und mich aus dieser großen, leeren, leblosen Wohnung herausholen, und »man« würde mich in das aufregende Scheinwerferlicht stellen, wo eine unbekannte Erfüllung auf mich wartete. Manchmal tanzte ich spätabends leicht betrunken allein vor dem Spiegel. Ich trug nur einen Hut, einen weichen Filzhut mit einer großen, auffallenden Feder. Diese Szene ist mir noch in Erinnerung, wohl zum Teil deshalb, weil sie in so scharfem Gegensatz zu dem anderen Aspekt meiner Person steht – dem zurückhaltenden, scheuen Schulmädchen, das jung, unerfahren und unsicher ist. Dieser Teil von mir wollte im Hintergrund bleiben und gab sich damit zufrieden, einfach durchzukommen. Dies war die Frau, die sich bereitwillig verkleinerte, die glücklich war, wenn sie die Miete bezahlen und die Telefongesellschaft einen weiteren Monat vertrösten konnte. Was

brauchte ich mehr als ein bißchen Essen und ein bißchen Wärme?
Gegen Ende dieses Lebensabschnitts ging der Staubsauger kaputt. Es war sehr bezeichnend, daß ich nichts unternahm, um ihn reparieren zu lassen. »Ein Besen tut es auch«, sagte ich mir Tag für Tag, wenn ich die Wohnung fegte, »Frauen haben Besen benutzt, ehe es Staubsauger gab.«
Wie ängstlich ich damals war, wie eng und konstruiert mein Leben. Ich war dankbar, wenn ich Freikarten für das Theater bekam, oder den Auftrag, einen Artikel über das Ballett zu schreiben. Dann stand ich mit großen Augen in den Kulissen des New York State Theaters und beobachtete eine junge Tänzerin, die sich zur Hochleistung aufschwang und ihren Körper der wilden, triumphierenden Musik von Strawinsky entgegensetzte. Ich wollte die Tänzerin als ein magisches Wesen sehen. Ich konnte ihre großartige tänzerische Leistung nicht mit dem Schweiß in Einklang bringen, der ihr aus allen Poren rann, oder dem verzerrten Gesicht, das ich sah, wenn sie während einer Tanzpause, in der sie den Zuschauern den Rücken zudrehte, heftig und häßlich nach Atmen rang – wie ein Fisch auf dem Trockenen. Sie schien gestrandet zu sein. Sie war verletzlich und erschöpft von der Anstrengung, bis an ihre Grenzen vorgestoßen zu sein. Ich wollte den Zusammenhang zwischen ihrer grandiosen Kunst und der folterartigen Schwerarbeit nicht sehen, der sie sich unterziehen mußte, um ihre Leistung zu vollbringen. Dieser Blick aus den Theaterkulissen führte mir eine Wahrheit vor Augen: Eine Frau, die unkontrolliert und heftig keucht – wenn auch nur kurz –, ist ein furchtbarer Anblick. Ihre Anstrengung stand in einem qualvollen Kontrast zu meinen eigenen Träumen vom Ruhm – Träume, die eine – mir unbewußt – fordernde, ja sogar rachsüchtige Seite hatten: Ich sollte *nicht* arbeiten müssen, um Anerkennung zu finden. Der Erfolg sollte mir so mühelos zufliegen wie ein seidener Umhang, der sich mir schwerelos um die Schultern legte.
Starke Gegenkräfte waren am Werk. Während meine Selbst-

achtung quälend niedrig war, überschlugen sich meine grandiosen Phantasien. Die Vorstellung, daß ich mich *anstrengen* sollte, war erniedrigend. Das schien die andere, erschreckende Selbsterkenntnis zu bestätigen: Ich war ein Arbeitstier, nicht sehr intelligent und ganz sicher nicht originell – die mausgraue Stiefschwester, deren einzige Daseinsberechtigung darin bestand, das Feuer im Ofen in Gang zu halten. Ich sehnte mich wie Aschenputtel danach, daß mir die gute Fee einen Ausweg zeigen würde.

Wenn man nur Sicherheit sucht, ist man mit einem langweiligen, engen Leben zufrieden. Ich war nicht zufrieden. Als ich in diesem schrecklichen Winter 1973 auf meinem großen Bett saß, das ich mit niemandem teilte, erging ich mich in blühenden Phantasien über ein Leben, in dem ich stark, unbehindert von Angst und selbstbewußt war; in den Heizungsrohren rumorte es, und von den Heizkörpern stieg heiße Luft auf und machte die Fenster blind. Als ich mit siebenundzwanzig mit drei kleinen Kindern in einer anderen, kleineren Wohnung saß, sah ich mich in meiner Vorstellung in einem Minirock und Stiefeln in einem leuchtend roten Honda über die Fifth Avenue dahinsausen. Jetzt träumte ich von anderen Dingen: Ich wollte kraftvoll und frei schreiben. Wenn ich nachts nicht schlafen konnte, fielen mir Fetzen von Gedichten ein. Ich benutzte sie nicht in meinem Schreiben, aber ich sah in ihnen ein Signal für die Intensität meines Innenlebens. Ich träumte auch von Reisen. Ich sah mich mit neuen Freunden und neuen Geliebten, in der Sicherheit einer fröhlichen, neuen Beziehung zu mir selbst.

Plötzlich und zum ersten Mal erkannte ich, daß ich ein Mensch war, der etwas wollte. *Ich will! Ich will! Ich will!*, rief eine innere Stimme, aber es schien noch immer, als könnte ich nichts von alldem *bekommen*. Ich schien in einer undurchdringlichen, aber durchsichtigen Hülle zu leben. Ich konnte nach draußen blicken, aber ich konnte die Hülle nicht verlassen. Die Dinge, von denen ich wußte, daß ich sie wollte, waren nicht materieller, sondern emotionaler Natur, nicht meßbar,

sondern quälend unbestimmbar: Die Freiheit zu handeln und zu sein war symbolisiert durch das Verlangen nach mehr Licht, mehr Luft, ein paar Monaten am Meer, einem Haus auf dem Land.
Meine verdeckten widersprüchlichen Wünsche, sowohl frei als auch sicher zu sein, fesselten mich. Ich wütete, ich tanzte, ich weinte. Der Sand unter mir gab nach. Das alles war gut für mich. Noch ein paar Jahre, und die Freunde hätten mich verlassen. Man würde sagen, ich hätte mich verändert. Ich wäre anders geworden – ein anderer Mensch. Die Angst wäre verschwunden, aber auch die zarte Röte, die mir ins Gesicht stieg, wenn ich verträumt vor dem Spiegel tanzte. Wenn der Riß, der mich spaltete, heilen sollte, mußte ich viel aufgeben – ich mußte die tröstliche Sicherheit verabschieden, die ruhmvollen Träume, die man träumt, wenn man nur in seinen Vorstellungen lebt.

*Den inneren Konflikt aufarbeiten*

Wenn man den inneren Konflikt zwischen Abhängigkeit und Unabhängigkeit erst einmal aufgespürt, identifiziert und aus dem engmaschigen Gewebe des Alltagslebens herausgelöst hat, kann man dann den Sprung aus dem kleinen stickigen Raum der Angst hinaus in die weiten Ebenen der Freiheit wagen?
So einfach ist es nicht. Den Prozeß, den es erfordert, nennen die Therapeuten »aufarbeiten«. Man muß nicht zur Psychotherapie gehen, um zu lernen, wie man einen Konflikt aufarbeitet. Aber man *muß* systematisch und hartnäckig sein. Ein vages allgemeines Bewußtsein davon, daß man in einem Konflikt steckt, bringt einen nicht viel weiter. *Arbeit* bewirkt das. Man muß eine bewußte, freiwillige Anstrengung auf sich nehmen, den verwirrten Fäden des inneren Konflikts folgen und sie entwirren – nur so kann man sich aus der bewegungslosen Starre befreien.

Der Konflikt zwischen dem Wunsch, frei, und dem Wunsch, behütet und beschützt zu sein, ist heimtückisch, denn er trägt einen versteckten Vorteil in sich: Konflikte erlauben uns, dort stehenzubleiben, wo wir uns befinden. Der Zustand, den wir nach eigenen Worten erreichen wollen – die Unabhängigkeit – dient als Deckmantel für etwas, das wir uns ebensosehr wünschen, uns aber nicht eingestehen können: die Abhängigkeit – das Bedürfnis nach der Ursicherheit. Wir werden von diesen zwei gegensätzlichen Wünschen getrieben und bleiben deshalb im Leeren stecken. Die Leere hat Vorteile. Es ist vielleicht nicht sehr warm da, aber es ist auch nicht sehr kalt. Es ist nicht aufregend, aber es ist auch nicht ganz dasselbe, wie tot zu sein.

Man kann Abhängigkeit nicht aufarbeiten, wenn man sie nicht identifizieren kann – soviel steht fest. Der erste Schritt zu ihrer Überwindung ist es also, die Tendenz zu identifizieren. Man muß bewußt nach den Anzeichen Ausschau halten. In der Zeit meines Lebens, als ich spät in der Nacht mit dem Federhut vor dem Spiegel tanzte, beklagte ich mich auch darüber, *sie* – die Lektoren und Verlage – seien daran schuld, daß ich als Schriftstellerin nicht genug Geld verdiente, denn sie behandelten uns Schriftsteller ungerecht. Ich verbündete mich mit all den anderen verkannten Schriftstellern und blieb so das Opfer. Ich »weigerte« mich, irgend etwas zu tun, was meine Ideale kompromittierte. Ich verfluchte das System und machte mit meiner Arbeit so weiter wie bisher. Ich tat immer wieder dasselbe – wie bequem war das! Die Vorstellung, daß ich mich vielleicht davor *fürchtete,* etwas Neues zu versuchen, daß ich vielleicht nicht den Mut hatte, eine Chance zu ergreifen, zu experimentieren, etwas noch nicht Dagewesenes herauszufinden – dieser Gedanke kam mir nie. Meine Probleme blieben bequem versteckt, während ich mich weiterhin beklagte.

Die Arbeit war nicht der einzige Aspekt meines Lebens, der durch den Konflikt verkümmerte. Mein Liebesleben war trostlos, denn ich wurde zwischen dem Bedürfnis, geliebt zu werden, und dem gleichermaßen starken Drang, dieses Bedürfnis nicht zuzulassen, hin und her gerissen. Der offensichtliche Narzißmus dieser mitternächtlichen Begegnungen mit dem Spiegel stand im scharfen Gegensatz zu den Empfindungen, mit denen ich mich im kalten Tageslicht betrachtete: »Du wirst alt«, sagte ich dann und suchte vor dem Spiegel in meinem Gesicht neue Anzeichen des Verfalls, »Du siehst nicht mehr gut aus!« Die Beschäftigung mit dem Altern, mit allem, was mir ein negatives Gefühl über mich selbst vermittelte, hätte ein Zeichen sein sollen.

Ich hatte damals eine schmalspurige, unbefriedigende Beziehung zu einem verheirateten Mann. Zwar tanzte ich nachts überheblich vor dem Spiegel, aber bei Tag fürchtete ich, nicht in der Lage zu sein, diesen Mann »zu halten«, dessen Distanziertheit mich faszinierte. Da ich die Liebe nicht bekam, die der andere Teil von mir brauchte, beschuldigte ich den Mann, oberflächlich zu sein, nicht den Mut zu haben, sich in eine verrückte, leidenschaftliche Beziehung zu stürzen. Natürlich war das reine Projektion. *Mir* fehlte der Mut. Ich traf mich ein Jahr lang mehrere Male in der Woche nachmittags mit diesem Mann. Dadurch blieb ich sicher – und fühlte mich elend.

Im Beruf und in der Liebe belasteten mich alle möglichen Hemmungen. Ich glaubte, daß ich die unvermeidbaren Ängste einer »neugeborenen« Frau erlebte, die aus der Stagnation einer langen, bedrückenden Ehe auftaucht. Das war es vielleicht – teilweise. Aber es war auch viel mehr. Der Drang, unten zu bleiben, war stark, und er prallte auf das gleichermaßen starke Bedürfnis, auszubrechen, Hervorragendes zu leisten, »mir einen Namen zu machen«. Diese beiden Triebe – der eine expansiv, der andere restriktiv – schienen sich gegenseitig auszulöschen, und ich stand dazwischen. Über mein Leben breitete sich Müdigkeit wie der Ruß auf die Dächer der Nachbarhäuser. Ich arbeitete weiter, aber es fiel mir schwer, etwas zu Ende zu bringen. Ich bestrafte mich für meine Langsamkeit. Ich kaute Fingernägel.

Bei Frauen, deren Wesen gespalten ist, können ganze Persönlichkeitsbereiche brachliegen, denn diese Frauen müssen viel Energie aufwenden, um die eine oder andere Seite des Konflikts zu unterdrücken oder zu verleugnen. Auf diese Weise versuchen sie, seelische Ganzheit zu erreichen. Ich habe zum Beispiel immer versucht, meine Neigung zur Abhängigkeit zu leugnen – und erschöpfte mich damit. Der Teil unserer Persönlichkeit, den wir unterdrücken wollen, »ist noch immer genügend aktiv, um einzugreifen, aber er kann nicht konstruktiv genutzt werden«, erklärte Karen Horney; der Vorgang, sagte sie, »ruft einen Energieverlust hervor – Energie, die für Selbstbehauptung, Zusammenarbeit oder zum Aufbau guter Beziehungen eingesetzt werden könnte«.[1]

Mangelnde Energie ist ein anderes Anzeichen für den verborgenen Abhängigkeitskonflikt. Das Energiedefizit manifestiert sich in Unentschlossenheit und lähmender Untätigkeit.[2] Die konfliktbeladene Frau schwankt ständig unschlüssig hin und her: Soll ich diese Stelle annehmen oder jene? Soll ich zu Hause bleiben oder wieder studieren? Soll ich ihn lieben oder verlassen? Dieses Hin und Her vergeudet Energie wie ein Ofen, mit dem man das Haus zu heizen versucht, wenn alle Fenster offenstehen. Es ist gleichgültig, ob es sich um unbedeutende oder wichtige Entscheidungen handelt, der Vorgang ist derselbe. Das eigentliche Thema verschwimmt. Das Zaudern führt zur Selbstbestrafung und einer Art zielloser, ärgerlicher Frustration.

Dieses Gefühl der Zerrissenheit entleert uns und behindert aktiv unser Leistungsvermögen. So kann es zum Beispiel Stunden in Anspruch nehmen, einen einfachen Bericht zu schreiben, die Wäsche zu sortieren oder ein Essen zu planen. Für die konfliktbeladene Frau scheinen selbst die einfachsten Aufgaben eine unangemessen große Anstrengung zu verlangen.

Schwäche, die durch innere Spannungen entsteht, zeigt sich üblicherweise auch im Umgang mit anderen Menschen. Eine Frau, die sich zum Beispiel zu behaupten versucht, sich aber auch unterordnen möchte, wird unschlüssig wirken. Wenn sie um etwas bitten muß, gleichzeitig aber glaubt, es fordern zu können, klingt sie anmaßend. Wenn sie Sex möchte, aber innerlich wünscht, ihren Partner zu frustrieren, hat sie Orgasmusschwierigkeiten. Vielleicht führt sie alle Probleme auf zuviel Arbeit, zuwenig Schlaf, »geringe Widerstandskraft« etc. zurück, aber ihre Unausgeglichenheit hat vermutlich sehr viel mehr mit den einander zuwiderlaufenden Strömungen in ihr zu tun.

*Entwirren*

Den Konflikt zu überwinden bedeutet mehr, als Pflaster über all die kleine Risse und Spalten, die uns durchziehen, zu kleben. Es bedeutet, das Übel an der Wurzel anzugehen, damit das Bedürfnis nach Spaltung nicht überleben kann.

Wie tut man das? Man richtet unbarmherzig alle Aufmerksamkeit auf sich selbst. Man darf sich nicht scheuen, jeden Stein zu wenden, um die Motive, die Haltungen, die Denkweisen zu untersuchen. Und wenn ein Faden auftaucht – irgendeine seltsame, unbedeutende Einstellung oder Verhaltensweise, die mit der übrigen Persönlichkeit nicht in Einklang steht –, müssen wir ihm folgen. Wir dürfen nicht sagen: »Das ist nur ein kleiner Widerspruch in meinem Charakter, eigentlich hat das nichts mit mir zu tun.« Das bist du. Wenn du diesem kleinen Widerspruch folgst, wird er dich zu dem großen Lager des verborgenen Konflikts führen.

Ein paar Beispiele: Vielleicht beobachtet man, daß man zwischen Extremen schwankt – man ist sehr strikt gegen sich, aber auch wieder sehr nachgiebig; oder man erkennt, daß man dazu neigt, andere geringschätzig zu behandeln, während man sie insgeheim für überlegen hält; oder man entdeckt, daß das

Verlangen, sich selbst herabzusetzen, die Fähigkeit beeinträchtigt, sich erfolgreich durchzusetzen, während gleichzeitig der Drang, über andere zu triumphieren, zwanghaft wird. Man beobachtet vielleicht, daß man alle Rechte für sich in Anspruch nimmt, während man gleichzeitig das Gefühl hat, kein Recht in der Welt zu haben. (Anstatt sich wegen des letzteren zu bemitleiden, sollte man besser das erstere kritisch untersuchen. Sich alle Rechte anmaßen heißt nichts anderes, als daß man immer seinen Willen durchsetzen will. Und dies ist ein todsicherer Hinweis auf eine abhängige Persönlichkeit.)

Man sollte sich daran erinnern: »Charakterschwächen« sind vielleicht nicht nur kleine Fehler, möglicherweise reflektieren sie größere Konflikte der Persönlichkeit. Man untersuche sie kühl und objektiv, ohne sich schuldbewußt selbst anzuklagen, weil man nicht eben vollkommen ist. Auf diesem Weg entdeckt man bisher unbekannte Aspekte der eigenen Persönlichkeit. Ist man in der Lage, sich diesen verborgenen Aspekten zu stellen und sie zu akzeptieren, wird man schließlich ein neues, integriertes und starkes Ich finden.

Mich brachten die seltsamen Widersprüche in meiner Einstellung zu Geld auf die Spur von erheblichen Verzerrungen in meinen Beziehungen zu anderen. Ich möchte hier berichten, wie ich den gewundenen Fäden meines Geldproblems folgte, bis sie mich zu einem riesigen Knäuel führten, das sich seit Jahren um eine zentrale Charakterstörung gebildet hatte: Der Wunsch, daß ein anderer für mich die harten Dinge im Leben erledigte; der Wunsch, gerettet zu werden!

Wie ich anfangs beschrieben habe, entdeckte ich etwa fünf Jahre nach dem Scheitern meiner Ehe (und ein Jahr nachdem ich mit Lowell zusammengezogen war), daß ich nichts mit Geld zu tun haben wollte. Das bekümmerte mich. Wenn es darauf angekommen wäre, hätte ich damals glücklich von einem Taschengeld leben können – und beinahe zwei Jahre lang tat ich das auch. Lowell bezahlte alle Rechnungen. Ich verdiente buchstäblich nichts. Mich lähmte eine nicht enden wollende

Teilnahmslosigkeit. Mein Bankkonto war völlig erschöpft (ebenso wie meine Selbstachtung praktisch nicht mehr vorhanden war).

Und hier lag das Dilemma: Einerseits fand ich es demütigend, Lowell jedesmal um Geld zu bitten, wenn ich meine Schuhe vom Schuhmacher holen wollte, andererseits (und um das zu entdecken, mußte ich mehrere lange, verschlungene Fäden entwirren) *gefiel* mir die Situation mehr, als sie mir *mißfiel.*

Es bedurfte vieler Konfrontationen, bis ich bereit war, Dinge anzuhören und zu akzeptieren, die Lowell mir vorhielt: Ich würde mich auf ihn stützen, und das ginge ebensosehr auf meine Kosten wie auf seine. Er könne mit seiner Energie andere, befriedigendere Aufgaben lösen, als allein fünf Personen zu ernähren. Ich konnte die Richtigkeit seiner Argumentation nicht länger übersehen.

Aber es war nicht nur der Druck von Lowell, der mich in Konflikte stürzte. Je länger ich zuließ, daß er die Verantwortung für mein Wohl übernahm, desto schlechtere Gefühle entwickelte ich mir selbst gegenüber.

Nachdem ich mich mit Händen und Füßen gegen diese Erkenntnis gewehrt und unglaublich zornig geworden war, zog ich mich schließlich selbst aus dieser Grube heraus und begann, wieder produktiv zu arbeiten. Ich verdiente Geld – mehr, als ich je zuvor verdient hatte. Aber daß ich mich noch immer danach sehnte, versorgt zu werden, zeigte sich an der Art, wie ich mit meinem neuen Verdienst umging, oder genauer gesagt *nicht* umging. Ich hatte mich immer in dem Glauben gewiegt, wenn ich erst einmal genug Geld hätte, könnte ich der Unbequemlichkeit, mich darum kümmern zu müssen, aus dem Weg gehen. Das ist eine sehr typische Haltung. *Wenn ich* nur genug Geld hätte, dachte ich, müßte ich mir über meine Ausgaben nie mehr Rechenschaft ablegen! Ich müßte nie mehr kontrollieren, organisieren, mir alles *ins Bewußtsein rufen und daran denken.* Ich müßte mir nie mehr vor Augen führen, wie schrecklich *real* alles ist.

Mein großer Trick bestand darin (so entdeckte ich), nie über den laufenden Kontostand informiert zu sein. Auf diese Weise wußte ich nie, wieviel Geld ich besaß. Je länger ich es vernachlässigte, die Ausgaben von den Einnahmen zu substrahieren, desto verschwommener wurde das ganze Bild. Da ich zu keinem Zeitpunkt mit Sicherheit wußte, wieviel Geld ich hatte, konnte ich mich immer hilflos fühlen. Wie sollte ich objektiv feststellen, ob ich mir neue Stiefel leisten konnte, oder eine Lebensversicherung (beziehungsweise ob ich mir leisten konnte, keine Lebensversicherung zu haben). Bewußt erinnerte ich mich immer nur an den letzten großen Eingang auf dem Konto (meine Einnahmen als freie Schriftstellerin kamen in großen, aber unregelmäßigen Batzen. Gleichgültig wie viele Schecks ich seit der letzten Einzahlung ausgefüllt hatte, ich sah immer nur die ursprünglichen, sagen wir, fünftausend Dollar vor mir.

Schließlich sagte mir mein Überlebensinstinkt, es sei allerhöchste Zeit, etwas zu unternehmen. Und wenn ich mich schließlich dazu durchgerungen hatte, den Kontostand festzustellen, war meist nur noch so wenig da, daß sich das Zählen kaum lohnte. Ich wehrte mich dagegen, meinen kleinen Schatz zu verwalten; ich wehrte mich dagegen, ihn zu schützen, an einen sicheren Ort zu bringen und nur davon zu nehmen, wenn es unumgänglich war. Deshalb kam es unweigerlich jedesmal so weit, daß ich vor den traurigen Überresten stand und mich fragte: »Wo ist alles geblieben?«

Meine Weigerung, mit Geld umzugehen, diente sowohl als Symbol meiner Hilflosigkeit wie auch als ihre *Ursache.* Ich bemerkte nie, daß mein Habensaldo niedriger wurde, und so wiederholte sich dieselbe Situation immer und immer wieder: Ich war schockiert, wenn ich nichts mehr auf dem Konto hatte. Warum aber diese hartnäckige Vogel-Strauß-Politik? *Ich wollte mich nicht der Tatsache stellen, daß ich bis zum Ende meines Lebens die Einnahmen immer wieder würde ergänzen müssen.*

Nach vielen unerfreulichen und quälenden Monaten beschloß

ich: »Halte dich über den Kontostand auf dem laufenden, und stelle fest, wie du dich dann fühlst.«
Und wie fühlte ich mich dann? Inkompetent. Der Sand lief zu schnell durch meine Sanduhr. Ich verlor immer und gewann nie. Ich war nie in der Lage aufzuholen – den Ausgleich zwischen Einnahmen und Ausgaben herzustellen.
Nach einiger Zeit begriff ich allmählich, daß diese »Soll- und-Haben-Operation« eine Metapher war. Nicht über den laufenden Kontostand informiert zu sein, ist eine Form der Vermeidung. Ich wollte nicht wissen, wo ich stand und wie es mit mir stand, denn dann brauchte ich mich auch weiterhin nicht verantwortlich zu fühlen für die Konsequenzen, die aus meinem Verhalten entstanden. Wie oft kam es vor, daß ich die Zahnarztrechnungen der Kinder beiseite legte, bedenklich den Kopf schüttelte und sagte: »In diesem Monat ist einfach nicht genug Geld dafür da.« Aber andere, die ich kannte, verdienten weniger als ich und waren mit ihren Rechnungen nicht im Rückstand; andere, die ich kannte und die weniger verdienten als ich, hatten eine Krankenversicherung, eine Altersversorgung und eine Unfallversicherung – all diese langweiligen, aber realistischen Vorsichtsmaßnahmen, die Erwachsene zum Schutz ihrer Kinder und des eigenen Alters für notwendig halten. Ich wich diesen Realitäten aus und glaubte irgendwie, daß ich eine Ausnahme sei. Ich glaubte, ich müsse nur lange genug durchhalten – *lange genug* Miete bezahlen, *lange genug* Telefonrechnungen, *lange genug* Schulden –, dann würde ich schließlich von den Schicksalsschlägen des häßlichen, gefährlichen *fordernden* Lebens befreit und gerettet werden.
*Eine gute Kontoführung bedeutet nicht nur gute Finanzpolitik; es ist auch eine gute Gefühlspolitik. Es bedeutet, Tag für Tag, ja sogar Monat für Monat im Kontakt mit der Realität zu stehen. Es bedeutet, die Kinder oder den Mann, mit dem man zusammenlebt, nicht mit Zorn zu überschütten; es bedeutet, bei Depressionen die Dinge nicht schleifen zu lassen, sondern sich hinzusetzen und Antworten zu finden: Was geht hier vor? Wo*

*bleibt meine Energie? Woher beziehe ich meine Befriedigungen? Steht der Energieverbrauch im richtigen Verhältnis zu Befriedigung, oder ist das Geichgewicht gestört? Gebe ich mehr, als ich bekomme; und wenn das der Fall ist, wie kann ich mehr bekommen?*

Solche Fragen sind Teil eines Prozesses, der einen ins Gleichgewicht bringt. Ich versuche, meinen Rat anzunehmen. Ich werde mit der Zeit für mein Glück und mein Unglück selbst verantwortlich und versuche nicht, die Verantwortung jemand anderem zuzuschieben. Wenn ich mich über mein psychisches Konto auf dem laufenden halte, werde ich wahrscheinlich mein verzerrtes, unrealistisches Bild der Dinge verlieren. Ich kenne meine Habenseite, aber ich kenne auch meine Grenzen. Im Rahmen dieser Grenzen bin ich in der Lage, sinnvolle Ziele und Prioritäten zu setzen und realitätsbewußt in der Gegenwart zu leben. Dieses Konto zu führen, bedeutet, sich für die Möglichkeiten des Lebens zu engagieren, die eigene Veränderung und das Wachstum zu aktivieren, anstatt darauf zu warten, daß »etwas geschieht« – sein eigener rettender Prinz zu werden.

*Der verräterische Traum*

Manchmal offenbaren sich die Gefühle der Hilflosigkeit und Frustration nur in unseren Träumen. Eine jugendliche und attraktive fünfzigjährige Frau, die versucht hatte, aus einer trostlosen achtzehnjährigen Ehe auszubrechen, beschrieb mir ihren – wie sie ihn nannte – »Aquariumtraum«, seine Aussagekraft und seine Bedeutung. Sie hatte diesen Traum genau ein Jahr, bevor sie die Scheidungsvereinbarung unterschrieb, und er war so aufrüttelnd, daß sie erwachte und aus dem Bett sprang. Sie erzählte mir:

> Ich trieb wie eine Leiche in einem riesigen Aquarium und versuchte zu sprechen. Aber ich konnte mich nicht verständ-

lich machen. Jim (der Ehemann) stand vor dem Aquarium und wollte zu dem ›toten Ich‹ sprechen. Das ›lebendige Ich‹ stand ihm gegenüber auf der anderen Seite des Aquariums und rief: ›Sprich nicht mit ihr! Siehst du denn nicht, daß dies nicht mein wahres Ich ist? Sieh mich an! *Ich bin* mein wahres Ich!

Der Traum enthüllte die bittere Wahrheit, daß ihr Mann sie völlig übersah. Noch wichtiger, er enthüllte, daß sie aktiv versuchte, ihr »wirkliches Ich« zu verbergen. Das war das Traurige an diesem Traum, und als sie es erkannte, mußte sie mitten in der Nacht weinen. Nicht nur vor »ihm«, dem lieblosen Ehemann, verbarg sie ihr wahres Ich, sondern vor jedem, mit dem sie eine enge und befriedigende Beziehung hätte haben können. Sosehr sie sich nach einer solchen Beziehung sehnte – so verzweifelt sie sie wünschte –, eine solche Beziehung konnte es für sie nicht geben. Es war zu riskant, zu gefährlich, das wahre Ich zu zeigen.

Dr. Alexandra Symonds erzählte die Geschichte einer Patientin, die wegen Depressionen zu ihr kam. Schon nach wenigen Sitzungen hatte die Frau einen Traum. Sie hing hoch über der Straße an der Fassade des Hauses, in dem sie wohnte, und krallte sich am Fensterbrett ihrer Wohnung fest. Drinnen ging ihr Mann vorüber. Die Frau versuchte, um Hilfe zu rufen, brachte aber nur ein ersticktes Flüstern hervor. Ihr Mann ging weiter, ohne sie zu hören.
Dr. Symonds sagt, der eindeutige Symbolismus solcher Träume stehe für eine ganze Kategorie von Frauen. Sie haben es im Beruf weit gebracht, aber ihr inneres Bedürfnis versorgt zu werden, ängstigt sie zutiefst. Ein Traum ist verräterisch. Für manche Menschen kann er der erste bestürzende Hinweis sein, daß etwas nicht in Ordnung ist.
Er kann aber auch darauf hindeuten, daß alte Verhaltensweisen aufbrechen und eine Änderung eintritt. Eine Collegeprofessorin, die Schwierigkeiten hatte, sich zu behaupten, träumte: Sie saß auf dem Beifahrersitz eines Autos und wollte dem

Fahrer Anweisungen geben. Einige Monate später, nachdem sie eingesehen hatte, daß sie ihr Leben besser unter Kontrolle bringen mußte, träumte sie: Sie saß auf dem Beifahrersitz eines fahrenden Autos und stellte zu ihrem Entsetzen fest, daß der Fahrersitz leer war.

Solche Träume können erschrecken, aber sie können auch auf einen Fortschritt hinweisen. Die Frau hatte sich zu der gefährlichen Erkenntnis durchgerungen, daß sie in der Welt allein und ungeschützt war. Sie saß in einem Auto ohne Fahrer. Hat man sich dieser Tatsache erst einmal gestellt, kann man sich auch dazu entschließen, das Steuer zu ergreifen.

Ein Traum kann auch der Vorbote einer neuen Welt sein – einer Welt, die nicht durch Ruhm oder Glück entsteht, sondern durch eine innere Entscheidung. Nachdem ich mehrere Jahre zur Analyse gegangen war, hatte ich einen Traum, den ich meinen »Harlem-Traum« nenne. Harlem ist darin eine Metapher für das Leben, eine fremde, bunte Welt voller Überraschungen, Glück und potentieller Gefahren. Hier der Traum:

> Ich gehe mit zwei Freundinnen eine Hauptstraße in Harlem entlang. Vermutlich ist es die Seventh Avenue. Ich habe das Gefühl, schon lange nicht mehr in Harlem gewesen zu sein. Es ist gefährlich, aber ich denke, so gefährlich ist es auch wieder nicht. Ich sage mir: ›Eigentlich müßte ich es schaffen. Ich habe genug Wissen und Kenntnisse, um mich in Harlem zurechtzufinden. Es ist nicht nur eine Frage von Glück, hier durchzukommen.‹
>
> In den Straßen herrscht geschäftiges Treiben; die Menschenmenge, der Lärm und die vielen Autos verwirren mich. Ich sorge mich um meine Sicherheit. Wir bleiben vor dem Schaufenster eines *Cuchifrito* stehen. Die Spezialität dieses Ladens ist gebratener Fisch. Meine Freundinnen gehen, ohne zu zögern, hinein. Aber ich bin völlig überwältigt von der Auswahl im Fenster und bleibe wie gelähmt draußen stehen. Schließlich betrete ich den Laden; ich zwinge mich, in den

Laden zu gehen, und hoffe, daß das Hineingehen mir die Entscheidung drinnen erleichtern wird.

Auf der Theke liegen verführerische Dinge – gebackene Muscheln für fünf Cents das Stück und große halbe Avocados. Plötzlich fällt mir ein, daß ich wahrscheinlich nicht genug Geld habe. Ich suche in meinen Taschen und finde erleichtert fünfunddreißig Cents. »Ich nehme zwei Austern«, sage ich zu dem Schwarzen hinter der Theke. Er ist wie ein Koch angezogen, und auf seinem Kopf trohnt eine weiße Mütze. Er reicht mir die Austern über die Theke und betrachtet mich mißtrauisch und unverschämt. Ich suche ungeschickt nach meinen Münzen, und er packt mich an den Schultern. »Ich hab' gesehen, was Sie gemacht haben!« ruft er. »Sie wollten mir die fünf Cents nicht zeigen, damit ich glauben sollte, daß es fünfundzwanzig Cents sind.«

»Nein, das stimmt nicht!« protestiere ich wütend, »ich war nur nervös.« Ich nehme die Austern und gehe aus dem Laden.

Mitten auf der Seventh Avenue spielen ein paar Männer mit einem Seil. Sie spannen die drahtartige Kordel etwa dreißig Zentimeter über dem Boden. Ich sehe ihnen zu und denke, sie haben nicht vor, jemandem etwas zu tun, und springe über das Seil. Aber ich ärgere mich über meine Freundinnen, die mich nicht gewarnt haben. »He«, rufe ich, »warum habt ihr mir das nicht gesagt, ehe ich den Gehweg verlassen habe?« Sie zucken mit den Schultern, und ich denke: »Vielleicht rege ich mich nur wegen einer Kleinigkeit auf. Wenn man eine überfüllte, verkehrsreiche Straße überqueren will, muß man es vielleicht einfach tun.«

Auf der anderen Straßenseite warten meine Freundinnen bereits auf mich; die vielen Menschen auf dem Gehweg wirken nicht mehr so bedrohlich. Es ist Samstag nachmittag in Harlem. Die Sonne scheint. Belaubte Bäume stehen am Straßenrand. Wir beobachten kleine Mädchen, die auf dem Gehweg spielen.

Wenn ich aus einem Traum etwas lernen möchte, konzentriere ich mich auf die Gefühle und Gedanken während des Geschehens. Dieser Traum begann mit meiner Ängstlichkeit und meinem Unbehagen in einer fremden Umgebung. Dann erlebte ich, daß mir eine Überfülle verlockender Möglichkeiten vor Augen geführt wurde, und ich war nicht in der Lage, zu meinem eigenen Wohl zu handeln. Wenn ich an den Traum zurückdenke, erinnere ich mich, daß der Schmerz darüber beinahe unerträglich war. *Mir wurden gute Dinge angeboten, aber ich konnte nicht auf sie zugehen.* Etwas hielt mich unbeweglich auf dem Gehweg fest.

Dann kam im Traum ein wichtiger Moment. »Geh, geh trotzdem weiter!« drängte mich eine innere Stimme, »Du kannst nicht einfach hier stehenbleiben.«

In diesem Moment beschloß etwas in mir, in den Laden zu gehen.

Als ich im Laden stand, fühlte ich mich verwirrt und unsicher. Ich mußte mein Geld zählen und noch einmal überprüfen. Ich suchte ungeschickt nach den richtigen Münzen, um die Austern zu bezahlen. Schließlich fühlte ich mich von dem Mann hinter der Theke – völlig grundlos – unfair behandelt. Er war nicht nur im Unrecht, er war auch noch unverschämt – schlichtweg unverschämt.

Aber was machte das schon! Diese Art Frechheit konnte mir nichts mehr anhaben. Die Unverschämtheit der Männer, die Willkür der Männer – war *ihr* Problem. Wenn jemand mich nicht anständig behandelte, konnte ich damit fertigwerden. Endlich hatte ich die Freiheit, einfach wegzugehen. Das tat ich auch. Ich sagte dem Mann, er sei im Unrecht und ging aus dem Geschäft.

Auf der Straße bekam ich Angst – aber trotzdem ging ich auf die andere Straßenseite.

Ich ärgerte mich darüber, daß meine Freundinnen mich nicht beschützten – aber ich sah ein, daß dies albern war. Die Aufgabe bestand darin, die Straße zu überqueren – einfach loszugehen, auf Autos und Lastwagen zu achten, mir meinen Weg durch all das Treiben, den Verkehr und das Gedränge zu bahnen. Das mußte ich allein tun.

Als ich die andere Straßenseite erreichte, fühlte ich mich besser. Ich war weniger verwundbar und freute mich über den

Nachmittag. Ich hatte die Straße ohne Unfall überquert; ich hatte meine Austern (zwei schön panierte Austern für fünfunddreißig Cents); ich hatte meine Subway-Münzen, um zur Analyse zu fahren und anschließend nach Hause. Ich empfand Freude anstelle von Angst. Es machte mir Vergnügen, die kleinen Mädchen beim Spielen zu beobachten. Ich spürte die Sonne auf meinem Rücken.

In einem Wort, ich fühlte mich *ganz.*

Ich muß hinzufügen, als das innere Ich »Geh!« sagte, hatte das nichts mit Willenskraft zu tun. Es ist nicht möglich, »sich selbst an den Haaren aus dem Sumpf zu ziehen«, zu handeln oder zu sterben und angesichts eines überwältigenden Konflikts zu agieren. Wenn Willenskraft die Lösung wäre, hätte ich dieses Buch nie geschrieben. Der Sprung des inneren Ich nach vorne war das Ergebnis eines langen, bedeutungsvollen Vorgangs – des Vorgangs, die Widersprüche in mir zu erkennen und aufzuarbeiten. Man kann dem Willen nicht befehlen zu handeln. Der Wille wird automatisch einsetzen, wenn innerlich Klarheit und Konfliktlosigkeit herrschen.

Wenn man andererseits von widersprüchlichen Gefühlen und Haltungen überflutet wird, erlahmt der Wille; und das bedeutet: man ist nicht mehr in der Lage zu entscheiden, was man im Leben tun soll. Man handelt, weil man zum Handeln *getrieben* wird. Man bleibt nicht in einer stumpfsinnigen Stellung, weil einem die Arbeit gefällt und man sich dafür entschieden hat, auch nicht weil, wie manche Frauen sagen, »mir der Beruf nicht so wichtig ist wie meine Familie«; man wechselt die Stellung nicht, weil man wie die Anwältin Vivian Knowlton das Bedürfnis hat, sich unterzuordnen. *Dieses Bedürfnis steht in völligem Gegensatz zu den eigenen Ambitionen; infolgedessen steht man gelähmt zwischen den beiden Kräften.*

In der Liebe entscheidet man sich dann nicht für einen Partner, weil man es genießt, sich einem anderen Menschen zu öffnen, sondern man heiratet wie Carolyn Burkhardt aus dem blinden und zwanghaften Bedürfnis, geliebt, gewollt, bestätigt und umsorgt zu werden.

Dieses Bedürfnis macht einen auch blind für die Tatsache, daß nicht jeder Mensch auf der Welt nett und vertrauenswürdig ist, und so verliert man die Fassung, wenn sich jemand feindselig oder unverschämt verhält.
Dieses Bedürfnis treibt einen dazu, alles zu tun, um Meinungsverschiedenheiten und wütende Blicke zu vermeiden.
Dieses Bedürfnis ist schließlich auch dafür verantwortlich, daß man sich unterordnet, den zweiten Platz einnimmt und automatisch die Schuld bei sich sucht. Von hier ist es nur ein kleiner Schritt zu dem »Ich-armes-Kleines«-Syndrom. Frauen, die unter dem Zwang stehen, den zweiten Platz einzunehmen, verringern schließlich ihre Fähigkeiten tatsächlich. *In gewisser Hinsicht wird man, wozu man sich getrieben fühlt: ängstlich, unsicher und übertrieben verletzlich.*

### *Sich aus der Falle der Abhängigkeit herauswinden*

Nicht lange, nachdem Simone de Beauvoir ihr Leben als »Tochter aus gutem Hause« aufgegeben hatte und in die uneingeschränkte Freiheit von Paris geflohen war, lernte sie den Mann kennen, der für den Rest ihres Lebens ihr Geliebter, Freund und Mentor werden sollte: Jean-Paul Sartre. Dies war im Herbst 1929. Sie waren beide Anfang Zwanzig – er etwas älter als sie. In gewisser Weise erlaubte ihr die schnelle und feste Bindung an diesen Mann, die Familienbande abzulegen, die sie in der Jugend so behindert hatten. Es war eine Flucht auf ein äußerst exotisches, intellektuelles Terrain. Von Anfang an verbrachten sie buchstäblich jeden Augenblick zusammen. Sie lasen dieselben Bücher; sie wählten dieselben Freunde und dachten im allgemeinen so symbiotisch, daß Simone de Beauvoir in ihrem Tagebuch schrieb, »wir dachten« und »unsere Idee«.
Als ich »In den besten Jahren« las (die Fortsetzung von Simone de Beauvoirs Autobiographie »Memoiren einer Tochter aus gutem Haus«), staunte ich über das Ausmaß der

Fusion, die sie in ihrer Beziehung zu Sartre beschreibt. Sie schien so völlig von seinem Bewußtsein durchdrungen zu sein, daß man sich kaum vorstellen konnte, wie sie sich jemals wieder weit genug befreien würde, um ihr großes kreatives Werk schaffen zu können. Sicher, Sartre war ein Genie, aber diese intelligente, attraktive junge Frau stand völlig in seinem Bann.

»Ich bewunderte ihn dafür, daß er sein Schicksal selbst in der Hand hielt«, schrieb sie, »weit davon entfernt, von seiner Überlegenheit eingeschüchtert zu sein, ermutigte sie mich.«[3]

Simone de Beauvoir war damals erst einundzwanzig und offensichtlich so verliebt wie viele Frauen in diesem Alter. Aber wenn sie sich aus diesem destruktiven Muster befreien sollte, das sich in ihrer Beziehung zu Sartre abzuzeichnen begann, mußte sie etwas tun – etwas Radikales. »Ich vertraute ihm so völlig«, schrieb sie, »daß er mir diese absolute, unerschütterliche Sicherheit schenkte, die ich früher von meinen Eltern oder von Gott bezog.«

Simone und Jean-Paul gingen zusammen durch die Straßen von Paris, tranken bis zwei Uhr morgens Aquavit in den Bars, und sie schien beinahe in einem Delirium des Glücks zu schweben. »Meine innigsten Wünsche erfüllten sich jetzt«, schrieb sie, »es blieb nichts, was ich mir hätte wünschen können . . . außer, daß dieser Zustand berauschenden Glücks für immer anhalten möge.«

Der Zustand dauerte über ein Jahr – bis etwas Beunruhigendes dieses vollkommene Glück zu trüben begann. Sie ahnte, daß sie einen wichtigen Teil ihres Selbst aufgegeben hatte. Ihre rückhaltlose Hingabe an die Überfülle sinnlicher und intellekter Zerstreuungen, die Paris zu bieten hatte, begann ihre Persönlichkeit zu zersplittern. Ihre Versuche zu schreiben, waren halbherzig, und ihnen fehlte die echte Überzeugung. »Manchmal glaubte ich, über Schulaufgaben zu sitzen, dann wieder entdeckte ich, daß ich in die Parodie abgeglitten war«, schrieb sie.

Achtzehn Monate lang lebte Simone de Beauvoir im Zustand akuten Konflikts. »Obwohl ich noch immer begeistert all den schönen Dingen in der Welt nachjagte, entstand in mir das Gefühl, daß sie mich von meiner wahren Berufung abhielten: Ich befand mich auf der Straße des Selbstbetrugs und der Selbstzerstörung.« Früher hatte sie Bücher verschlungen, aber jetzt stellte sie fest, daß sie nur noch zerstreut, unkonzentriert und ohne wirkliche intellektuelle Motivation las. Sie führte nur noch sporadisch Tagebuch; der Konflikt, der Wunsch, alles zu besitzen und zu tun, hielt sie in seinem Netz gefangen. *»Ich konnte mich nicht dazu entschließen, etwas aufzugeben«*, schrieb sie, *»und infolgedessen konnte ich auch keine Entscheidung treffen.«*

Selbstzweifel begannen Simone zu quälen. Je länger sie inaktiv blieb – emotional und intellektuell im Bann von Sartre –, desto mehr war sie von ihrer Mittelmäßigkeit überzeugt. »Zweifellos, ich gab auf«, schrieb sie später. Die Beziehung zu Sartre, in der sie sich unterordnete, hatte ihr einen falschen Frieden geschenkt, eine Art glückliches angstfreies Leben, in dem von ihr nicht viel mehr erwartet wurde, als eine fröhliche Gefährtin zu sein.

Aber unvermeidlich begann auch ihre Fröhlichkeit zu schwinden. »Du hattest doch sonst immer so viele kleine Ideen, Biber«, sagte Sartre zu ihr. Biber war sein Kosename für sie. (Er warnte sie immer wieder davor, eine dieser weiblichen Introvertierten zu werden.)

Aus der Perspektive ihrer Reifejahre erkannte Simone de Beauvoir, wie gefährlich leicht es ihr gefallen war, sich einem anderen unterzuordnen. Jemandem, der »faszinierender« war als sie; einem Menschen, zu dem sie aufblicken und den sie vergöttern konnte und in dessen Schatten sie sich klein und sicher fühlte.

Natürlich mußte sie einen Preis dafür bezahlen. Eine schreckliche, leise Stimme drang immer wieder in das Bewußtsein der jungen Frau und sagte: *»Ich bin nichts.«* Simone erkannte:

Ich hatte aufgehört, mein eigenes Leben zu leben, und war nur noch ein Parasit.«

Die Feministinnen sehen Simone de Beauvoir als eine der ersten Stimmen des modernen Feminismus, aber sie selbst hielt ihren Ausweg aus der schwierigen Lage nicht für gesellschaftlich relevant. Sie erkannte, daß ihre Gedanken über das Problem damit zusammenhingen, daß sie eine Frau war, aber »ich suchte als Individuum nach einer Lösung«.

Plötzlich entschied sich Simone, ein Jahr lang in Marseille eine Stelle als Lehrerin anzunehmen – fern von Sartre, fern von Paris. Sie hoffte, die Einsamkeit würde ihr helfen, »der Versuchung zu widerstehen, der ich zwei Jahre lang ausgewichen war: aufzugeben«.

In dem Versuch, ihren Drang nach Abhängigkeit niederzukämpfen, begann Simone in Marseille eine bemerkenswert harte und leidenschaftliche Aktivität. Sie wanderte an ihren zwei freien Tagen in der Woche – aber nicht langsam und gemächlich, sondern mit zäher Hartnäckigkeit wie ein Mensch, der eine schwere Behinderung durch Training überwinden will. Sie zog ein altes Kleid und *Espadrilles* an und nahm in einem Körbchen Proviant mit. Dann machte sie sich auf den Weg ins Abenteuer, ins Unbekannte. Sie kletterte auf jeden Gipfel und stieg in jede Schlucht; sie erkundete »jedes Tal, jeden Paß und jeden Weg.«

Die Streifzüge wurden immer länger, je mehr ihre Kräfte und ihre Ausdauer wuchsen. Zuerst wanderte sie nur fünf oder sechs Stunden, aber bald konnte sie Strecken wählen, für die sie neun oder zehn Stunden brauchte. Schließlich legte sie mehr als vierzig Kilometer am Tag zurück. »Ich besuchte große und kleine Städte, Dörfer, Klöster und Schlösser ... mit unbeirrbarer Hartnäckigkeit entdeckte ich meine Mission wieder – Dinge vor der Vergessenheit zu bewahren.«

Sie berichtet: »Früher war ich sehr von anderen Menschen abhängig gewesen.« Sie nahm von den Menschen Regeln und Ziele entgegen; aber jetzt mußte sie sich ohne Hilfe auf den eigenen Weg machen, von einem Tag auf den nächsten. Sie ließ sich von Lastwagenfahrern mitnehmen, um die langweiligen Abschnitte der Strecke schnell zurückzulegen. Sie ging ihr Vorhaben mit einer aktiven, aggressiven Einstellung an. »Ich kletterte über Felsen und Berge oder rutschte über Geröllhalden ins Tal; und suchte dabei eigene Abkürzungen, wodurch jede Expedition zu einer Art Kunstwerk wurde.«

In diesem Jahr hatte sie drei Erlebnisse, die sie ängstigten. Einmal folgte ihr auf dem einsamen Weg ein Hund. Im Verlauf des Tages litt er immer mehr unter quälendem Durst (schließlich erreichten sie einen kleinen Bach, und der Hund war gerettet). Ein anderes Mal bog der Lastwagenfahrer, der sie mitgenommen hatte, von der Hauptstraße ab und fuhr auf den einzigen verlassenen Platz in der Gegend zu. Als Simone die Situation durchschaute, faßte sie einen schnellen Entschluß. Der Fahrer mußte an einem Bahnübergang das Tempo verringern, sie öffnete die Tür und drohte, aus dem fahrenden Auto zu springen. »Schamrot«, schrieb sie, hielt der Fahrer am Straßenrand an und ließ sie aussteigen.

In der dritten Episode kletterte sie an einem sonnigen, strahlenden Nachmittag eine steile Schlucht nach oben. Der Pfad wurde immer schwieriger, und sie wußte, daß sie unmöglich auf diesem Weg zurückgehen konnte. Deshalb kletterte sie immer weiter. »Schließlich«, schreibt sie, »machte eine glatte Felswand jedes Weiterkommen unmöglich, und ich mußte Schritt für Schritt von einem Vorsprung zum anderen wieder zurück. Schließlich erreichte ich eine Felsspalte und hatte nicht den Mut hinüberzuspringen.«

Vor ihr lag nun wahrhaft ein Ritual des Übergangs – zweifellos würden sich nur wenige Frauen freiwillig in eine solche Situation begeben. »Kein Geräusch war zu hören, außer dem Rascheln einer Schlange, die sich zwischen den trockenen Steinen hindurchwand. Keine Menschenseele würde sich in diese Einsamkeit verirren. Was würde aus mir werden, wenn ich mir ein Bein brach oder den Knöchel verstauchte? Ich rief um Hilfe, aber ich erhielt keine Antwort. Eine Viertelstunde lang rief ich immer wieder. Die Stille war entsetzlich.«

Simone hatte eine Situation heraufbeschworen, in der sie nicht aufgeben konnte, ohne ihr Leben zu riskieren. Was tat sie? Das einzige, was sie tun *konnte.* Sie nahm all ihren Mut zusammen und erreichte schließlich »sicher und gesund das Tal.«

Ihre Freunde machten sich Sorgen und erklärten, diese einsamen Wanderungen seien zu gefährlich. Sie beschworen Simone, nicht mehr als Anhalterin zu fahren. Aber niemand erkannte, daß ihre Mission weit gefährlicher war, daß sie mit hartnäckiger Entschlossenheit versuchte, ihre Seele zu retten.

Was bedeutet es, sein eigener Herr zu werden? Es bedeutet, die Verantwortung für das eigene Leben zu übernehmen, sich ein eigenes Leben zu schaffen, sich selbst einen Plan zu entwerfen. Simone de Beauvoirs Wanderungen wurden zur Methode und zur Metapher ihrer Wiedergeburt als Individuum. »Ich wanderte allein durch den Nebel, der über dem Gipfel von Sainte-Victoire hing, und über den Kamm des Pilon de Roi. Ich stemmte mich gegen einen stürmischen Wind, der mein Barett ins Tal hinunterwirbelte. Wieder allein, verirrte ich mich in einer Schlucht am Luberon. Diese Momente mit all ihrer Wärme, Zärtlichkeit und ihrem Ungestüm gehören mir und niemandem sonst.«

Am vierzehnten Juli, dem französischen Nationalfeiertag, war sie bereit, nach Paris zurückzukehren. Sie war in entscheidenden Wesenszügen ein anderer Mensch geworden. Auf sich allein gestellt, hatte sie Freunde gefunden und Menschen beurteilt. Sie hatte die Freuden der Einsamkeit entdeckt. In Einschätzung der Lektionen, die sie in diesem Jahr gelernt hatte, schrieb sie: »Ich hatte nicht viel gelesen, und mein Roman war wertlos. Andererseits hatte ich in meinem selbstgewählten Beruf gearbeitet, ohne zu verzagen, und mich bereicherte ein neuer Enthusiasmus. Ich ging siegreich aus den Prüfungen hervor, denen ich unterzogen worden war. Trennung und Einsamkeit hatten mir meinen Seelenfrieden nicht geraubt.«

Und dann der letzte, entscheidende Satz, ein Satz, der so selbstverständlich erscheint, wenn man die Kämpfe durchgestanden hat, die notwendig sind, um diesen Zustand der Ausgeglichenheit zu erreichen: *»Ich wußte, daß ich mich jetzt auf mich selbst verlassen konnte.«*

Wenn wir einsehen, daß wir zu unserer Schwäche und Verwundbarkeit beitragen, daß wir sogar unsere innere Abhängigkeit nähren und verteidigen, beginnen wir langsam, uns stärker zu fühlen. »Je mehr wir unsere Konflikte bewältigen und eigene Lösungen finden«, schrieb Karen Horney, »desto mehr gewinnen wir an innerer Freiheit und Stärke.« Wenn wir die Verantwortung für unsere eigenen Probleme übernehmen, beginnt sich das Zentrum der Schwerkraft vom anderen zum Ich zu verlagern. An diesem Punkt geschieht etwas Bemerkenswertes. Uns steht größere Energie zur Verfügung. Es ist die Energie, die durch das Energieloch abfloß, als wir uns damit schwächten, jene Aspekte unserer Persönlichkeit zu unterdrücken, die wir nicht akzeptieren konnten oder vor denen wir uns fürchteten. Wenn wir sie nicht mehr verteidigen oder schützen müssen, können wir diese Energie für positivere Bemühungen einsetzen. Allmählich werden wir freier, weniger von Furcht und Angst gequält und weniger von Selbstverachtung abgestumpft. Die Panik der Frau, mit der wir so lange gelebt haben, schwindet, wir fürchten uns weniger vor anderen. Wir fürchten uns weniger vor uns selbst.

*Die Befreiung*

Das eigentliche Ziel ist emotionale Spontaneität – eine innere Lebendigkeit, die alles durchdringt, was wir tun, jede Arbeit, jede Begegnung und jede Liebesbeziehung. Sie erwächst aus der Überzeugung: »Ich bin die erste Kraft in meinem Leben.« Und sie führt zur *Ernsthaftigkeit,* wie Karen Horney es nennt – zur Fähigkeit, »ohne Verstellung zu leben, emotional auf-

richtig zu sein, das ganze Ich in die Gefühle, in die Arbeit und in die Überzeugungen zu legen.«[4]
Ich habe über die Frauen nachgedacht, die ich kenne, und die diese Ernsthaftigkeit zu besitzen scheinen. Manche sind vielschichtige, kreative und höchst talentierte Menschen, andere führen ein einfacheres und äußerlich weniger dramatisches Leben; aber ihr Da-Sein – ihre Befreiung – ist nicht zu leugnen. Ihr Leben unterscheidet sich qualitativ vom Leben der Frauen, die sich nicht befreit haben: Es ist reicher, weniger einförmig, weniger von Regeln und Institutionen geprägt. Sie sprechen auch anders über ihre Erfahrungen.
Die Choreographin Pearl Primus berichtet, wie sie ihr Doktorat in Anthropologie auf Umwegen erwarb: einfach durch *Sein:*

> Mein Leben war wie eine Reise flußaufwärts. Hin und wieder hörte ich hinter einer Flußbiegung Gesang, also ging ich dorthin und beschäftigte mich mit dem Leben. Jahre konnten vergehen, bis ich erkannte: ›O mein Gott, ich muß diesen Dr. phil. erwerben. Und in dem Prozeß, der mich näher an diesen Dr. phil. heranbrachte, habe ich auf vielen Flüssen und unter vielen Völkern gelebt. Die Anthropologie ist Teil von mir geworden, nicht etwas, das mir beigebracht wurde.[5]

Es kommt der Moment – ein »psychologischer« Moment, der Wochen, ja sogar Monate dauern kann, der aber oft als ein bestimmter Moment im Leben herausragt –, in dem die Bedingungen der Persönlichkeit, die den Konflikt schaffen, in Bewegung geraten wie Zahnräder im Getriebe, und die Frau ist von der Blockade befreit, die sie lähmte. Wenn dies geschieht, wird alles möglich. Vielleicht kommt es zu Veränderungen im Beruf, vielleicht zu Ortsveränderungen, zu neuen Beziehungen und zu kreativem Tun, von dem man zuvor nicht zu träumen wagte.
Das Alter setzt der Fähigkeit sich zu befreien, keine Grenze. Betty Friedan erzählt, sie habe sich stets vor dem Fliegen gefürchtet. Nachdem sie den *Weiblichkeitswahn* geschrieben

hatte, verschwand ihre Flugphobie. »Ich fürchtete mich einfach nicht mehr.« Ihr Durchbruch brachte ihr ein neues, belebendes Selbstgefühl. In *Das hat mein Leben verändert* schrieb sie: »Ich fühle mich heute nicht so alt wie damals, in meinen Zwanzigern und Dreißigern, der Zeit meiner ›weiblichen Rätsel‹, als ich mich immer fürchtete. Ich fürchtete mich vor dem Leben, ich hatte Angst, mich zu bewegen. Dann, als ich über vierzig war, schrieb ich mein Buch und begann mit der Bewegung. Ich zog (aus dem Vorort) in die Stadt, endlich *bewegte* ich mich.«

Frauen, die sich befreit haben, entdecken plötzlich, daß sie die Kraft besitzen, sich zu *engagieren.* Sie klammern sich hartnäkkig an das Leben und können mit seinem tumultuarischen Auf und Ab steigen und fallen. Sie entdecken an sich eine neue *Verspieltheit.* Sie sind durch und durch lebendig und freier als zuvor, im Einklang mit den Wünschen ihres wahren Ich, Möglichkeiten zu überprüfen, zu erforschen und zurückzuweisen.

Große emotionale Erfahrungen warten auf alle, die ihr Drehbuch selbst schreiben. Eine über vierzigjährige Frau aus Chicago, die noch immer mit ihrem Mann zusammenlebt und ihn liebt, hat außerdem eine intensive Beziehung zu einem Mann, mit dem sie zusammenarbeitet. Auch er ist verheiratet, und so ist die Zeit, die sie miteinander verbringen können, begrenzt. Sie freuen sich auf die Geschäftsreisen, die sie mehrmals im Jahr gemeinsam unternehmen können. Auf einer solchen Reise stellte die Frau nach ein paar Tagen fest, daß sie gerne Ski fahren wollte. Der Mann war kein Skifahrer, und er mußte ohnedies noch geschäftlich in Boston bleiben. »Ich beschloß, allein Ski zu fahren«, erzählte sie mir, »ich stieg nachmittags in den Bus, und während wir durch die Berge von Vermont in die Höhe fuhren, begann es zu schneien. Ich erinnere mich, wie ich in dem Greyhound-Bus sitze, aus dem Fenster sehe und beobachte, wie die Lichter der kleinen Stadt aufleuchten, durch die wir gerade hindurchfahren. Ich fühlte mich so wohl und so sicher in der Gewißheit, daß ich allein sein konnte, daß ich tun konnte, was ich wollte ... und daß ich *geliebt wurde* ... ich begann zu weinen.«

Eine Frau, die sich befreit hat, besitzt emotionale Beweglichkeit. Sie ist in der Lage, sich auf etwas hinzubewegen, das ihr Befriedigung schenkt, und sich von allem abzuwenden, das ihr keine Befriedigung gibt.

Sie hat auch die Freiheit, erfolgreich zu sein: Sie kann sich Ziele setzen und alle Schritte unternehmen, um diese Ziele zu erreichen – ohne Angst vor dem Versagen. Ihr Vertrauen entspringt einer realistischen Einschätzung ihrer Grenzen und ihrer Fähigkeiten. Jean Auel ist für mich eines der inspirierendsten Beispiele einer erfolgreichen Frau. (Ihr erster Roman *Ayla und der Clan des Bären* wurde sofort ein Bestseller.) Sie ist ein Mensch, der sich weigerte zu akzeptieren, daß das Leben von äußeren Ereignissen bestimmt wurde. Sie übernahm die Verantwortung für ihr Leben selbst – obwohl andere von ihr abhängig waren.

Jean heiratete mit achtzehn. Mit fünfundzwanzig hatte sie fünf Kinder; sie führte ihren Haushalt und arbeitete in der Datenverarbeitung einer Tektronik-Niederlassung in der Nähe ihrer Wohnung in Portland, Oregon. Außerdem besuchte sie die Abenduniversität und erwarb dort einen Magistergrad in Betriebswirtschaft. Mit diesem Diplom wurde sie bei Tektronik Leiterin der Kreditabteilung und übernahm damit die Verantwortung für den Acht-Millionen-Dollar-Umsatz. Einige Monate nach ihrem vierzigsten Geburtstag gab sie ihre Stellung auf. Sie wollte einen Roman schreiben.

Der Plan entstand aus einer Idee, die ihr eines Abends gekommen war. Sie wollte eine Geschichte über ein junges Cromagnon-Mädchen schreiben, das plötzlich in der sehr viel primitiveren Neandertalhorde leben muß. Jean Auel las mehr als fünfzig Bücher und studierte das Leben primitiver Völker. Dann schrieb sie einen ersten Entwurf – vierhundertfünfzigtausend Wörter. Bei dieser Arbeit lernte sie etwas: Sie wußte nicht genug über das Handwerk des Romanschreibens.

Bezeichnenderweise ging sie daran, das zu ändern. Sie studierte die Collegelehrbücher ihrer Töchter über kreatives Schreiben. Sie schrieb, und sie änderte. Nach ein paar Absagen von Verlagen schrieb sie einem New Yorker Literaturagenten, den sie bei einem Schriftsteller-Workshop in Portland kennengelernt hatte, einen Brief. Acht Wochen später unterschrieb sie einen hundertdreißigtausend-Dollar-Vertrag für *Ayla und der Clan des Bären.*

Sie ist eine Frau, die dem Wind der Veränderung erlaubt hat, durch ihr Leben zu ziehen. Sie ist eine Frau, die sich nicht davor fürchtete, zu arbeiten und sich auf unerprobtes Gebiet zu wagen. Sie suchte das Unbekannte, das Fremde und Neue. Jean Auel glaubt an sich selbst.

Der Glaube an sich selbst liegt allem zugrunde. Ich habe gelernt, daß man Freiheit und Unabhängigkeit nicht von anderen erhalten kann – nicht von der Gesellschaft, nicht von Männern –, sondern daß man sich nur mühevoll von innen zur Freiheit entwickeln kann. Natürlich muß man einen Preis dafür bezahlen. Wir müssen unsere Abhängigkeiten aufgeben, die wir wie Krücken benutzt haben, um uns sicher zu fühlen. Aber dieser Tausch ist nicht wirklich gefährlich. Die Frau, die an sich selbst glaubt, muß sich nicht mit leeren Träumen von Dingen, die jenseits ihrer Fähigkeiten liegen, zum Narren halten, und sie schreckt nicht vor den Aufgaben zurück, für die sie kompetent und vorbereitet ist. Sie ist realistisch, sie steht mit beiden Beinen auf der Erde, und sie liebt sich selbst. Und endlich kann sie auch andere lieben – weil sie sich liebt. Sie ist die befreite Frau.

# NACHBEMERKUNG DER AUTORIN

Ich bedanke mich bei Lowell Miller und meinen Kindern Gabrielle, Conor und Rachel für ihr Verständnis – und dafür, daß sie die geschlossene Tür meines Arbeitszimmers akzeptierten. Im letzten Jahr meiner Arbeit an diesem Buch blieb die Tür oft bis Mitternacht geschlossen. Beschwerden von meinen Lieben kamen selten, in großen Abständen und waren nie ungerechtfertigt.

In einem frühen Stadium meiner Überlegungen fand ich besonders in zwei Bibliotheken Anregungen. Mir ist bewußt, daß die Verdienste von Bibliotheken zu oft von Autoren übergangen werden, und deshalb möchte ich mich bei der *Princeton University Library* und der *New York Academy of Medicine Library* bedanken. Die Regale der *Princeton University* sind frei zugänglich (selbst der Allgemeinheit), und das macht Nachforschungen zu einem Vergnügen. Diese Freizügigkeit besteht in der *New York Academy of Medicine* nicht, aber die Bibliothekare sind beschlagen, schnell und helfen jedem mit Geduld und großer Höflichkeit.

Die Frauen, die ich interviewte, waren bewundernswert offen und aufrichtig daran interessiert zu helfen. Ich glaube, sie lieferten das wichtigste »Material« zu diesem Buch. Die Informationen, die ich in Bibliotheken fand, und das Wissen, das ich durch Gespräche mit Sozialwissenschaftlern gewann, schufen das Skelett zum *Cinderella-Komplex;* die Geschichten der Frauen gaben ihm Fleisch und Blut.

Zweifellos ist die bestehende Beziehung zu meinem Psychoanalytiker Steven Breskin auf dem Weg zu meiner Unabhängigkeit und bei dem drängenden Wunsch, anderen Frauen mitzuteilen, was ich gelernt habe, von grundlegender Bedeutung. Er war der erste Erwachsene in meinem Leben – einschließlich Lehrer, Arbeitgeber und Lebensgefährte –, der meine Abhängigkeit nicht förderte.

Lowell Miller war der zweite. Rückblickend ist es interessant festzustellen, daß es nicht eine Frau (oder Frauen) war, die sich weigerte, mich in meiner Abhängigkeit zu bestärken; es waren zwei Männer.

Paul Bresnick von Summit Books nahm sich des Manuskripts im Endstadium an, und durch seinen Einsatz wurde das Buch besser.

Nur wenige Autoren haben das Glück, von einer Literaturagentin wie Ellen Levine betreut zu werden. Durch ihre eigene wachsende Unabhängigkeit inspirierte sie mich außerdem immer wieder von neuem.

Schließlich danke ich meiner Tochter Gabrielle, die begann, das Manuskript zu tippen, als sie sechzehn war, und die letzte Fassung – drei Versionen später – mit siebzehn beendete. Sie beschäftigte sich mit dem Thema so einfühlsam und intelligent, daß sie bei der dritten Fassung wertvolle redaktionelle Vorschläge machen konnte.

## I. KAPITEL: DER WUNSCH, GERETTET ZU WERDEN

1 Abhängige Menschen zeigen ihre Aggressionen oft durch Kritik. Dr. Martin Symonds, ein New Yorker Psychoanalytiker, hat die Opfer von Verbrechen untersucht. Er wollte herausfinden, wie sich Aggression bei Menschen manifestiert, die das Gefühl haben, machtlos zu sein. Er schreibt (in einer Arbeit mit dem Titel: »Psychodynamics of Aggression in Women«), daß Kritik zu einer Art Ersatz für aktive Macht wird. »Für ängstliche Menschen mit niedriger Selbstachtung ist dies eine sehr wirkungsvolle Methode. Durch ihre kritische Haltung schaffen sie die Illusion, daß »sie es besser machen würden«. Das klassische Beispiel ist der Beifahrer, der so tut, als säße er am Steuer, und ständig dem Fahrer Anweisungen gibt. In Wirklichkeit können die meisten Beifahrer nicht fahren.« *(American Journal of Psychoanalysis, 1976).*

2 Die »Wut«, von der sie spricht, erinnert mich an Frauen, die sich der New Yorker Psychiaterin Ruth Moulton gegenüber als »grimmig entschlossen, aber abhängig« bezeichneten. (Ruth Moulton, auf deren Arbeit in diesem Buch immer wieder hingewiesen wird, ist Assistant Clinical Professor für Psychiatrie an der *Columbia University* und Lehranalytikerin am *William Alanson White Institute* und der *Columbia Psychoanalytic Clinic* in New York City.) In einem Artikel mit dem Titel »Women with Double Lives« sagte sie, diese Frauen »forderten von den Männern ein Übermaß an Bestätigung; und wenn sie diese nicht erhielten, wendeten sie sich in einer Art »feindseligen Verwandlung« – um Sullivans Begriff zu gebrauchen – gegen die Ehemänner. Der Mann, der sie enttäuscht, ist in ihren Augen plötzlich »der böse Vater«. Am Anfang der Ehe kämpften Patientin und Ehemann gemeinsam gegen Eltern und Konventionen, aber später wird der Ehemann zum Feind und tritt an die Stelle der Eltern. (Das Thema dieses Artikels wird in Anmerkungen und Quellenangaben zu Kapitel IV ausführlicher diskutiert und zitiert.)

3 »Was ist Abhängigkeit?« fragt Judith Bardwick, Psychologin an der *University of Michigan.* »Am Anfang ist sie für das normale Kleinkind die einzige Methode, Beziehungen zu Menschen aufzunehmen. Bei Kindern und Erwachsenen scheint sie eine Art der Streßbewältigung zu sein, eine Reaktion auf Frustration oder ein Schutz gegen künftige Frustration. Sie kann *emotional* sein – das Erzwingen und Klammern an emotionales und schützendes Verhalten eines anderen, besonders eines Erwachsenen. Abhängiges Verhalten kann auch Bewältigungsverhalten sein – man erhält Hilfe bei der Lösung eines Problemes, das man nicht selbst lösen kann. Es kann auch aggressiv sein; indem man Aufmerksamkeit und Zuneigung an sich reißt, verhindert man, daß jemand anderes sie erhält. In allen Fällen bedeutet Abhängigkeit das Fehlen von Unabhängigkeit. Abhängigkeit heißt, sich auf jemanden zu stützen, um Hilfe zu erhalten.« (Zitat aus Judith Bardwicks Buch *The Psychology of Women: A Study of Biocultural Conflicts,* 1971.)

4 Zitat von Alexandra Symonds, einer Psychoanalytikerin, die mit Martin Symonds verheiratet ist (siehe Anm. 1) und die zum Thema neurotische Abhängigkeit bei erfolgreichen berufstätigen Frauen viele Arbeiten geschrieben hat. Dr. Symonds machte diese Bemerkung in einer (veröffentlichten) Diskussion über den Artikel von Ruth Moulton »Psychoanalytic Reflections on Women's Liberation«, erschienen in der Frühjahrsnummer 1972 des *Journal of Contemporary Psychoanalysis.*

## II. KAPITEL: KLEIN BEIGEBEN: DIE FRAUEN ENTZIEHEN SICH DER HERAUSFORDERUNG

1 Dieses und das folgende Zitat sind Judith Coburns Artikel »Self-Sabotage: Women's Fear of Success« in *Mademoiselle* (19/9) entnommen.

2 Zitat aus »Can I Stay at Home Without Losing My Identity?« von Anne T. Fleming, *Vogue,* 1978.

3 Aus: *The Psychology of Women: A Study of Biocultural Conflicts,* 1971.

4 Sara Ruddich und Pamela Daniels: *Working It Out.* New York, 1977.
5 Zitat aus James Wrights Artikel »Are Working Women *Really* More Satisfied? Evidence from Several National Surveys«, veröffentlicht in *Journal of Marriage and the Family,* 1978.
6 Das erste Material dieser berühmten »Stanford Gifted Child Study« von Terman und Ogden wurde 1947 veröffentlicht. Im Lauf der Jahre wurden Nachfolgeuntersuchungen der ursprünglichen Testgruppe begabter Kinder durchgeführt. Die neueste dieser Untersuchungen (von P. S. Sears und M. H. Odom und in: *The Psychology of Sex Differences* von Eleanor Maccoby und Carol Jackling behandelt) kam zu dem Ergebnis, daß Frauen, die als Kinder begabt waren, in der Mitte ihres Lebens verbitterter und enttäuschter sind als in der Kindheit ähnlich begabte Männer. Nach Maccoby und Jacklin »führten die Männer im allgemeinen ein erheblich ›erfolgreicheres‹ Leben in Hinblick auf persönliche Leistungen außerhalb der häuslichen Sphäre; die Frauen neigen dazu, mit Bedauern auf ›verpaßte Chancen‹ zurückzublicken«.
Maccoby und Jacklin berichteten über eine andere, 1971 veröffentlichte Studie, die zeigte, daß *»bei Frauen Fähigkeiten und Komplexität im Alter von 18 bis 26 abnehmen, während sie bei Männern in diesen Aspekten steigen.*
Die Soziologin Alice Rossi sagt, die Gesellschaft erwarte »von Männern, daß sie entsprechend ihren Fähigkeiten Berufe mit höchstem Prestigewert anstreben. Der Beruf soll die Fähigkeiten des Mannes in Anspruch nehmen und sie entwickeln, denn sonst ist er nicht ›herausfordernd‹ genug. Wählt ein Mann einen Beruf unter seinen Fähigkeiten, betrachten wir das im allgemeinen als ein ›soziales Problem‹, als einen ›Talentverlust‹ ... Unsere Einstellung zu Frauen steht dazu in scharfem Gegensatz. Wir tolerieren nicht nur, daß Frauen in Berufen arbeiten, die sie unterfordern, sondern ermutigen sie sogar dazu, weil dies in ihnen Energien für die zentrale Rolle in der Familie freisetzt.« (Das Zitat stammt aus »The Roots of Ambivalence in American Women«, veröffentlicht in der von Judith Bardwick herausgegebenen Anthologie *Readings on the Psychologie on Women.*)
Rossi prägte den Begriff »*Cakewinners*« für Frauen, die mit

ihrem Verdienst Extraausgaben der Familie ermöglichen, nicht aber finanzielle Unabhängigkeit anstreben.

7 Alexandra Symonds: »Neurotic Dependency in Successful Women« in *Journal of the American Academy of Psychoanalysis,* 1976.

8 Helene Deutsch: *The Psychology of Women: A Psychoanalytic Interpretation.*

9 A. Symonds: »Neurotic Dependency in Successful Women.«

10 »The liberated Woman: Healthy and Neurotic« in *Journal of the American Academy of Psychoanalysis,* 1974.

11 Diese Information beruht auf einer Untersuchung von 32 000 Studenten an 200 Universitäten und Colleges, die 1973 im Rahmen des *American College Testing Program* durchgeführt wurde.

12 Aufgrund von Daten des *National Manpower Council,* der Kommission des Präsidenten zur Lage der Frauen und des *Radcliff Committee on Graduate Education.*

13 Die Gebiete (nach Angaben des *Census Bureau*) sind: Pädagogik, Englisch und Journalismus, freie und angewandte Kunst, Fremdsprachen und Literatur, Pflegeberufe und Bibliothekswissenschaft. Ein Jahrzehnt zuvor (1966) lagen 65% aller College-Abschlüsse, 76% aller Magister und 47% aller Doktorate, die von Frauen erworben wurden, auf diesen Gebieten. »Anders ausgedrückt«, sagte Frances Cerra, die über diese statistischen Werte in der *New York Times* schrieb, *»die Zunahme an Promotionen von Frauen zwischen 1966 und 1976 beschränkte sich zu 70% auf den Bereich der traditionell weiblichen Fächer«.* 11. Mai 1980.

14 Zitiert nach dem Artikel »Women's Education and Careers: Is there still a Sex Link?«, der 1980 in *Columbia,* der Zeitschrift der Columbia University, veröffentlicht wurde.

15 Zitate aus »The Problems of Working Women« in *The Wall Street Journal,* 13. September 1978. Darin stand auch die bemerkenswerte Information, daß von den 68 000 Facharbeitern bei General Motors (bei Erscheinen des Artikels) nur kümmerliche 58 Frauen waren.

16 Kathy Keating, die die Untersuchung für *Better Homes and Garden* durchführte, schrieb in dem Artikel »Are Working Mothers Attempting Too Much?«, Oktober 1978, daß Nur-

Hausfrauen »nicht unbedingt auf Rosen gebettet sind«. Sie zeigen sich sehr besorgt über die hohe Zahl an Scheidungen unter ihren Freundinnen im mittleren Alter. Aber so fügte Keating hinzu, »am häufigsten und mit größter Aggressivität klagen sie darüber, daß die Frauenbewegung die Rolle der Nur-Hausfrau und Mutter entwertet hat«.
Offensichtlich sehen sie nicht den Zusammenhang zwischen nicht berufstätig und abhängig sein (was sie de facto sind) und der wachsenden Beunruhigung über die hohen Scheidungsraten. Sie fühlen sich bedroht und richten ihren Zorn auf die Frauenbewegung. (Es ist bemerkenswert, daß die Frage in der Untersuchung: »Wollen berufstätige Mütter zuviel?« so beunruhigend war, daß 30 000 Leserinnen ihren ausgefüllten Fragebogen aus *Better Homes* Briefe beifügten).

17 Nachdem man sich eine Zeitlang mit dem Haushalt beschäftigt hat, kann ein Vorstoß in die Welt zutiefst erschreckend sein – und ist es üblicherweise auch. Hausfrauen machen sich selten klar, wie geschützt sie leben und wie wenig sie herausgefordert werden, bis sie versuchen, wieder ins Berufsleben zurückzukehren. Ruth Moulton stellt fest: »Eine Frau konnte im wesentlichen kindlich und abhängig bleiben, während sie scheinbar für ihre Familie sorgte. Erst als sie den Schritt nach draußen versuchte, entdeckte sie, wie verängstigt, beschränkt, unwissend und unvorbereitet sie wirklich war.« »Women with Double Lives« in *Journal of Contemporary Psychoanalysis,* (1977).

18 »Schwangerschaft als Vermeidungsstrategie« ist ein allgemein bekanntes Phänomen. Judith Bardwick stellt fest, daß Mütter mit College-Bildung sich oft darüber beklagen, wie beengt sie sich zu Hause fühlen, solange die Kinder klein sind. Sie warten auf den Tag, an dem sie wieder studieren und »ihr Potential verwirklichen« können. »Das ist leicht gesagt«, stellt J. Bardwick fest, »aber es ist schwer, sich einem potentiellen Fehlschlag und dem Verlust der Selbstachtung zu stellen. Wenn die Kinder älter werden und die Möglichkeit einer Berufswahl in greifbare Nähe rückt, läßt ihr Interesse nach. Der logische und auffällige Mechanismus, mit dem der Schritt in die Berufswelt verhindert wird, ist eine neue »zufällige Schwangerschaft«. In *The Psychology of Women.*

19 Dieses und das folgende Zitat sind einer unveröffentlichten Arbeit von Ruth Moulton entnommen: »Ambivalence About Motherhood in Career Women.«

20 Diese Zahl nennt Joyce Miller, die Vorsitzende der Coalition of Labor Union Women, in dem *Newsweek*-Artikel »The Super Woman Squeeze« vom 19. Mai 1980.

21 Diese Zahl stammt vom *U.S. Census Bureau.*

22 Diese Zahlen wurden im Herbst 1980 auf einer *White House Mini-Conference* zum Thema ›Ältere Frauen in Des Moines‹ bekanntgegeben.

23 Marjorie Bell Chambers, die Präsidentin der *American Association of University Women*, führte eine Untersuchung durch, die unter anderem zeigte, daß die Zahl der ›abgeschobenen Hausfrauen‹ sprunghaft ansteigt. Es handelt sich um alleinstehende Frauen zwischen fünfunddreißig und vierundsechzig, die nach Scheidung, Trennung oder dem Tod des Ehemanns darauf angewiesen sind, ihren eigenen Lebensunterhalt zu verdienen. 1976 gab es in den Vereinigten Staaten mehr als neuneinhalb Millionen solcher Frauen – doppelt soviel wie 1950. Milo Smith stellt fest, daß die Zahl zur Zeit bei fünfundzwanzig Millionen liegt. (Siehe: »The Displaced Homemaker – Victim of Socioeconomic Change Affecting the American Family« von Marjorie Bell Chambers in *The Journal,* veröffentlicht vom *Institute for Socioeconomic Studies* und in »A Statistical Portrait of Women in the United States« des *Goverment Printing Office* in Washington D. C.)

24 Zitat und Zahlen aus »The More Sorrowful Sex«, ein Artikel in *Psychology Today,* April 1979.

25 A. A. Benton veröffentlichte 1973 in *Journal of Personality* die Ergebnisse eines Tests, in dem Paaren (Mann-Frau) die Aufgabe gestellt wurde, einen finanziellen Vertrag auszuhandeln. Die Regeln verlangten, daß einer von beiden gewann. Vor den Verhandlungen erwarteten die Frauen, weniger als die Männer zu gewinnen und weniger aktiv und durchsetzungsfähig zu sein.

26 Untersuchungen, die zeigen, daß Frauen größere Testangst haben als Männer, sind von Judith Bardwick und Matina Horner veröffentlicht worden.

27 Ruth Moulton führte diese Studie durch, als sie feststellte, daß

viele kompetente Frauen keine Vorträge hielten, weil sie eine Redephobie hatten. Ihre Beobachtungen an Doktorandinnen der Columbia University wurden in dem Artikel »Some Effects of the New Feminism« (*Journal of American Psychoanalysis,* Bd. 134, Jan. 1977) veröffentlicht.

28 »Neurotic Dependency in Successful Women«, in: *Journal* of the American Academy of Psychoanalysis, April 1976.

29 Robin Lakoff, »Language and Woman's Place«.

30 Aus: »Conversational Politics«, Mai 1979.

31 Aus: »Women and Success: Why Some Find It So Painful.« – *The New York Times,* 28. 1. 1978.

## III. KAPITEL DIE WEIBLICHE REAKTION

1 Zum Thema der Phobien von Frauen entstehen zur Zeit neue, unorthodoxe Theorien. Eine davon ist Robert Seidenbergs Theorie vom »Trauma der Ereignislosigkeit«. Aufgrund von Informationen seiner Patientinnen nimmt er an, daß manche Frauen phobisch werden, wenn sie die Ereignislosigkeit ihres Lebens bedenken. Angst entsteht, weil sie fürchten, daß ihr Leben unendlich so sinnlos weitergehen wird. Diese Frauen haben Angst vor dem Leben, aber mehr noch vor der Leblosigkeit ihres Lebens. Die Phobie ist bei ihnen ein Aufschrei gegen die Tatsache, daß sie in ihrem eigenen Leben Objekte sind. (Drei Artikel von Seidenberg, Professor für Psychiatrie in Syracuse, befinden sich in *Psychoanalysis and Woman,* herausgegeben von Jean Baker Miller.)

## IV. KAPITEL: HILFLOS WERDEN

1 Basierend auf einer vergleichenden Tiefen-Untersuchung von 1045 Jungen zwischen 14 und 16 und 2005 Mädchen zwischen elf und achtzehn Jahren. (Die Studie ist ausführlich beschrieben in *The Adolescence Experience* von Douvan und Adelson, 1966.) Die Autoren stellten fest, daß Mädchen, je älter sie werden, rationalere und komplexere Formen von Abhängigkeit entwickeln. Eine Elfjährige mag noch behaupten, sie gehorche

ihren Eltern, weil »Regeln Kindern helfen«, während eine Achtzehnjährige ihr Bedürfnis, den Erwartungen zu entsprechen, rationalisiert hat und sagt, daß sie den Eltern »keine Sorgen machen« will.

2 Relevante Daten finden sich in einem Artikel von N. Bayley im *Journal of Pediatrics* (1956): »Growth Curves of Height and Weight by Age for Boys and Girls, Scaled According to Physical Maturity«. Die Tatsache, daß weibliche Babys verbal, wahrnehmungsmäßig und kognitiv entwickelter sind als männliche Babys, ist in der Kinderpsychologie seit langem anerkannt.

3 Eleanor Maccoby leitete bis vor kurzem das Psychologische Institut der Stanford University und gilt als einer der besten Experten auf dem Gebiet der Geschlechtsunterschiede. Ihr Buch *The Development of Sex Differences* (1966) gilt als grundlegendes Werk auf diesem Gebiet, ebenso *The Psychology of Sex Differences* (1974, mit Carol Nagy Jacklin).

4 Daß Jungen deutlicher unabhängiges Verhalten an den Tag legen als Mädchen, ist eine weithin anerkannte Tatsache. Die *Gründe* dafür werden zur Zeit noch erforscht. – Die referierte Theorie über Entwicklungsunterschiede in bezug auf Unabhängigkeit wurde sorgfältig dargelegt in dem Aufsatz von Judith Bardwick und Elizabeth Douvan in »Ambivalence: the Socialization of Women« (in: V. Gornick u. B. K. Moran, *Woman in Sexist Society,* 1971).

5 Kagan und Moss untersuchten 44 Jungen und 45 Mädchen von 1929 bis 1954. Sie fanden beachtlich hohe Werte für Abhängigkeit bei den weiblichen Testpersonen in diesem Zeitraum, ja die Korrelation von Abhängigkeitsverhalten war höher als die irgendeines anderen der getesteten Verhaltensaspekte. Die Entwicklung läßt sich voraussagen: *Stark abhängige Mädchen werden stark abhängige Frauen und wenig abhängige Mädchen werden wenig abhängige Frauen.*

6 Wie unterschiedlich männliche und weibliche Babys von Müttern behandelt werden (und wie unterschiedlich diese auf sie reagieren), hat Lois Hoffman in einem Überblick über alle Studien auf diesem Gebiet zusammengefaßt: »Early Childhood Experiences and Women's Achievement Motives«, in *Journal of Social Issues,* 1972.

7 Bardwick referiert eine Studie von Crandall, Katlovsky und

Preston (1962), die zeigt, daß Mädchen der 1. bis 3. Schulklasse geringes Selbstvertrauen hatten und Mißerfolge erwarteten, während Jungen Erfolge erwarteten. Nach dieser Studie war das Selbstvertrauen von Mädchen desto geringer, je intelligenter sie waren. Nicht nur waren Jungen realistischer in ihren Erwartungen von sich, sondern sie setzten sich auch höhere Maßstäbe und gingen davon aus, daß sie selbst – und nicht das Schicksal oder »die Leute« – darüber entschieden, ob sie am Ende Erfolg haben würden.

8 Aus Lois Hoffman: »Early Childhood Experiences and Women's Achievement Motives«.

9 Hilde Bruch in einem Interview (*People,* 26. 6. 1978). Faszinierendes Material über Mutter-Tochter-Beziehungen und Anorexie findet sich in ihrem Buch Eating Disorders (New York, 1973). Sie zitiert eine finnische Studie, nach der die Mütter von Anorexie-Patientinnen überdurchschnittlich intelligent, nach Ausbildung, Status und beruflicher Tätigkeit aber unter ihren Fähigkeiten eingeordnet waren. Sie erwiesen sich als sexuell gehemmt und unbefriedigt in der Ehe. Sie konnten nur ein passives Kind akzeptieren und unterdrückten alle Unabhängigkeitstendenzen bei ihren Töchtern.

10 Martin Seligman: *Helplessness* (1975). – Die Follingstad-Zitate entstammen einem Interview, das ich mit ihr an der University of South Carolina machte.

11 Als Judith Bardwick Studentinnen an der University of Michigan interviewte, fand sie eine auffällige Diskrepanz zwischen vorgeblicher Unabhängigkeit und dem Verhalten gegenüber nahestehenden Männern. Die Frauen *wollen* sich als unabhängig betrachten. »Sie sprechen über selbstverdienten Lebensunterhalt, eigenständiges Leben und so weiter. An diesem Punkt des Interviews sagen sie gewöhnlich, daß in der Beziehung zum Freund oder Ehemann Gleichgewicht herrscht und keiner dominiert. Wenn sie aber später die Männlichkeit und die positiven Merkmale ihrer Partner beschreiben, stellt sich meist heraus, daß der Mann dominiert oder daß sie wünschten, er würde dominieren und bei Entscheidungen den Ausschlag geben.« (Aus: *The Psychology of Women.*)

12 Anfang der sechziger Jahre untersuchte Marjorie M. Lozoff an der Stanford University 49 »begabte Studentinnen«, um heraus-

zufinden, inwiefern die Beziehung zu den Eltern ihre Autonomie beeinflußte. Sie stellte fest, daß die Töchter von karriereorientierten Müttern früh eine Vielzahl von Talenten und Interessen zeigen. Wenige der Mütter in dieser Studie hatten jedoch Karriere und Familie vereinbaren können – Ehrgeiz und Talente waren ihnen fremde Kräfte, mit denen man sich individuell und oft leidhaft herumschlagen muß. (M. Lozoff: »Fathers and Autonomy of Women« in: *Women and Success,* 1974).

13 Aus einem Vortrag von Ruth Moulton: »Women with Double Lives«. Sie zeigt darin, daß ein ungelöster Vaterkonflikt viele Frauen veranlaßt, ein Leben lang bei Männern Unterstützung zu suchen. Akademikerinnen, die bei ihren Ehemännern nicht genug Unterstützung finden, suchen sie bei andern Männern in ihrem beruflichen Gebiet; Liebesaffären dienen so der »konsensuellen Bestätigung«, die sie brauchen, um produktiv sein zu können.

14 Aus: *Memoiren einer Tochter aus gutem Hause.*

15 Aus der Autobiographie von Hortense Calisher: *Herself* (1972).

16 Beschrieben in »The Sexes Under Scrutiny: From Old Biases to New Theories« (*Psychology Today,* November 1978).

17 Siehe Ellen Lenney: »Women's Self-Confidence in Achievement Settings«, *Psychological Bulletin,* 1977).

18 S. H. Schwartz und G. T. Clausen: »Responsibility Norms in Helping in an Emergency«, *Journal of Personality and Social Psychology,* 1970.

19 Siehe Eleanor Maccoby: *The Development of Sex Differences* (1966).

20 Siehe die Studie von R. S. Wyer, M. Henninger und M. Wolfson: Informational Determinants of Females' Self-Attributions and Observers' Judgement of them in an Achievement Situation«. *Journal of Personality and Social Psychology* (1975).

21 Die Psychoanalytikerin Clara Thompson wirkte bahnbrechend, indem sie die Art und Weise, wie Frauen von der Psychiatrie betrachtet wurden, verändern half. Ihr Buch *On Women,* 1940 postum erschienen und auf frühen Artikeln basierend, enthält Einsichten, die für uns heute von erstaunlicher Relevanz sind. So schreibt sie über die Frau: »Sie lebt in einer Kultur, die ihr

keine Sicherheit außer in einer sogenannten dauerhaften Liebesbeziehung bietet. Es ist bekannt, daß ein neurotisches Liebesbedürfnis ein Mechanismus ist, um Sicherheit in einer Abhängigkeitssituation herzustellen ... Geliebt zu werden ist nicht nur ein natürlicher Teil des Lebens einer Frau (wie des eines Mannes), sondern es wird aus sozialer Notwendigkeit heraus zu ihrem Beruf.«

## V. KAPITEL: BLINDE ERGEBENHEIT

1 Aus der von Crossley Surveys, New York durchgeführten Erhebung: *A Nationwide Survey of Marriage,* der Interviews mit 3880 Männern und Frauen zugrunde liegen.
2 Zitate aus dem Artikel von Leslie Bennetts: Doctors' Wives – Many Report Marriage Is a Disappointment« (New York Times, 7. 5. 1979).
3 Siehe auch: Rubin Blanck und Gertrude Blanck: *Marriage and Personal Development,* 1968, sowie M. S. Mahler: »On the Significance of Normal Separation-Individuation Phase« in: *Drives, Affects and Behavior,* herausgegeben von M. Schur (1953).
4 Siehe Joan Wexler und John Steidl: »Marriage and the Capacity to Be Alone« in *Psychiatry* (1978).
5 Ibidem.
6 Aus R. u. G. Blanck: *Marriage and Personal Development,* 1968.
7 Aus »Psychology of the Female: A New Look« in Jean Baker Miller (ed.): *Psychoanalysis and Women,* 1973.
8 *Newsweek,* 22. 10. 1979.
9 In ihrem Buch *The Future of Marriage* stellt Jessie Bernard fest, daß die seelische Gesundheit verheirateter Frauen schlechter ist als die von alleinstehenden Frauen und von verheirateten oder alleinstehenden Männern. Eine Untersuchung von 2000 verheirateten Männern und Frauen ergab 1960, daß die Frauen bei weitem mehr unter Angstgefühlen litten als die Männer. (Gerald Gurin, Joseph Veroff und Sheila Field: *Americans View Their Mental Health: A Nationwide Interview Survey*).
10 Jessie Bernard: *The Future of Marriage,* New York, 1971.

## VI. KAPITEL: DIE PANIK DER FRAUEN

1 Matina Horners Schlußfolgerungen über Frauen und Erfolg werden von anderen Untersuchungen bekräftigt. Frauen vieler Altersgruppen haben in Hinblick auf alle möglichen Aufgaben geringere Erfolgserwartungen als Männer (Crandall, 1969). Es hat sich gezeigt, daß unabhängig von den tatsächlichen Fähigkeiten, Menschen mit hohen Erfolgserwartungen bessere Ergebnisse erzielen als Menschen mit niedrigen Erfolgserwartungen (Tyler, 1958). Eine Zusammenfassung solcher Arbeiten wurde in *Half the Human Experience: The Psychology of Women* veröffentlicht. Die Autoren Hyde und Rosenberg sagen: »Frauen erwarten keinen Erfolg, und dies fördert die Erfolglosigkeit. Wenn Frauen versagen, dann verstärkt dies den Glauben an die unzureichenden Fähigkeiten, was wiederum ihre Erfolgserwartungen senkt und den Erfolg unwahrscheinlicher macht. Im Fall eines Erfolgs schreiben Frauen ihn dem Glück zu, und dadurch steigen ihre Erfolgserwartungen auch nicht.«

2 Die Institutionen, in denen diese bemerkenswert traditionellen männlichen Ansichten geäußert wurden, waren Brown, Princeton, Wellesley, Dartmouth, Barnard und Stony Brook. Die Informationen stammen aus einer 1978 durchgeführten großen Untersuchung.

3 Diese Information wurde in »Psychological Barriers to Success in Women« von Matina Horner und Mary R. Walsh veröffentlicht und in Ruth Kundsins Anthologie *Women and Success*, 1974, aufgenommen.

4 Entnommen der Untersuchung von Hoffman (s. Anm. zu Kapitel II).

5 Wie sich zeigt, waren die Pionierfrauen, die lange als unsere vitalen Ahnen gefeiert wurden, im psychologischen Sinn nicht so unabhängig, wie sie es hätten sein können. Wie die moderne Frau, waren sie in der Lage, sich unabhängig zu *verhalten,* um zu überleben, wenn die Männer nicht da waren – aber das gefiel ihnen nicht sonderlich. Die Anforderungen des Erwachsenenlebens verwirrten sie. Das zumindest entdeckte eine Historikerin, Julie Jeffry, als sie untersuchte, wie diese Pionierfrauen ihr Leben tatsächlich beurteilten. Eine Frau schrieb abends in ihr Tagebuch (ehe sie die Kerze ausblies): »Ich war immer daran

gewöhnt, mich auf jemanden zu verlassen, und es ist etwas Neues, daß ich mich um Geschäfte kümmern muß, und das plagt mich nicht wenig.« J. Jeffrey zitierte ausführlich aus Briefen und Tagebüchern und zeigte, daß die Pionierfrauen alles daransetzten, um sich wieder auf die einfachen häuslichen Arbeiten zurückzuziehen, sobald ihre Ehemänner vom Indianermorden zurückkehrten. Die Häuslichkeit, sagt J. Jeffrey, enttäuscht, »war der Sinn ihres Lebens.« Julie Jeffreys Buch *Frontier Women* wurde 1979 veröffentlicht.

6 »Marriage: What Women Expect and What They Get«, in *McCall's*, Januar 1980.

7 Zitiert aus Nadine Brozans Artikel »Men and Housework: Do They or Don't They?« in *The New York Times* vom 1. September 1980.

8 Diese Information entstammt der von Wright durchgeführten Studie, auf die im Text und in den Anmerkungen zu Kapitel II eingegangen wird.

9 Zitat aus *Working It Out*, 1977 herausgegeben von Ruddich und Daniels.

10 Die Schriftstellerin Anne Taylor Fleming berichtete in dem Artikel »The Liberated Cook« in *New York Times Magazine* von einem überraschenden Phänomen: »Nachdem die Frauen Arbeit, einen Analytiker und in manchen Fällen einen neuen Ehemann gefunden haben, stehen sie wieder in der Küche und kochen. Sie kochen ernsthaft und mit einer Spur Zärtlichkeit. Vielleicht ist das ein Akt der Sühne. Vielleicht ist es auch eine Barriere gegen berufliche Enttäuschungen. Vielleicht macht Kochen viel mehr Spaß als die meisten Berufe, die die Frauen gefunden haben. Für Frauen, die feststellen mußten, daß ihnen der Erfolg weniger Erfüllung brachte, als sie sich erträumten, daß die Büros nicht so angenehme Orte waren, wie sie sich erhofft hatten, sind die Küchen plötzlich wieder freundliche Orte, sichere Orte, in die man sich nach einem trostlosen Tag verkriecht. Die Mahlzeiten, die diese Frauen bereiten, und die Parties, die sie geben, bringen ihnen müheloser Lob ein als der Beruf.« 28. Oktober 1979.

1 Das letzte Kapitel beruht auf Karen Horneys Theorie, daß die Wurzel der Neurose ein Konflikt ist – das Aufeinanderprallen gegensätzlicher Triebe. So kann eine Neigung zur Zurückhaltung und das exzessive Bedürfnis nach Liebe im Konflikt mit dem entgegengesetzten Drang zur Extravertiertheit, zu Konkurrenzverhalten und einer Distanz vom Bedürfnis nach Liebe stehen. Mir scheint das genau die Situation zu sein, in der die Frauen sich heutzutage befinden.
Karen Horney war die erste international anerkannte Psychoanalytikerin, die Freuds Standpunkt zur weiblichen Psychologie grundsätzlich widersprach (siehe Horneys *Feminine Psychology*). Sie vertrat einen holistisch-dynamischen Standpunkt, das heißt Individuum und Gesellschaft, innere und äußere Kräfte, gegenwärtige und vergangene Einflüsse wirken aufeinander ein. Ihre Auswirkungen auf die Persönlichkeit – Verteidigungsstrategien und Symptome – lassen sich nicht so leicht entflechten.
In einer Arbeit mit dem Titel »The Overvaluation of Love«, die sie 1934 in *Psychoanalytic Quarterly* veröffentlichte, begann sie auf dem Hintergrund der Erfahrungen mit ihren Patientinnen mit der Erforschung des Problems der modernen Frau in einer »patriarchalischen Gesellschaft«. Sie stellte fest, daß viele Frauen den Wunsch haben, »einen Mann zu lieben und geliebt zu werden; ein Wunsch, der jedoch zwanghaft ist und bis ins Extrem getrieben wird. Sie sind zu guten und dauerhaften Beziehungen mit Männern unfähig, in ihren Leistungen gehemmt, ihre Interessen sind verkümmert, und oft fühlen sie sich verängstigt, unzulänglich und sogar häßlich. In manchen Fällen entwickeln sie einen zwanghaften Leistungstrieb, den sie jedoch auf den männlichen Partner projizieren, statt selbst aktiv zu werden.
Die Feministinnen bekannten sich zu Karen Horney, weil sie Freuds Theorie vom Penisneid entgegentrat. Sie legte auch größeren Nachdruck auf die augenblicklichen Lebensumstände und die destruktiven Haltungen, angesichts derer alte infantile Triebe zurücktreten, wenn es um die *Ursache* von Neurosen geht. Letztlich ist Karen Horneys Neurosentheorie weit kon-

struktiver und optimistischer als die Freuds. Wir verursachen die Neurose und erhalten sie in uns aufrecht. Deshalb besitzen wir Möglichkeiten und die Kraft, sie zu beseitigen. (Siehe ihr viertes und wichtigstes Buch *Neurosis and Human Growth: The Struggle Towards Self-Realization*, 1950.)

2 Karen Horney macht deutlich, daß die Persönlichkeit durch unterschiedliche Arten der »Verarmung« beeinträchtigt wird, wenn die Konflikte ungelöst bleiben: das Gefühl der Überlastung, eine Beeinträchtigung der moralischen Integrität (die oft durch eine Pseudomoral« ersetzt wird, die unbewußte Täuschungen aufrechterhält – die Täuschung zu lieben, ein guter Mensch zu sein oder echte Verantwortung zu übernehmen) und das Gefühl der Hoffnungslosigkeit. Hoffnungslosigkeit entsteht aus dem Wissen auf einer bestimmten Ebene, daß eine Veränderung der äußeren Umstände nicht wirklich die Lösung bringt. Der Konflikt hat sich Schicht um Schicht aufgebaut, und es erscheint unmöglich, sich daraus zu befreien. Die Hoffnungslosigkeit wird als chronischer Pessimismus, als Depression oder als überempfindliche Reaktion auf Enttäuschungen erlebt.

3 Simone de Beauvoir: *In den besten Jahren.*

4 Karen Horney: *Our Inner Conflicts.*

5 Pearl Primus in einem Essay in *The New York Times* vom 18. März 1979.

# BIBLIOGRAPHIE

## BÜCHER

Bardwick, Judith M. *The Psychology of Women: A Study of Biocultural Conflicts*. New York, 1971.

–. *Readings on the Psychology of Women*. New York, 1972.

Beauvoir, Simone de. *Das andere Geschlecht. Sitte und Sexus der Frau*. Reinbek: Rowohlt, 1968.

–. *In den besten Jahren*. Reinbek: Rowohlt, 1969.

–. *Memoiren einer Tochter aus gutem Hause*. Reinbek: Rowohlt, 1968.

Bernard, Jessie. *American Family Behavior*. New York, 1952.

–. *The Future of Marriage*. New York, 1971.

Blanck, Rubin und Blanck, Gertrude. *Marriage and Personal Development*. New York, 1968.

Bruch, Hilde. *Eating Disorders*. New York, 1973.

Calisher, Hortense. *Herself*. New York, 1972.

Chesler, Phyllis, und Goodman, Emily Jane. *Women, Money and Power*. New York, 1976.

Deutsch, Helene. *Die Psychologie der Frau*. 2 Bände. Stuttgart–Bern, 1954.

Douvan, Elizabeth, und Adelson, Joseph. *The Adolescent Experience*. New York, 1966.

Erikson, Erik H. *Kindheit und Gesellschaft*. 5. Auflage. Stuttgart: Klett-Cotta, 1974.

Friedan, Betty. *Das hat mein Leben verändert. Beiträge und Reflexionen zur Frauenbewegung*. Reinbek: Rowohlt, 1977.

–. *Der Weiblichkeitswahn oder Die Selbstbefreiung der Frau. Ein Emanzipationskonzept*. Reinbek: Rowohlt, 1970.

Gornick, Vivian, und Moran, Barbara K., Hrsg. *Woman in Sexist Society*. New York, 1971.

Gurin, Gerald / Veroff, Joseph / Field, Sheila. *Americans View Their Mental Health: A Nationwide Interview Survey*. New York, 1960.

Horney, Karen. *Neurose und menschliches Wachstum.* München: Kindler, 1975.
–. *Selbstanalyse.* München: Kindler, 1974.
–. *Unsere inneren Konflikte. Neurosen in unserer Zeit – Entstehung, Entwicklung und Lösung.* München: Kindler, 1973.
Hyde, J. S., und Rosenberg, B. G. *Half the Human Experience: The Psychology of Women.* Lexington, Massachusetts, 1976.
Kagan, J., und Moss, H. A. *Birth to Maturity.* New York, 1962.
Maccoby, Eleanor, Hrsg. *The Development of Sex Differences.* Stanford, 1966.
–, und Jacklin, Carol Nagy. *The Psychology of Sex Differences.* Stanford, 1974.
Mahler, M. S., in Schur, M., Hrsg. *Drives, Affects and Behavior.* New York, 1953.
Martin, Barclay. *Anxiety and Neurotic Disorders.* New York, 1971.
Martin, D. *Battered Wives.* San Francisco, 1976.
Martinson, Floyd Mansfield. *Family in Society.* New York, 1970.
Miller, Jean Baker, Hrsg. *Psychoanalysis and Women.* Baltimore, 1973.
Miller, Jean Baker. *Die Stärke weiblicher Schwäche. Zu einem neuen Verständnis der Frau.* Frankfurt: Goverts, 1977.
National Manpower Council. *Womanpower.* New York, 1957.
Pietropinto, Anthony, und Simenauer, Jacqueline. *Husbands and Wives.* New York, 1979.
Plath, Sylvia. *Die Glasglocke.* Frankfurt: Suhrkamp, 1975.
Redlich, Fredrick C. und Freedman, Daniel X. *Theorie und Praxis der Psychiatrie.* Frankfurt: Suhrkamp, 1970.
Rubins, Jack L. *Karen Horney.* München: Kindler, 1980.
Ruddich, Sara, und Daniels, Pamela, Hrsg. *Working It Out.* New York, 1977.
Scarf, Maggie. *Unfinished Business.* New York, 1980.
Seligman, Martin. *Erlernte Hilflosigkeit.* München: Urban & Schwarzenberg, 1979.
Sherman, J. A. *On the Psychology of Women: A Survey of Empirical Studies.* Springfield, Illinois, 1971.
Slater, Philip. *The Pursuit of Loneliness.* Boston, 1970.
Spence, Janet, und Helmreich, Robert L. *The Psychological Dimensions of Masculinity and Femininity: Their Correlates and Antecedents.* Houston, 1978.

Terman, L. M., und Ogden, Melita H. *The Gifted Child Grows Up.* Stanford, 1947.

Thompson, Clara M. *On Women.* New York, 1964.

ARTIKEL

Adams, Virginia. »Jane Crow in the Army«, *Psychology Today,* Oktober 1980.

Bardwick, Judith M. / Douvan, Elizabeth. »Ambivalence: The Socialization of Women«, in Vivian Gornick / Barbara K. Moran, Hrsg. *Woman in Sexist Society.* New York, 1971.

Bart, Pauline B. »Depression in Middle-Aged Women«, in Vivian Gornick / Barbara K. Moran, Hrsg. *Woman in Sexist Society.* New York, 1971.

Bayley, N. »Growth Curves of Height and Weight by Age for Boys and Girls. Scaled According to Physical Maturity«, *Journal of Pediatrics,* Bd. 48, 1956, S. 187-194.

Bennetts, Leslie. »Doctors' Wives: Many Report Marriage is a Disappointment«, *New York Times,* 7. 5. 1979.

–. »When Homemaking Becomes Job No. 2«, *New York Times,* 14. 7. 1979.

Bernard, Jessie. »The Paradox of the Happy Marriage«, in Vivian Gornick / Barbara K. Moran, Hrsg. *Woman in Sexist Society.* New York, 1971.

Binger, Carl A. L. »Emotional Disturbance Among College Women«, in Graham Baline, Hrsg. *Emotional Problems of the Student.* New York, 1961.

Bodine, Ann. »Sex Differentiation in Language«, vorgetragen vor der Conference on Women and Language, Rutgers University, 1973.

Broverman, Inge K., et. al. »Sex Role Stereotypes and Clinical Judgements of Mental Health«, *Journal of Consulting and Clinical Psychology,* Bd. 34, Februar 1970.

Carper, Laura. »Sex Roles in the Nursery«, *Harper's,* April 1978, S. 51.

Cerra, Frances. »Study Finds College Women Still Aim for Traditional Jobs«, *New York Times,* 11. 5. 1980.

Chodorow, Nancy. »Family Structure and Feminine Personality«, in Rosaldo, Michelle Z. / Lemphere, Louise, Hrsg. *Woman, Culture and Society*. Stanford, 1974.

Coburn, Judith. »Self-Sabotage: Why Women Fear Success«, *Mademoiselle,* September 1979.

Cohen, Mabel Blake, »Personal Identity and Sexual Identity«, *Psychiatry,* Bd. 29, 1966, S. 1-14.

Crandall, V. C. »Sex Differences in Expectancy of Intellectual and Academic Reinforcement«, in C. P. Smith, Hrsg. *Achievement Related Motives in Children.* New York, 1969.

Crandall, V. J. / Rabson, A. »Children's Repetition Choices in an Intellectual Achievement Situation, Following Success and Failure«, *Journal of Genetic Psychology,* Bd. 97, 1960, S. 161-168.

Deutsch, Helene. »The Genesis of Agoraphobia«, *International Journal of Psycho-Analysis,* Bd. 10, 1929.

Douvan, Elizabeth. »Sex Differences in Adolescent Character Process«, *Merrill-Palmer Quarterly,* Bd. 6, 1957, S. 203-211.

Erikson, Erik H. »Inner and Outer Space: Reflections on Womanhood«, *Daedalus,* Frühjahr 1964.

Fleming, Anne T. »Can I Stay at Home Without Losing My Identity?« *Vogue,* August 1978.

–. »The Liberated Cook«, *The New York Times Magazine,* 28. 10. 1979.

Flint, Jerry. »Income of Working Wives Forming Buffer to Inflation«, *New York Times,* 8. 12. 1979.

Follingstad, Diane R. »A Reconceptualization of Issues in the Treatment of Abused Women: A Case Study«. Unveröffentlichte Arbeit.

Frodi, Ann / Macaulay, Jacqueline / Thorne, Pauline. »Are Women Always Less Aggressive Than Men? A Review of the Experimental Literature«, *Psychological Bulletin,* Bd. 8, Nr. 4, 1977.

Futterman, S. »Personality Trends in Wives of Alcoholics«, *Journal of Psychiatric Social Work,* Bd. 23, 1953, S. 37-41.

Gittelson, Natalie. »Marriage: What Women Expect and What They Get«, *McCall's,* Januar 1980.

Glenn, Norval D. »The Contribution of Marriage to the Psychological Well-Being of Males and Females«, *Journal of Marriage and the Family,* August 1975.

Goffman, Erving. »Gender Advertisements«, *Studies in the Anthropology of Visual Communication,* Bd. 3, 1977.

Gornick, Vivian. »Why Women Fear Success«, *New York,* 20. 12. 1971.

Gutman, D. L. »Women and the Conception of Ego Strength«, *Merrill-Palmer Quarterly,* 11 (3), 1965.

Hacker, Andrew. »Divorce à la Mode«, *The New York Review of Books,* 3. 5. 1979, S. 23.

Harmants, M. G. »Effects of Anxiety, Motivating Instructions, Success and Failure Reports, and Sex of Subject Upon Level of Aspiration and Performance«. Unveröffentlichte Magisterarbeit, University of Washington, 1962.

»Helping Women Have Orgasms«, *Newsweek,* 22. 10. 1979.

Hoffman, Lois Wladis. »Early Childhood Experiences and Women's Achievement Motives«, *Journal of Social Issues,* Bd. 28, Nr. 2, 1972.

Horner, Matina. »Fail: Bright Women«, *Psychology Today* 3 (6): 36, 1969.

–. »The Motive to Avoid Success and Changing Aspirations of College Women«, in Judith Bardwick, Hrsg. *Readings in the Psychology of Women.* New York, 1972.

–. »Sex Differences in Achievement Motivation and Performance in Competitive and Non-Competitive Situations«. Unveröffentlichte Doktorarbeit, University of Michigan, 1968.

–. »Toward an Understanding of Achievement Related Conflicts in Women«, *Journal of Social Issues,* 1972.

–. / Walsh, M. R. »Psychological Barriers to Success in Women«, in Ruth B. Kundsin, Hrsg. *Women and Success.* New York, 1974.

Horney, Karen. »The Neurotic Need for Love«, in Harold Kelman, Hrsg. *Feminine Psychology.* New York, 1967.

–. »The Overevaluation of Love. A Study of a Common Present-Day Feminine Type«, *Psychoanalytic Quarterly,* Bd. 3, 1934.

House, W. C. »Actual and Perceived Differences in Male and Female Expectancies and Minimal Goal Levels as a Function of Competition«, *Journal of Personality,* 1974, S. 493-509.

–. / Penney, V. »Valence of Expected and Unexpected Outcomes as a Function of Locus of Control and Type of Expectancy«, *Journal of Personality and Social Psychology,* Bd. 29, 1974, S. 454-463.

Johnson, F. A. / Johnson, D. L. »Roles Strain in High-Commitment Carreer Women«, *Journal of the American Academy of Psychoanalysis,* 4 (1), 1976.

Kagan, J. / Moss, H. A. / Siegel, I. E. »The Psychological Significance of Styles of Conceptualization«, in J. C. Wright und J. Kagan, Hrsg. *Basic Cognitive Process in Children, Monographs of the Society for Research in Child Development,* 28, Nr. 2, 1963.

Kernberg, O. T. »Barriers to Falling and Remaining in Love«, *Journal of the American Psychoanalytical Association,* Bd. 22, Nr. 3, 1974.

Kosner, Alice. »Starting Over: What Divorced Women Discover«, *McCall's,* März 1979.

Kramer, Cheris. »Women's Speech: Separate But Unequal?«, *Quarterly Journal of Speech,* Februar 1974, S. 14, 24.

–. /Thorne, Barrie / Henley, Nancy. »Perspectives on Language and Communication«, *Signs,* Frühjahr 1978.

Lakoff, Robin. »Language and Women's Place«, *Language in Society,* Bd. 2, 1973, S. 45-79.

Lavigne, Meg. »Women's Education and Careers: Is There Still a Sex Link?«, *Columbia,* Sommer 1980.

Lenney, Ellen. »Women's Self-Confidence in Achievement Settings«, *Psychological Bulletin,* Bd. 84, Nr. 1, Januar 1977.

Lozoff, Marjorie M. »Fathers and Autonomy in Women«, in Ruth Kundsin, Hrsg. *Women and Success.* New York, 1974.

Lynn, D. B. »The Process of Learning Parental and Sex-Role Identification«, *Journal of Marriage and the Family,* 28 (4), 1966.

Maccoby, Eleanor. »Sex Differences in Intellectual Functioning«, in Eleanor Maccoby, Hrsg. *The Development of Sex Differences.* Stanford, 1966, S. 25-36, 38-44, 46-55.

–. »Woman's Intellect«, in S. M. Farber / R. L. Wilson, Hrsg. *The Potential of Woman.* New York, 1963.

–. / Edith M. Dowley. »Activity Level and Intellectual Functioning in Normal Preschool Children«, *Child Development,* Bd. 36, Nr. 3, 1965, S. 761-770.

McCandless, B. R. / Bilous, C. B. / Bennett, H. L. »Peer Popularity and Dependence on Adults in Preschool Age Socialization«, *Child Development,* Bd. 32, 1961.

McClelland, D. C. »Wanted: A New Self-Image for Women«, in R. J. Lifton, Hrsg. *The Woman in America.* New York, 1965, S. 173-192.

MacMahon, I. D. »Relationships Between Causal Attributions and Expectancy of Success«, *Journal of Personality and Social Psychology,* Bd. 28, 1973, S. 108-114.

»Money and Working Women«, *U. S. News and World Report,* 15. 1. 1979.

Moulton, Ruth. »Ambivalence About Motherhood in Career Women«, Unveröffentlichte Arbeit.

–. »Some Effects of the New Feminism – on Men and Women«, *Journal of American Psychoanalysis,* Bd. 134, Nr. 1, Januar 1977, S. 1-6.

–. »Psychoanalytic Reflections on Women's Liberation«, *Journal of Contemporary Psychoanalysis,* Bd. 8, Nr. 2, Frühjahr 1972, S. 214.

–. »A Survey and Re-evaluation of the Concept of Penis Envy«, *Contemporary Psychoanalysis,* Bd. 7, 1970, S. 84-104.

–. »Women with Double Lives«, *Journal of Contemporary Psychoanalysis,* Bd. 13, Januar 1977, S. 64.

Parliee, Mary Brown. »Conversational Politics«, *Psychology Today,* Mai 1979.

–. »The Sexes Under Scrutiny: From Old Biases to New Theories«, *Psychology Today,* November 1978, S. 65.

Patterson, M. / Sells, L. »Women Dropouts From Higher Education«, in A. S. Rossi / A. Claderwood, Hrsg. *Academic Women on the Move.* New York, 1973.

Rothbart, Mary / Maccoby, Eleanor. »Parents' Differential Reactions to Sons and Daughters«, *Journal of Personality and Social Psychology,* 4 (3), 1966.

Salzman, Leon. »Psychology of the Female: A New Look«, in Jean Baker Miller, Hrsg. *Psychoanalysis and Women.* Baltimore, 1973.

Scarf, Maggie. »The More Sorrowful Sex«, *Psychology Today,* April 1979.

Schaefer, E. S. / Bayley, Nancy. »Maternal Behavior, Child Behavior, and their Inter-Correlations from Infancy through Adolescence«, *Monographs of the Society for Child Research Development,* 28 (3), 1963.

Schapiro, Miriam. »Notes from a Conversation on Art, Feminism and Work«, in Sara Ruddick / Pamela Daniels, Hrsg. *Working* It Out. New York, 1977.

Schwartz, S. H. / Clausen, G. T. »Responsibility Norms in Helping in an Emergency«, *Journal of Personality and Social Psychology,* Bd. 16, 1970, S. 299-310.

Seidenberg, Robert. »Is Anatomy Destiny?«, in Jean Baker Miller, Hrsg. *Psychoanalysis and Women.* Baltimore, 1973, S. 306.

–. »The Trauma of Eventlessness«, *Psychoanalytic Review,* Bd. 59, 1972, S. 95-109.

Simon, Jane. »Love: Addiction or Road to Self-Realization?«, *The American Journal of Psychoanalysis,* Bd. 35, 1975, S. 359-364.

Stoller, Robert J. »The Bedrock of Masculinity and Feminity: Bisexuality«, *Archives of General Psychiatry,* Bd. 26, 1972, S. 207–212.

–. »The Sense of Femaleness«, *Psychoanalytic Quarterly,* Bd. 37, 1968, S. 42-55.

Symonds, Alexandra, »The Liberated Woman: Healthy and Neurotic«, *American Journal of Psychoanalysis,* 1974.

–. »The Myth of Femininity: A Panel«, *American Journal of Psychoanalysis,* Bd. 33, Nr. 1, S. 42-55.

–. »Neurotic Dependency in Successful Women«, *Journal of the American Academy of Psychoanalysis,* April 1976, S. 95 ff.

–. »Phobias After Marriage: Women's Declaration of Dependence«, *American Journal of Psychoanalysis,* November 1971, S. 31.

Symonds, Martin. »Psychodynamics of Aggression in Women«, *American Journal of Psychoanalysis,* Bd. 36, 1976.

Thompson, Clara. »Cultural Pressures in the Psychology of Women«, *Psychiatry,* Bd. 5, 1942, S. 331-339.

–. »Some Effects of the Derogatory Attitude Toward Female Sexuality«, *Psychiatry,* Bd. 13, 1950, S. 349-354.

Thurman, David. »A Backward and Forward Look at Educational Arrangements for Women and Men«. Unveröffentlichte Arbeit, vorgetragen vor *The Educational Implications of Sex Roles in Transition Conference,* Brown University, Dezember 1978.

Verheyden-Hilliard, Mary Ellen. »Counseling: Potential Superbomb Against Sexism«, *American Education,* April 1977.

Wenkart, Antonia, »Self-Acceptance«, *American Journal of Psychoanalysis*, Bd. 15, Nr. 2, 1955.

Wernimont, Paul F. / Fitzpatrick, Susan. »The Meaning of Money«, *Psychiatry,* Bd. 56, Nr. 2, 1972.

Wexler, Joan / Steidl, John. »Marriage and the Capacity to Be Alone«, *Psychiatry,* Bd. 41, Februar 1978.

Wilig, Wanda. »Dreams«, *American Journal of Psychoanalysis,* Bd. 18, Nr. 2, 1958.

Willoughby, Raymond R. »The Relationship to Emotionality of Age, Sex, and Conjugal Condition«, *American Journal of Sociology,* Bd. 43, März 1938.

»Women and Success: Why Some Find It So Painful«, *New York Times,* 28. 1. 1978.

Wright, James D. »Are Working Women *Really* More Satisfied? Evidence from Several National Surveys«, *Journal of Marriage and the Family,* Mai 1978.

Wyer, R. S., Jr. / Henniger, M. / Wolfson, M. »Informational Determinants of Females' Self-Attributions and Observers' Judgements of Them in an Achievement Situation«, *Journal of Personality and Social Psychology,* Bd. 32, 1975, S. 556-570.

Yollin, Patricia. »When Suddenly a Housewife Isn't«, *California Living,* 7. 5. 1978.

Zimmerman, Don H. / West, Candace. »Sex Roles, Interruptions and Silences in Conversation«, in Barrie Thorne / Nancy Henley, Hrsg. *Language and Sex: Difference and Dominance.* Rowley, Massachusetts, 1975.

# Die Frau in der Gesellschaft

**Monika Beckerle**
**Depression: Leben mit dem Gesicht zur Wand**
Erfahrungen von Frauen
Band 4726

**Ingeborg Bruns**
**Als Vater aus dem Krieg heimkehrte**
Töchter erinnern sich
Band 10300
*in Vorbereitung*

**Sylvia Conradt / Kirsten Heckmann-Janz**
**»... du heiratest ja doch!«**
80 Jahre Schulgeschichte von Frauen
Band 3761

**Ann Cornelisen**
**Frauen im Schatten**
Leben in einem süditalienischen Dorf
Band 3401

**Gaby Franger**
**Wir haben es uns anders vorgestellt**
Türkische Frauen in der Bundesrepublik
Band 3753

**Maria Frisé**
**Auskünfte über das Leben zu zweit**
Band 3758

**Marliese Fuhrmann**
**Zeit der Brennessel**
Geschichte einer Kindheit
Band 3777

**Hexenringe**
Dialog mit dem Vater
Band 3790

**Imme de Haen**
**»Aber die Jüngste war die Allerschönste«**
Schwesternerfahrungen und weibliche Rolle
Band 3744

**Helga Häsing**
**Mutter hat einen Freund**
Alleinerziehende Frauen berichten
Band 3742

**Katharina Höcker**
**Durststrecken**
Zwischen Abhängigkeit und Alkohol
Frauen und Alkohol
Band 4717

# Die Frau in der Gesellschaft

**Gerhard Amendt**
**Die bevormundete Frau oder Die Macht der Frauenärzte**
Band 3769

**Dagmar Bielstein**
**Von verrückten Frauen**
Notizen aus der Psychiatrie
Band 10261

**Margrit Brückner**
**Die Liebe der Frauen**
Über Weiblichkeit und Mißhandlung
Band 4708

**Gena Corea**
**MutterMaschine**
Band 4713

**Colette Dowling**
**Der Cinderella-Komplex**
Die heimliche Angst der Frauen vor der Unabhängigkeit
Band 3068

**Uta Enders-Dragässer / Claudia Fuchs (Hg.)**
**Frauensache Schule**
Aus dem deutschen Schulalltag: Erfahrungen, Analysen, Alternativen
Band 4733

**Marianne Grabrucker**

**»Typisch Mädchen ...«**
Prägung in den ersten drei Lebensjahren
Band 3770

**Vom Abenteuer der Geburt**
Die letzten Landhebammen erzählen
Band 4746

**Michaela Huber/ Inge Rehling**
**Dein ist mein halbes Herz**
Was Freundinnen einander bedeuten
Band 4727

**Helge Kotthoff (Hg.)**
**Das Gelächter der Geschlechter**
Band 4709

**Ellen Kuzwayo**
**Mein Leben**
Frauen gegen Apartheid
Band 4720

**Katja Leyrer**
**Hilfe! Mein Sohn wird ein Macker**
Band 4748

**Astrid Matthiae**
**Vom pfiffigen Peter und der faden Anna**
Zum kleinen Unterschied im Bilderbuch
Band 3768

# Fischer Taschenbuch Verlag

fi 15 / 7 a

# Die Frau in der Gesellschaft

Band 4722

Band 3776

Band 3785

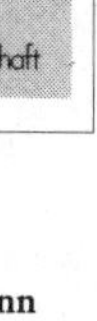

**Helga Häsing**
**Unsere Kinder, unsere Träume**
Band 3707

**Helga Häsing / Ingeborg Mues (Hg.)**
**Du gehst fort, und ich bleib da**
Gedichte und Geschichten von Abschied und Trennung
Band 4722

**Elfi Hartenstein**
**Wenn auch meine Paläste zerfallen sind**
Else Lasker-Schüler 1909/1910
Erzählung
Band 3788

**Jutta Heinrich**
**Das Geschlecht der Gedanken**
Roman
Band 4711
**Mit meinem Mörder Zeit bin ich allein**
Band 3789

**Eva Heller**
**Beim nächsten Mann wird alles anders**
Roman. Band 3787

**Claudia Keller**
**Windeln, Wut und wilde Träume**
Briefe einer verhinderten Emanze
Band 4721
**Kinder, Küche und Karriere**
Neue Briefe einer verhinderten Emanze
Band 10137

**Sibylle Knauss**
**Erlkönigs Töchter**
Roman. Band 4704

**Angelika Kopečný**
**Abschied vom Wolkenkuckucksheim**
Eine Liebesgeschichte
Band 3776

**Christine Kraft**
**Schattenkind**
Erzählung. Band 3750

**Jeannette Lander**
**Ich, allein**
Roman. Band 4724

**Rosamond Lehmann**
**Aufforderung zum Tanz**
Roman. Band 3773
**Der begrabene Tag**
Roman. Band 3767
**Dunkle Antwort**
Roman. Band 3771
**Der Schwan am Abend**
Fragmente eines Lebens
Band 3772

**Doris Lerche**
**Eine Nacht mit Valentin**
Erzählungen
Band 4743

**Dorothée Letessier**
**Auf der Suche nach Loïca**
Roman
Band 3785
**Eine kurze Reise**
Aufzeichnungen einer Frau. Band 3775

## Fischer Taschenbuch Verlag

fi 20 / 14 b